Rohlfs, Gerhar

Quer durch Afrika : Reise vom Mittelmeer nach dem Tschad-See

Rohlfs, Gerhard

Quer durch Afrika : Reise vom Mittelmeer nach dem Tschad-See

Inktank publishing, 2018

www.inktank-publishing.com

ISBN/EAN: 9783750108264

QUER DURCH AFRIKA.

REISE

VOM MITTELMEER NACH DEM TSCHAD-SEE

UND

ZUM GOLF VON GUINEA

VON

GERHARD ROHLFS.

IN ZWEI THEILEN.

MIT ZWEI LITHOGRAPHIRTEN KARTEN

ZWEITER THEIL.

LEIPZIG:

F. A. BROCKHAUS.

1875.

Inhalt.

I.

Das Reich Bornu.

Seite

Die Dynastie. Titel. Eunuchen. Hof- und Staatsbeamte. Das Heer. Bewaffnung. Des Sultans Leibgarde. Vasallenfürsten. Die Kanúri (Körperbau, Familienleben, Religion). Feldfrüchte. Baumwolle und Taback. Obst 1

II.

Reise nach Uándala.

Ein Sumpfland. Begleitung und Ausrüstung. Abreise. Hadj Aba. Regen. Waldbäume. Heuschrecken. Die Dörfer Fórtua und Solúm. Sumpfluft. Gáloa und Galegéro. Der Buddumásseli-Wald. Die Stadt Mai-dug-eri. Der Ngádda-Fluss. Mai-schig-eri. Die Schua-Araber. In Kuintaga. Ueber den Jádsaram-Fluss. Escorte bis zur Grenze. Berg und Dorf Grea. Ankunft vor Doloo 12

III.

Der Sultan von Uándala.

Officieller Empfang. Vertrauliche Audienz. Besteigung des Berges Sremarda. Begehrlichkeit des Sultans. Seine Todesfurcht. Ritt nach der frühern Hauptstadt Mora. Abschiedsgeschenke. Die Unterthanen und die politische Lage 40

IV.

Rückreise nach Kuka.

Ausmarsch aus Doloo. Von Buendjē nach Díkoa über die Dörfer Adjabína, Tjétjele, Abénde, Konomengúddua und Maidjigíddi. Der Ngúrrum-Fluss. Die Städte Díkoa, Ala, Jédē und Ngórnu 64

V.

Noch zwei Monate in Kuka.

Seite

Ein Wühler. Nutzen des Chinin. Prächtiger Aufzug. Näheres über Eduard Vogel's und Moritz von Beurmann's Ermordung in Uadaï. Veränderter Reiseplan. Das Klima von Bornu. Briefe aus der Heimat. Abschied von Sultan Omar 77

VI.

Von Kuka nach Magómmeri.

Ausmarsch. Nachtlager in Kasaróa und Mulē. Willkommen in Magómmeri. El Alamino. Eine Straussenzucht. Die Zibethkatze 94

VII.

Durch das südwestliche Bornu.

Zwei Fakih als Reisebegleiter. Provinz und Ort Karágga-Uora. Walddörfer. Weihnachten in Uassáram. Der Ort Mogodóm. Ein See. Die Städte Gudjba, Mutē und Gebē. Schlimme Lage der Grenzbewohner 109

VIII.

Eintritt ins Reich der Pullo.

Der Fluss Góngola. Im ersten Pullo-Dorfe. Die Doppelstadt Birri. Sendung Hammed's nach Tapē an den Sultan von Kalam. Ueber die Abstammung der Pullo. Durch Duku nach der Hauptstadt Gombē 124

IX.

Im Reiche Bautschi (Jacoba).

Ueberschreitung der Grenze. Burriburri. Die Bolo-Neger. Ein Pseudo-Scherif. Ankunft in der Hauptstadt Garo-n-Bautschi. Ritt nach Keffi-n-Rauta. Besuch beim Lámedo. Oeffentliche Audienzen. Die Lagerstadt Keffi-n-Rauta 137

X.

Herrscher und Volk von Bautschi.

Gründung des Reichs. Aufstände der Heiden. Oberhoheit des Sultans von Sókoto. Titel und Hofchargen. Täglicher Markt in Garo-n-Bautschi. Tracht der Bewohner. Arbeiten der Männer

Seite

und Frauen. Klima. Der Islam als Haupthinderniss für das Vordringen ins Innere von Afrika. Nachrichten über die Niam-Niam-Kannibalen 151

XI.

Uebersteigung des Gora-Gebirges.

Das Dorf Meri. Berg und Ort Saránda. Der Ort Djaúro. Ueber das Gebirge nach Goa. In Badíko. Feier zum Schluss des Ramadhan. Am Fusse des Gora und Uebergang über die Passhöhe 168

XII.

Nach und in Keffi Abd-es-Senga.

Die Orte Ungu-n-Bodo und Garo-n-Kado. Die Kado-Neger. Markt in Ja. Sango-Katab. Mokádo und Madákia. Abenteuer in Konúnkum. Der Marktort Kantang. Ein schwarzer Adam. Das Walddorf Amáro. Hádeli. Ankunft in Keffi. Dynastie, Einwohnerschaft und Handel von Keffi 177

XIII.

Von Keffi bis an den Bénuē.

Ausmarsch. Der Kogna-Fluss. Ssinssínni und Omaro. Dorf Ego im Ego-Gebirge. Götzenbilder und Götzendienst. Die Städte Atjaua und Udíni. Eine Kunststrasse. Sultan Auno von Akum. Ankunft am Bénuē 195

XIV.

Die Sókoto-Länder.

Gestaltung des Terrains. Höchste Erhebungen. Gestein. Sebcha-Salz. Zinn, Eisen und Antimon. Das Flusssystem. Die Flora und Fauna. Negerstämme. Fellata oder Pullo. Religion . . 205

XV.

Fahrt auf dem Bénuē.

Nichtexistenz des Ortes Dagbo. Ueber geographische Namen. Die Insel Loko bei Udjē. Die Bassa-Neger. Gewinnung des Palmöls. Abfahrt. Die Flussufer. Dorf Amára. Fischfang. Die Stadt Imáha (Um-Aischa). Landung in Lokója 215

XVI.

Die englische Factorei Lokója.

Seite

Empfang. Geschichte der Gründung. Elfenbeinhandel. Die christliche Gemeinde und ihr Gottesdienst. Klima. Mr. Fell und Mr. Robins. Neue Reisedisposition. Ausrüstung und Begleitung. Abschied 230

XVII.

Im Königreich Nyfe (Nupe).

Das Steigen und Fallen des Niger. Stromauffahrt. Station Egga. Des Königs Kriegsflotte. Die Stadt Rabba. Ritt ins Heerlager am Eku. König Mássaban. Ein Zug durchs Lager. Titel und Würden. Misverständnisse. Die Dynastie. Sprache und Rasse des Volks. Producte 238

XVIII.

Eintritt in die Jóruba-Länder.

Im Lager zu Fánago. Verlassene Orte. Ankunft in Saráki. Rasse der Jorubaner. Bauart ihrer Häuser. Schweinezucht. Ueber die Flüsse Oschi und Assa. Die Handelsstadt Ilori. Bei König Djebéro. Die Bevölkerung von Ilori. Abreise ohne Erlaubniss 251

XIX.

Von Ilori bis an den Golf von Guinea.

Das Dorf Jara. Der Ort Ogbómoscho. Goro- und Kola-Nuss. In der englischen Mission zu Ibádan. Grenze zwischen Jóruba und Jabu. Zwei Nächte im Walde. Der Ort Ipára. Grenzen des Jabu-Landes. Die Orte Odē und Pure. An der Lagune. Eintreffen in Lagos 263

Botanischer Anhang.

I. Verzeichniss der zwischen Tripolis und Mursuk 1865 gesammelten Pflanzen. II. Verzeichniss der in Kanem und Bornu 1866 gesammelten Pflanzen. III. Alphabetisches Verzeichniss der in diesem Werke vorkommenden Pflanzennamen 277

I.

Das Reich Bornu.

Die Dynastie. Titel. Eunuchen. Hof- und Staatsbeamte. Das Heer. Bewaffnung. Des Sultans Leibgarde. Vasallenfürsten. Die Kanúri (Körperbau, Familienleben, Religion). Feldfrüchte. Baumwolle und Taback. Obst.

Omar, der jetzige Beherrscher von Bornu, ist der erste Sultan aus der Familie der Kanemiin; eigentlicher Gründer der Dynastie aber war sein Vater, der Schich Mohammed el Kanemi. Dieser hatte sich in den zwanziger Jahren dieses Jahrhunderts neben den schwachen Sultanen der Ssaefua-Dynastie eine ähnliche Machtstellung zu verschaffen gewusst, wie sie etwa der Major domus bei den merovingischen Königen besass, nur mit dem Unterschiede, dass er seiner Würde, um die Unterstützung der Araber und Kanemba gegen das zum grössten Theil noch aus Kerdi (Heiden) bestehende Volk zu gewinnen, einen geistlichen Charakter verlieh und einen religiösen Nimbus um sich verbreitete. Deshalb führte er den Titel Schich, der bei den Mohammedanern dem Vorsteher einer Sauya oder dem Obern einer religiösen Genossenschaft beigelegt wird. Auch sein Sohn Omar, der Erbe seiner Macht, nannte sich noch Schich, bis er, nachdem im März 1846 der letzte Ssaefua-Sultan und kurz darauf in der Schlacht bei Minarem dessen Bruder getödtet worden, als Alleinherrscher den Thron von Bornu bestieg. Nun nahm Omar den Titel „Mai“, d. h. König oder Sultan, an; indess pflegen ihn die Araber, Tebu und Tuareg aus alter Gewohnheit immer noch Schich zu nennen.

Obgleich der „Mai“ jeden Vormittag seine Brüder und Söhne, die hohen Staatsbeamten und die Kognaua (Hofräthe) zur Nokna (Rathsversammlung) beruft, regiert er doch thatsächlich ganz so absolut und unbeschränkt wie jeder andere mohammedanische Despot. Er vereinigt in seiner Person die weltliche und geistliche Gewalt, ist Herr über Gut und Leben seiner Unterthanen, setzt die Beamten ein und ab und kann auch die Rechtssprüche der Kadhi nach Gutdünken umstossen. Der muthmassliche Thronfolger, gleichviel ob Sohn, Bruder oder Vetter des Sultans hat den Titel Yeri-ma (nach Barth Tschiröma, nach Denham und Clapperton Cheroma), doch scheint er dem jetzigen Kronprinzen Aba-Bu-Bekr, des Sultans ältestem Sohne, nicht beigelegt zu werden. Ein besonderer Titel: Kabiskema, kommt auch dem Sohne der ältesten Schwester des Sultans zu, was an die Thronfolgeordnung in den Berberstaaten erinnert, nach welcher nicht der Sohn, sondern der Schwestersohn des Herrschers demselben folgt. Die übrigen männlichen Verwandten des Mai heissen Maina und werden gewöhnlich „Aba“ (mein Herr) angeredet. Diejenige von den rechtmässigen Frauen des Sultans, welche den Vorrang vor allen andern hat, wird Gúmssu, seine Mutter Mágera titulirt.

Grossen Einfluss am Hofe von Bornu, wie an jedem mohammedanischen Hofe, haben die Eunuchen (Adim). Sie werden vom Sultan mit Gunstbezeigungen und Reichthümern überhäuft, sie gehen am reichsten gekleidet, besitzen die schönsten Pferde, wohnen in den stattlichsten Häusern und schwelgen in Prunk und Wohlleben. Kein Wunder daher, dass sie sich durch hochmüthiges, insolentes Wesen auszeichnen; es ist gefährlicher, einen Adim als einen Kogna zu beleidigen. Freilich fällt ihr Vermögen, da sie als von der Fremde eingeführte Neger keine Verwandten im Lande haben, bei ihrem Tode wieder an den Sultan zurück. Der Oberste sämmtlicher Eunuchen ist der Yura-ma, der Aufseher über die Weiber der Mistre-ma, dem Kislar-Agha am türkischen Hofe entsprechend. In den Händen eines Verschnittenen befindet sich auch das wichtige Amt des Schatzmeisters, des Mala (wahrscheinlich aus dem Arabischen von „mel", Schatz).

Zu den einflussreichsten Hofbeamten gehören ferner: der Ssintal-ma, Obermundschenk, welcher den Sultan stets begleitet und ihm das Trinkgefäss und das Waschbecken reicht (Barth leitet den Titel von der Provinz Kanem ab, wie den des Thronfolgers, Yeri-ma, von der Provinz Yeri); der Mainta, Oberküchenrath oder Truchsess; endlich der Marma kullo be (in Barth's Vocabularien Kária marma kullo be, „karia" heisst im Kanúri der männliche Sklave), der Oberaufseher über die durchschnittlich mindestens 4000 Sklaven des Sultans, der zu bestimmen hat, wieviel und welche zum Verkauf kommen und wann wieder zur Ausfüllung der Lücken ein neuer Kriegszug unternommen werden soll.

An der Spitze der Staatsbeamten steht der Dig-ma oder Dug-ma, eigentlich Minister des Innern, in Wirklichkeit aber, wenigstens zu meiner Zeit, der alleinige Minister und erste Rathgeber des Sultans. Unter ihm fungiren der Ssiggibáda, Ministerialdirector, und der Ardjino-ma, sein Geheimsecretär. Fugo-ma, Oberst-Scharfrichter, ist der Stadtcommandant von Ngornu, nicht der Statthalter von Ghaer-Eggomo, dem Barth diesen Titel gibt, Kasal-ma der Stadtcommandant von Jo, während Barth schreibt: „Der Kassalma oder Kádjelma ist der Statthalter der öst-

1*

lichen Provinzen Kanems", und Nachtigal: „Der Statthalter von Yō führt den Titel Schétima (Setima), wie alle Chefs der bedeutendern am Wasser gelegenen Districte." So lange die Ssaefua-Dynastie regierte, gab es zwölf höhere Beamte, die man mit dem gemeinsamen Namen Buya dérdayē, d. h. die Grossen des Königs, bezeichnete; jetzt gehören die Würdenträger zu den Kognaua, und mit den Titeln sind meist andere Functionen als damals verbunden. Besoldung vom Staate empfangen die Kognaua nicht, aber der Sultan verleiht ihnen einträgliche Ländereien oder Statthalterschaften von Provinzen und Städten, aus denen sie so viel zu ziehen wissen, dass sie ihrerseits dem Sultan jährlich bedeutende Geschenke machen können.

Die bewaffnete Macht des Reiches, der eine militärische, wennschon sehr mangelhafte Organisation nicht abzusprechen ist, besteht aus etwa 1000 Mann mit Flinten bewaffneter Fusssoldaten, aus ebenso viel gleichfalls mit Flinten und aus 3000 mit Bogen und Pfeilen, Lanzen und Schangermangern bewehrten Reitern. Ausserdem aber hält jeder Grosse, Kogna und Katschella je nach seinem Vermögen eine grössere oder geringere Zahl unregelmässiger Truppen zu Fuss und zu Pferde, sodass Bornu im ganzen wol 25—30000 Kämpfer ins Feld stellen kann. An Artillerie verfügt der Sultan über ungefähr 20 in Kuka selbst gefertigte metallene Kanonen verschiedenen Kalibers, auf schlechten Lafetten oder rohen Holzklötzen ruhend, sowie über 2 Mörser, die aber im Kriege kaum verwendbar sein möchten. Der Höchstcommandirende der Fusstruppen ist der Katschella Nbursa, der mit Flinten bewaffneten Reiter der Katschella blall oder Kaiga-ma (nach Barth's Schreibung Kaighámma, gleich dem türkischen Seraskier), der Bogenschützen und Lanzenträger der Katschella Nbanna oder Yalla-ma; der Hauptmann einer Compagnie von 100 Mann heisst einfach Katschella. Die Soldaten erhalten wie die Civilbeamten keinen Sold, sondern Stücke Land, von dessen Anbau sie ihren Lebensunterhalt gewinnen müssen.

Eine echt afrikanische Waffengattung sind die bornuer Bogenschützen, etwa 1000 Mann stark. Ausser Bogen, Pfeil und Köcher haben sie 2 bis 4 Wurfspiesse, eine lange Lanze, den gefährlichen Schangermanger und den Schild, und ein über die Schulter geworfenes Tigerfell gibt ihnen ein wirklich martialisches Aussehen. Der Bogen ist von festem, biegsamen Holze, die Sehne von gedrehtem Leder, als Pfeile dienen 1½ Fuss lange Rohrstäbe mit 3 Zoll langer, meist in Gift getränkter Eisenspitze, der lederne Köcher hängt an Riemen auf dem Rücken. Zum Schaft der Wurfspiesse und Lanzen nimmt man das sehr zähe und dauerhafte, aber verhältnissmässig leichte Holz von der Wurzel des Ethelbaums. Leicht sind auch die Schilde, theils aus Büffelleder, theils aus getrockneter Rhinoceros-, Hippopotamus- oder Elefantenhaut, theils aus dickem Schilfrohr, das vor dem Kampfe durch Anfeuchten zäher gemacht wird; ein Schild, der den ganzen Mann deckt, wiegt nur 4—5 Pfund. Den Schangermanger, dessen Gebrauch im Sudan westlich über Bornu hinaus unbekannt zu sein scheint, in der Sahara aber bis zum Ocean verbreitet ist, habe ich schon früher beschrieben; in Bornu sah ich deren auch aus Holz, zum Theil mit künstlicher Schnitzerei verziert.

Des Sultans berittene Leibgardisten tragen unter ihrer Tobe einen Maschenpanzer, der den ganzen Leib nebst Armen und Beinen umschliesst, und auf dem Kopf eine kupferne oder eiserne Platte, von der ringsum ein gleiches Netz bis auf die Schultern herabfällt, sodass nur ein kleiner Theil des Gesichts frei bleibt. Auch der Sultan, die Prinzen und Vornehmen legen im Kriege, um gegen das Eindringen der Pfeile und Wurfspiesse geschützt zu sein, solche Panzerkleider an, die zu sehr theuern Preisen aus Aegypten bezogen werden. Brustpanzer aus Eisenplatten für weniger Bemittelte liefern die einheimischen Waffenschmiede. Wie schwer müssen die Pferde an diesen gepanzerten Reitern zu tragen haben, zumal man auch die Thiere selbst zum Schutz gegen Pfeile und Spiesse bis an die Knie in dickwattirte baumwollene Decken hüllt und ihre Köpfe vorn und an den Seiten mit messingenen oder silbernen Platten behängt!

So wenig das bornuer Kriegsheer sich mit einer europäischen Armee zu messen vermag, so ist es doch stark genug, nicht blos die Landesgrenzen vor feindlichen Einfällen zu sichern, sondern auch die Fürsten der umliegenden Staaten zu Vasallen des Herrschers von Bornu zu machen. Mehrern derselben, wie dem Sultan von Dikoa und dem von Ala, wurde ihre Selbständigkeit bereits vollständig genommen und nichts als der leere Titel noch gelassen. Andere, wie die Sultane Mussa von Múnio, Abdo von Gummel, Slimann von Mátjena, sind in ihrer Souveränetät sehr eingeschränkt und verpflichtet, einen jährlichen Tribut an Sklaven und Erzeugnissen des Landes nach Kuka zu senden. Etwas mehr Unabhängigkeit haben sich bisjetzt die Sultane Abd-el-Kader von Logon und Mohammed von Kótoko bewahrt, dank der eigenen, mit dem Kanúri nur entfernt verwandten Sprache ihrer Völker, die eine Scheidewand bildet zwischen ihnen und den Bewohnern von Bornu, doch sind auch sie schon lange tributpflichtig. Sinder, jetzt noch ein ziemlich selbständiger Staat, wird wahrscheinlich nach dem Tode des gegenwärtigen Sultans Tánemon als reif für die Annexion befunden werden; Mándara (Uándala) aber, das zur Zeit als es Vogel besuchte, noch seine volle Souveränetät besass, ist heute bereits nichts mehr als eine Provinz des Kanúri-Reiches. Immerhin gebieten indess alle diese Vasallenfürsten unumschränkt über Freiheit und Leben ihrer Unterthanen, sowie sie auch Rasias gegen die benachbarten Negerstämme auf eigene Faust vollführen dürfen.

Die Eingeborenen von Bornu, die Kanúri, sind eine im ganzen wohlgestaltete Menschenrasse. Ihr Körperbau hält ungefähr die Mitte zwischen den vollen plastischen Formen der Haussa-Neger und der sehnigen Magerkeit der Tebu; unter den Vornehmen gibt es allerdings auch viele fette und corpulente Gestalten. Die Beine stehen in richtiger Proportion zum Oberkörper und entbehren nicht, wie bekanntlich bei den meisten Negerstämmen, der Waden. An Grösse erreichen die Männer das europäische Durchschnittsmaass, während das weibliche Geschlecht ziemlich weit hinter demselben zurückbleibt. In der Kopfbildung prägt sich entschiedener als im Wuchs der echte Negertypus aus: krauses wolliges Haar, rundes Gesicht, vorstehende Backenknochen, wulstige Lippen; nur tritt die Nase mehr als sonst bei den Negern aus dem Gesicht heraus, ich sah äusserst selten ganz platte, häufig vielmehr wirkliche Adlernasen. Drei Längsschnitte auf der Wangenhaut fehlen nie. Der Ausdruck in den Gesichtszügen, namentlich im Blick verräth bei den meisten Gutmüthigkeit und Wohlwollen und hätte mich noch sympathischer berührt, wenn nicht durch die gelbliche Bindehaut des Auges die vortheilhafte Wirkung etwas abgeschwächt würde. Das Kopfhaar wird von den Männern glatt abgeschoren, und tagelang lassen sie die heissen Strahlen der Tropensonne auf den kahlen Schädel brennen, nur die Wohlhabendern bedecken das Haupt mit einer weissen baumwollenen Mütze, die Vornehmen mit dem rothen Fes. Hingegen verwenden die Frauen Sorgfalt auf ihre freilich nicht langen Haare, indem sie dieselben entweder in eine Menge kleiner Zöpfe flechten, die rund um den Kopf herabhängen, oder in eine helmartig von hinten nach vorn über dem Kopf liegende Wulst zusammenbinden.

In Betreff der geistigen Fähigkeiten stehen die Kanúri den Nachbarvölkern keineswegs nach; ihre natürlichen Neigungen sind vorwiegend dem Guten zugewendet, daher Völlerei und andere Laster, denen sich z. B. die Maba von Uadaï oder die Abessinier hingeben, in Bornu selten oder gar nicht vorkommen. Die mohammedanische Sitte der Vielweiberei haben nur die Fürsten und Grossen angenommen, der Mann aus dem Volke führt ein geordnetes Familienleben mit einer Frau, und manche Ehe ist mit einem Dutzend Kinder gesegnet. Obwol die Mädchen meist schon mit zwölf Jahren die geschlechtliche Reife erlangen, heirathen sie selten vor dem sechzehnten Jahre; freilich gestatten sich die Töchter der Reichen vor ihrer Verheirathung grosse Freiheiten im Umgang mit Männern, ohne dass der Bewerber um ihre Hand daran Anstoss nimmt. Nach der Verheirathung aber ist die Frau Eigenthum des Mannes, und Ehebruch wird in Kuka, wie es scheint, nach den strengen Gesetzen des Koran bestraft. Indessen, wenn auch die Frau dem Manne fast wie eine Sklavin unterthan ist und erst als Mutter zahlreicher Nachkommenschaft zu einer etwas geachtetern Stellung gelangt, so hat sie doch hier nicht wie sonst bei den Bewohnern Centralafrikas die Last der Arbeit allein zu tragen. Vielmehr machen die Kanúri unter den Negern, denen im allgemeinen mit Recht Trägheit und Arbeitsscheu vorgeworfen wird, eine rühmliche Ausnahme. Mann und Frau bebauen gemeinschaftlich das Feld und bringen gemeinschaftlich die Producte oder Waaren zum Verkauf; die Frauen spinnen und weben die Baumwolle, die Männer nähen die langen Streifen Zeug zu Kleidungsstücken zusammen, welche sie oft mit fleissiger Handstickerei bedecken. Von andern Handwerkern, den Schuhmachern, Schmieden, Töpfern, Korb- und Mattenflechtern u. s. w., haben wir schon bei der Schilderung des kukaer Markts gesprochen, genug, die Bornuer sind unstreitig das betriebsamste und civilisirteste von allen Negervölkern. Und diese Betriebsamkeit ist dem Volke um so höher anzurechnen, da leider die Fürsten und Grossen ihm kein gutes Beispiel geben, im Gegentheil Arbeiten für etwas Erniedrigendes ansehen und sich beschimpft glauben würden, wenn sie zu Fuss gehen, auf dem Markt etwas einkaufen oder gar Feld- und Handarbeit verrichten sollten.

Neben den gewerblichen Hantierungen versäumen aber die Frauen auch nicht die Pflege und Erziehung ihrer Kinder; Schulen, in welche die Knaben geschickt werden, um einen äusserst dürftigen Unterricht zu empfangen — die Mädchen sind ganz davon ausgeschlossen — gibt es nur in den wenigen grössern Städten. Welch wichtigen Factor die Familie im Leben der Kanúri bildet, davon zeugt unter anderm die Reichhaltigkeit ihrer Sprache an Bezeichnungen für die verschiedenen Verwandtschaftsgrade. Sie haben z. B. ein eigenes Wort für den ältern Bruder, gaya, und für den jüngern Bruder, kerami, für den Oheim von väterlicher und von mütterlicher Seite, für eine eben erst Witwe gewordene Frau und für eine Witwe, wenn sie sich wieder verheirathen darf.

Als Staatsreligion in Bornu gilt seit Jahrhunderten der Mohammedanismus. Die Dynastie, alle Vornehmen und die Bewohner der grössern Ortschaften bekennen sich dazu. Dennoch hat der Islam im Volke keine Wurzel geschlagen und wird es auch nie, er scheint in Afrika über eine gewisse Grenze nicht hinaus zu können. Man nahm den Eingeborenen ihren uralten Fetischdienst, ohne dass sie für die Idee des Monotheismus gewonnen wurden, nicht einmal ein Wort besitzen sie in ihrer Sprache für Gott, denn kéma-nde, womit sie das Fremdwort Allah übersetzen, heisst Herr im bürgerlichen Sinne; gebetet aber wird ausschliesslich in arabischer Sprache, die weitaus den meisten unverständlich ist. Früher verehrten sie einen Waldteufel, Koliram, und einen Wasserteufel, Ngámaram; jetzt feiern sie gar keine Gottheit mehr, und ihre ganze Religion besteht in allerlei Aberglauben und einigen äusserst verworrenen Vorstellungen von Paradies und Hölle der Mohammedaner. Daher haben auch die religiösen Feste keine tiefere Bedeutung für sie, sondern werden nur mit wiederkehrenden Naturerscheinungen, wie Vollmond, Eintritt der Regenzeit und dergleichen, in Verbindung gebracht.

Ich habe bereits mehrfach erwähnt, dass die Bornuer fleissige Ackerbauer sind. Natürlich bauen sie vorzugsweise Getreide, und zwar massakúa (Holcus cernuus), ṅgafoli (Sorghum) und argum moro (Pennisetum typhoidum, Negerhirse). Etwas Weizen wird bei Kuka, ausschliesslich für den Sultan gebaut. Reis wächst auf wasserreichem Boden wild oder bedarf nur geringer Pflege. Gemüse und Hülsenfrüchte zieht man ebenfalls auf offenem Felde, nicht in Gärten; es sind: koltsche (Arachis hypogaea, Erdmandeln), ṅgalo (Bohnen), ṅgangala, eine Erdmandel, die botanisch noch nicht näher bestimmt wurde, Gurken, Melonen, süsse Kartoffeln, Zwiebeln, Knoblauch, Bamien. Das beliebteste Gemüse aber sind die jungen zarten Blätter des Andasonienbaums, die gekocht einen unserm Braunkohl ähnlichen Geschmack haben.

Für eine in Afrika einheimische Pflanze ist wol zweifellos die Baumwollstaude anzusehen; wenigstens spricht dafür ihre weite Verbreitung über den afrikanischen Continent sowie die Reichhaltigkeit an Worten für Baumwolle, die sich fast in allen Negersprachen findet. Das Wort kalkutta, dessen sich die Kanúri bedienen, scheint, ebenso wie unser Wort Kattun, aus dem Arabischen zu stammen. Ob auch der Taback ein einheimisches Gewächs, oder von

Amerika eingeführt sei, darüber sind die Meinungen getheilt; seine Verbreitung ist gleichfalls sehr allgemein, ja es gibt kaum eine Negerhütte, in deren Umgebung nicht einige Tabackstauden angepflanzt wären. Uebrigens wird der Taback von den Bornuern nicht geraucht, sondern in Vermischung mit Natron gekaut.

Im Gegensatz zum Feldbau ist die Baumzucht in Bornu gänzlich vernachlässigt. Die Datteln, die hier verspeist werden, kommen von Kanem oder noch weiter vom Norden her; die äusserst bitter und unangenehm schmeckende Frucht des Bito oder Hadjilidj (Balanites aegyptiaca) kann für die Dattel in keiner Weise Ersatz leisten. Auch die Feigen taugen hier nichts, und die Früchte des Tamarindenbaums wie die der Adansonie lassen sich nur zu Limonade benutzen, da die Bornuer keinen Zucker haben, um durch Versetzung damit die Tamarindenpulpe essbar zu machen. Schmackhafte Früchte liefern nur die Banane und der Gundabaum, doch treten beide erst an der Westgrenze des Landes auf. Barth nennt den Gunda Melonenbaum, und in der That hat seine Frucht äusserlich grosse Aehnlichkeit mit der Melone; ganz verschieden von ihr ist aber der ausserordentlich liebliche Geschmack, den ich nicht anders zu bezeichnen weiss, als: die Gundafrucht schmeckt, wie die Jasminblüte riecht. In den Wäldern von Bornu wachsen indess eine Menge wilder Fruchtbäume; würden sie gepflegt und veredelt, so dürften die meisten von ihnen mit geniessbaren, zum Theil vielleicht jetzt noch unbekannten Obstarten die Pflege belohnen.

II.

Reise nach Uándala.

Ein Sumpfland. Begleitung und Ausrüstung. Abreise. Hadj Aba. Regen. Waldbäume. Heuschrecken. Die Dörfer Fórtua und Solúm. Sumpfluft. Gáloa und Galegéro. Der Buddumásseli-Wald. Die Stadt Mai-dug-eri. Der Ngádda-Fluss. Mai-schig-eri. Die Schua-Araber. In Kuintaga. Ueber den Jádsaram-Fluss. Escorte bis zur Grenze. Berg und Dorf Grea. Ankunft vor Doloo.

Kurz nach meiner Rückkehr vom Tschad-See fasste ich den Plan, die Zeit bis zur Wiederankunft des an den Sultan von Uadaï geschickten Kuriers mit einem Besuche des Landes Uándala (Mándara) auszufüllen.

Dieses kleine Land war vor mir erst von zwei Europäern besucht worden, von Denham und von Vogel. Letzterer hinterliess über seinen Besuch in Mara kaum eine dürftige Notiz; von ersterm besitzen wir eine ausführliche Schilderung des durch Araber und Bornuer zum Einfangen von Sklaven unternommenen Kriegszugs, den er dahin begleitete, und der vielfach an den Zug erinnert, mit dem Nachtigal nach Bagirmi kam. Von Barth wird Uándala ein Bergland und die Bewohnerschaft ein Gebirgsvolk genannt, was aber auf Irrthum beruht, denn das Gebiet erstreckt sich nur bis an den nördlichsten Abhang der Berge, und seine Bewohner, eng verwandt mit den Lógone, Gámergu, Kanúri und Búdduma, haben nichts gemein mit den weiter südlich wohnenden Bergvölkern. Uándala ist vielmehr ein echtes Sumpf- und Wasserland, das während der ganzen Regenzeit theils durch die vom Gebirge herabkommenden Flüsse und Bäche, theils durch den austretenden Tschad-See überschwemmt wird, wie denn auch der Name Uándala, Wángara, Mándara, Mándala in den verschiedenen Negersprachen „Sumpf" bedeutet.

Sultan Omar ertheilte nicht nur bereitwilligst die Erlaubniss zur Reise, sondern bot mir auch Almas als Kammai-be (Mann des Königs, königlicher Botschafter) zur Begleitung an. Sein ältester Sohn, Aba-Bu-Bekr, der eine Tochter des Sultans von Uándala zur Frau hat, versah mich mit einem Empfehlungsschreiben an letztern und überliess mir gleichfalls einen seiner Diener. Mohammed el Alamíno stellte Vogel's ehemaligen Diener Dunkas beritten und mit Flinte bewaffnet zu meiner Verfügung, mit dem Bemerken, dass ich ihn, wenn es mir beliebe, für immer behalten könne. Von meinen eigenen Leuten sollten der Gatroner, Hammed, Ali und Noël mich begleiten. Das schöne Pferd, das mir der Sultan geschenkt, gab ich dem Alamino nach Magómmeri mit, in dessen Hause zu Kuka ich auch meine werthvollern Effecten, in Kisten verpackt, aufbewahren liess; alles übrige nebst einem kranken Sklaven nahm ein mir befreundet gewordener Scherif von Medina zu sich. Zum Reiten für mich und den Gatroner wurden zwei kleine wohlfeile Pferde, und zum Transport der Sachen drei Lastochsen angeschafft. Letztere Thiere, Kanemo genannt, kosten nur 2 Thaler das Stück und tragen mindestens ebenso viel wie ein Pferd, während sie mit dem magersten Futter vorlieb nehmen. Leider lassen sie sich schwer lenken, und ein anderer Uebelstand ist, dass man keine praktischen Sättel für sie hat; die Last wird ihnen in zwei grossen Ledersäcken über den Buckel geworfen, führt nun der Weg durch dichtes Gebüsch, so kommt es oft vor, dass die Säcke sich abstreifen und nach hinten herunter fallen.

Der 8. September (1866) war der zur Abreise bestimmte Tag. Da der Weg über Dikoa der Ueberschwemmungen wegen in dieser Jahreszeit nicht passirbar ist, musste der weitere über Udjë genommen werden. Um 7 Uhr morgens schickte ich die Leute unter Almas' Führung voraus, mit dem Befehl, mich in dem Dorfe Hadj Aba zu erwarten. Ich selbst hatte noch allerlei zu besorgen, sodass es 10 Uhr wurde, bis ich durch das Südthor die Stadt verliess. Beim heitersten Wetter ritt ich zwischen den in voller Pracht stehenden Getreidefeldern hin, die Richtung von 200° verfolgend. Nach einer halben Stunde blieb links von mir der Ort Marmatari, und wieder nach einer halben Stunde ebenfalls zur Linken der Ort Digígi liegen. Um 12 Uhr fand ich meine Leute ¼ Stunde vor Hadj Aba im Schatten eines mächtigen Tamarindenbaums gelagert. Wir rasteten hier der Hitze wegen bis 3 Uhr und trafen dann gerade noch zu rechter Zeit im Dorfe ein, um vor einem heftigen Gewitterregen Schutz zu finden. In Kuka hatte man mich versichert, die Regenzeit sei zu Ende, und ich hatte der Versicherung, obgleich noch etwa 14 Tage bis zum Eintritt der Sonnenwende fehlten, um so eher Glauben geschenkt, als in der That seit mehrern Tagen kein Regen mehr gefallen war. Durch diesen Irrthum wurde aber, wie wir später sehen werden, der Zweck meiner Reise nach Uándala grossentheils vereitelt, denn der beständige Regen, der in der Nähe des Gebirges noch länger anhält als in der offenen Ebene, erweichte den Boden dermassen, dass an ein Herumreisen im Lande nicht zu denken war. — Sobald indess der Regen in Hadj Aba etwas nachliess, flüchtete ich mich wieder ins Freie, vertrieben durch die fabelhafte Masse von Flöhen, die den Aufenthalt in der Hütte zur unerträglichen Pein machte.

Auch als wir am andern Morgen aufbrachen, regnete es wieder, und immer grundloser wurden die Wege. Zwei Umstände befördern hier die Versumpfung des Bodens.

Einmal kann in dem völlig horizontalen Terrain nirgends ein Rinnsal sich bilden, das dem Wasser Abzug verschaffte, und zweitens wird durch keinen Stein das Eindringen der Nässe ins Erdreich gehemmt. Selbst dicht am Fuss des Gebirges, auf der nördlichen wie auf der südlichen Seite, findet sich kaum eine Spur von Geröll; die Erhebung des Landstrichs zwischen dem centralafrikanischen Gebirge und dem Hochlande der Wüste über den Meeresspiegel muss also ohne alles gewaltsame Erschüttern der Erdrinde vor sich gegangen sein. Eine Viertelstunde hinter Hadj Aba liegt etwa 1/2 Stunde westlich vom Wege entfernt der Ort Karban. Jetzt begannen Schwärme von Fliegen und Blutwespen unsere Thiere zu peinigen, doch sind sie glücklicherweise nicht so gefährlich wie die nbússoni genannte Fliege, die in Logone und Bagirmi häufig sein und mit einem einzigen Stiche ein Pferd tödten soll, die ich übrigens nach der Beschreibung, welche mir die Eingeborenen davon machten, mit der berüchtigten Tsetse-Fliege für identisch halte. Die Gegend ist schön, wenn auch nicht dicht bewaldet. Eine Hauptzierde bildet der Golúmbi-Baum, den ich hier zum ersten mal sah, mit seinem gefiederten Laubwerk, desgleichen der schattige Tamarindenbaum, durch dessen breites Blätterdach kein Sonnenstrahl dringt. An ihnen klettert der cactusartige Digéssa, der vereinzelt schon im Norden von Kuka vorkommt, nun aber in Menge erscheint, mit Ranken und Blättern wie die Weinrebe empor; aus dem Saft seines in der Jugend viereckigen und fleischigen, später abgerundeten, am untern Ende oft armsdicken Stammes wird in Vermischung mit andern Pflanzensäften jenes furchtbare Pfeilgift bereitet, von dem nach Aussage der Neger das kleinste Tröpfchen, in eine Wunde gebracht, fast augenblicklich den Tod herbeiführt. Hier und da ist der Waldpark von Ngafoli- und Morumfeldern oder von Geländen mit Bohnen und Karres, einer säuerlich schmeckenden Gemüsepflanze, unterbrochen. Nachdem wir um 7½ Uhr an dem Orte Birnoa, eine Viertelstunde rechts vom Wege liegend, vorbeipassirt, gelangten wir um 8 an die drei Brunnen Bellúri und um 9 an den Brunnen Gúggerum, wo ein kurzer Halt gemacht wurde, um die etwas zurückgebliebenen Ochsen zu erwarten. Um 10½ Uhr erreichten wir das Dorf Fórtua, ein Besitzthum des Katschélla blal. Ich fand bei den Bewohnern gastliche Aufnahme und beschloss, da die Ochsen der Weide bedurften, den Tag dort zu bleiben. Von 3 Uhr bis Sonnenuntergang zogen förmliche Wolken von Heuschrecken von Norden nach Süden, wahrscheinlich aus der Tintümma kommend, über das Dorf.

Der allgemeine Name für Heuschrecke ist Kafi, für die einzelnen Arten gibt es aber besondere Namen: die Wüstenheuschrecke heisst kómono (kamanwa), von den in Bornu einheimischen heisst die gelbgrüne débu (difu), die grasgrüne ssogúndo (súgundō) und eine kleinere Art dúxa. Die Artnamen logará, kéli, súguma und kasasīma, die Koelle angibt, hörte ich nicht nennen. Gegessen werden von den Eingeborenen die kómono, débu und ssogúndo; letztere, die meist aromatische Kräuter frisst, hat in der That einen gar nicht übeln Geschmack. Gegen Abend schoss ich eine Waldtaube (ŭgáto) und zwei Turteltauben (n̆gigi), die durch das Zirpen der Heuschrecken ins Dorf gescheucht worden waren. Die Nacht brachte ich, um nicht in einer Hütte von Flöhen zerstochen zu werden, in meinem Zelte zu; aber die Vorsicht half mir nichts, denn statt der Flöhe plagten mich hier die überall eindringenden Schnaken so, dass ich kein Auge zuthun konnte. Besonders während der Regenzeit sind tags die Fliegen, nachts die Mücken oder Mosquiten eine schreckliche Plage, der Reisende sollte daher nie versäumen, ein namussía (Fliegenzelt) mit sich zu führen.

Früh 5¼ Uhr gingen wir in gerader Südrichtung weiter

durch den lichten, leider sehr sumpfigen Wald. Als Königin der Bäume ragt wieder über alle die schattenreiche Tamarinde hervor. Sporadisch tritt nun auch der Riesencactus, Kandelaberbaum, auf, hier gárulu, in Abessinien kolkol genannt. An dem Gonogo-Strauche fand ich eine gelbe, birnengrosse Frucht mit korallenrothen, von einem Kamm gekrönten Kernen, deren Fleisch geniessbar ist, doch einen etwas harzigen Nachgeschmack hat, und an dem Taida-Strauche kleine weisse Beeren von bitterm, magenstärkendem Geschmack. Noch mehr, ja auffallend viele mir ganz neue Arten gewahrte ich unter den nicht fruchtragenden Bäumen und Sträuchern. Die vierfüssige Thierwelt scheint in dem Walde nicht stark vertreten, sie hat wol zum Theil den Ansiedelungen der Menschen weichen müssen. Dagegen wimmelt es von gefiederten Bewohnern der Lüfte; das Nest des Webervogels, nur am untern Ende offen, damit Regen und Sonne nicht eindringen können, hängt von allen Zweigen herab; auch ein anderer kleiner Singvogel, der Fani, webt sich aus Baumwollfasern sein künstliches Nest. Um 6 Uhr passirten wir das Dorf Kornáua, um 7 Uhr die Felder von Komalúa, ½ Stunde später Rilkáku, und um 8½ Uhr ritt ich mit Mohammed Gatroni in den Ort Birba ein, wo um 10 Uhr die Leute mit den Lastochsen wieder zu uns stiessen. Bis Nachmittag 3¾ Uhr wurde der Hitze wegen gerastet und dann der Weg in der Richtung von 220° fortgesetzt. Die Orte Gamgállergē und Mugsa, die wir nach je einer halben Stunde erreichten, liegen noch im Walde; hinter Mugsa hört der Wald auf, und es folgen wieder Getreidefelder, meist mit moro bestellt, oder mit koltsche (Erdnuss) bebaute Aecker. Wir lagerten in dem Dorfe Solúm, von den Bewohnern freundlich aufgenommen, wie überhaupt von hier an südwärts nirgends mehr feindselige Gesinnung gegen den „Nassára“ anzutreffen ist; wird ja auch in Kuka der Christenhass, den einzelne Bewohner kundgeben, ihnen nur von den fanatischen Arabern und Berbern beigebracht.

Trotzdem dass ich von dem strömenden Regen oft bis auf die Haut durchnässt wurde, hatte ich mich guter Gesundheit zu erfreuen. Bei meinen Leuten aber äusserten sich bereits die schädlichen Einflüsse der beständigen Nässe und besonders der faulen Sumpfluft. Hammed und Dunkas erkrankten am Fieber und konnten sich vor Schwäche kaum aufrecht erhalten, Ali litt an Diarrhöe, Noël bekam Geschwüre, die mich befürchten liessen, er sei mit dem in den Sumpfgegenden Afrikas so häufig vorkommenden Guineawurm behaftet. Bekanntlich herrscht noch Zweifel darüber, ob der Guineawurm (filiaria medinensis) sich von aussen in den menschlichen Körper einbohrt, oder ob er mit dem Trinkwasser in den Magen gelangt und von innen heraus bis unter die Haut vordringt. Ich neige mich der erstern Ansicht zu, und zwar weil sich in der Regel nachweisen lässt, dass die damit Behafteten in stehendem, sumpfigem Wasser gebadet, besonders aber weil die Geschwüre meist an den gerunzelten Hautstellen, in der Nabelgegend oder bei Männern am Hodensack, bei alten Weibern in den Brustfalten, ihren Sitz haben. Glücklicherweise erwiesen sich die Geschwüre Noël's als ungefährlich, doch konnte er nicht zu Fusse weiter gehen, sondern musste einen Ochsen besteigen.

Nach einer wegen der vielen Mosquitos qualvoll zugebrachten Nacht verliessen wir morgens 6½ Uhr Solúm und nahmen die Richtung von 230°. Die Bewohner der Gegend waren eben mit der Reisernte beschäftigt. Reis, ihre Hauptnahrung, wächst ihnen nämlich auf diesem sumpfigen Boden ohne Anbau und Pflege ganz von selbst zu, sie haben nichts zu thun, als ihn in der Regenzeit, wo er seine Reife erlangt, zu schneiden und einzusammeln. Kranka (Calotropis procera) und Ertim (Retama Raetam), deren Heimat der nördliche Theil von Bornu ist, fangen hier an zu verschwinden, einzelne Krankastauden sah ich aber noch in Uándala. Häufiger dagegen wird der hochästige Gárulu-Cactus (Euphorbia abyssinica). Wir passirten um 7 Uhr den Ort Bolúngoa, nach den ihn umgebenden Bolungobäumen benannt, um 8 Gussergē, um 9½ Dádego und erreichten um 10 Uhr unter strömendem Regen Gáloa oder Tjíngoa. Dieses kleine, nur aus wenigen Hütten bestehende Dorf ist von ehemaligen Dienern Almas' bewohnt, die sich hier angesiedelt und gegen Abgabe des vierten Theils ihrer Ernte von Frondiensten frei gemacht haben. Sie bewirtheten uns mit mehr als 20 Schüsseln verschiedener Speisen und brachten mir ausserdem 10 Hühner als Gastgeschenk. Zum ersten mal ass ich hier ṅgángala, eine der koltsche verwandte Erdnuss, aber dadurch von ihr unterschieden, dass sie nicht wie diese ölhaltig, sondern sehr mehlreich ist, noch mehliger als unsere besten Kartoffeln, denen sie auch an Wohlgeschmack nichts nachgibt. In der Nacht hatte ich wieder furchtbar von den Schnaken zu leiden. Die Dorfbewohner schützen sich dagegen, indem sie in einen von Dum geflochtenen Sack kriechen, dessen dichtes Mattengeflecht die Insekten nicht eindringen lässt, aber auch dem darin Liegenden, da die einzige Oeffnung dem Boden zugekehrt wird, die Luft zum Athmen benimmt; wenigstens konnte Hammed, der es den Eingeborenen nachzuthun versuchte, nur ganz kurze Zeit in der erstickenden Umhüllung aushalten.

Nächsten Morgen brachen wir zeitig auf, die Richtung von 230° weiter verfolgend. Das Barometer zeigt, ausser seinen regelmässigen Schwankungen, nicht die geringste Hebung oder Senkung des Terrains, daher nirgends ein Abfluss des Wassers aus dem sumpfigen Boden stattfindet. Zahlreiche Termitenhügel, mitunter von 8—10 Fuss Höhe, verleihen der Gegend einen eigenthümlichen Charakter.

2*

Bei Tage verbergen sich die weissen rothköpfigen Ameisen, aber sobald es Abend wird, erscheinen sie in Scharen auf dem obern Rande ihres Palastes und bauen emsig fort an den thurmartigen Röhren aus Thonerde, die im Innern 1 bis 1½ Decimeter im Durchmesser haben und, oft zu 20 aneinandergefügt, zusammen eine Pyramide bilden. Wie es scheint, finden die Thierchen in dem Thon, mit dem sie bauen, auch die zu ihrer Nahrung dienenden Stoffe. Jeder Bau hat seine Königin, die sich durch bedeutende Grösse vor den Volksgenossen auszeichnen soll. Zu beiden Seiten unsers Wegs stehen eine Menge zierlicher Farnkräuter, und mannichfache Arten von Schlinggewächsen, darunter die digdiggi mit süsser geniessbarer Frucht, die ich schon in Kanem kennen gelernt hatte, umranken die Bäume bis hinauf in ihre höchste Wipfel. Mehrere von den Mimosen standen in Blüte, so die Kingar-Art (Acacia nilotica), deren wohlriechende gelbe Blümchen wie Sterne zwischen dem feinblättrigen grünen Laube hervorschimmern. Wir passirten um 7 Uhr Eiram, um 7½ Kolokóloa und um 7¾ Gílgela, kleine Orte von 10 bis 50 Hütten, die jeder im Besitz eines andern Herrn sind. Früher war dieser Besitz erblich, jetzt aber werden die Herren vom Sultan von Bornu eingesetzt. Um 9 Uhr lagerten wir in Galegéro, dem letzten Orte der Landschaft Gomáti. Eine Veranda, von digdiggi und Flaschenkürbissen umlaubt, gewährte mir Schutz gegen die zwischen dem dunkeln Gewölk um so brennender herabschiessenden Sonnenstrahlen. Unfern davon war der ebenfalls von grünen Laubwänden eingefasste mohammedanische Betplatz, eine Moschee-Laube, dergleichen ich übrigens nur in einigen Orten antraf, denn die Mehrzahl der Bewohner ist auch äusserlich noch nicht zum Islam bekehrt.

Nachmittags 2 Uhr wurde die Reise, immer südwestwärts, fortgesetzt. Unsere Karavane glich, da die Hälfte der Reisegesellschaft krank war, einem Feldhospital. Wir befanden uns nun in der Provinz Udjē und traten in den prachtvollen Wald von Buddumásseli ein. Er besteht aus lauter riesigen, wol tausend Jahr alten Bäumen: mit der Tamarinde wetteifern an Grösse und Höhe der majestätische Anim-Baum, dessen Blätter zum Grünfärben benutzt werden, der nicht minder imponirende Komáua mit Früchten von Geschmack und Grösse der Citrone, der alle überragende Kágui, wegen seiner hellgrünen Laubfülle an unsere Buchen im Frühlingsgewande erinnernd. Und diese Riesenstämme sind oft durch Schlingpflanzen zu einer hohen grünen Mauer verbunden, über die nur ihre Kronen sich frei in die Lüfte emporheben; oder unter ihnen bilden der blassgrüne Kossásse-Strauch, der korallenroth blühende Borúngo-Strauch und anderes Buschwerk ein für Menschen wie Thiere undurchdringliches Dickicht. Auch die Mimosen erreichen in dem fetten Humus eine Höhe, wie ich sie sonst nirgends gesehen; ausser der kingar erwähne ich die kinder (Acacia arabica), die kleinblättrige gerbinua, deren Stacheln giftig und, wenn sie im Fleische stecken bleiben, sogar tödlich sein sollen, und die Dusso-Akazie mit den feinen, nachts sich schliessenden Blättchen, bei uns als Treibhauspflanze bekannt. All diese reiche Waldvegetation aber stand jetzt im Sumpf, stellenweis in Teichen von $^1/_2$—1 Fuss Tiefe; grössere Landthiere schienen sich gar nicht darin aufzuhalten. Auf der Strecke, die wir durchmassen, ist der Wald 1 Stunde breit, nach Westen zu soll er jedoch bedeutend breiter sein. Nachdem wir um 4 Uhr an dem Orte Buddumásseli in der Entfernung einer Stunde rechts vom Wege vorbeigegangen, kamen wir um 5 Uhr nach Tebá, wo ich zu lagern befahl. Die Bewohner des Orts machten Miene, unserm Bleiben sich mit Gewalt zu widersetzen, ein paar blinde Schüsse brachten sie indess zur Raison, sodass sie uns nun lieferten, was wir bedurften. In der Nacht raubten mir wieder die Schnaken allen Schlaf; zudem mussten wir auf der Hut bleiben vor den Diebsgelüsten der Eingeborenen.

Um 5¼ Uhr morgens ging es in südwestlicher Richtung vorwärts. Nach kurzem Marsch umfing uns ein Wald von gleicher Pracht und Grösse wie der Buddumásseli, natürlich aber ebenfalls im Wasser stehend; sein Boden war ein einziger grosser See. Mitten in dem Walde wurden wir von einem starken Gewitterregen überrascht; wir flüchteten auf eine kleine Erhöhung, auf der ich mein Zelt errichten liess, um wenigstens die für den Sultan von Uándala bestimmten Geschenke, unter anderm einen Burnus von weissem Stoff, vor dem Verderben durch Nässe zu bewahren. Allein das Wasser stieg immer höher, bald überflutete es auch unsere Insel, und wir mussten die Sachen auf unsern Armen emporhalten. Erst nach einer Stunde hörte der Regen auf. Nachdem sich die Flut allmählich wieder gesenkt, zündeten meine Leute ein Feuer an, an dem die durchnässten Kleider getrocknet und eine Ziege, die wir bei uns hatten, gebraten wurde. Während wir damit beschäftigt waren, zog eine Karavane vorbei, die koltsche und ṅgangala von Udjē nach Kuka zu Markt führte. Almas hielt sie an und befahl den Händlern, sie sollten uns ein paar Säcke voll da lassen, indem er behauptete, als Kam-mai-be habe er das Recht, unterwegs Lebensmittel für unsern Bedarf zu requiriren. Diese weigerten sich indess, von ihrer Ladung etwas unentgeltlich herzugeben, sodass es zu Gewaltthätigkeiten gekommen wäre, wenn ich mich nicht ins Mittel gelegt und Almas, der schon seine Flinte ergriff, aufs ernstlichste zur Ruhe verwiesen hätte. Ich kaufte den Leuten ṅgangala für uns ab und machte ihnen obendrein ein Stück Ziegenfleisch zum Geschenk, worauf sie befriedigt weiterzogen.

Auch wir setzten unsern Weg durch den Wald fort,

indem wir uns noch mehr südlich wandten. Zu den Baumriesen gesellt sich jetzt die Tíggebo, eine hohe Adansonie, wenn auch nicht von ganz so gewaltigen Dimensionen wie die Kuka- oder Baobab-Adansonie, und der Komandu, dessen Holz besondere Festigkeit und Dauerbarkeit besitzt. An vielen Bäumen rankt sich eine Art wilder Wein, debússum genannt, empor; seine Trauben begannen eben zu reifen. Wo aus den Sümpfen oder Teichen ein trockener Platz hervorragt, da sieht man die Thürme und Pyramiden der weissen Ameisen sowie Haufen von 6—8 Fuss im Durchmesser, welche die schwarzen Ameisen aufwerfen und in die sie auf sauber geebneten, 2—3 Zoll breiten Strassen ihre Vorräthe schleppen. Manche ihrer künstlichen Bauten sind von ihrem gefährlichsten Feinde, dem Ameisenbär, zerstört. Unglaublich schnell wühlt derselbe mit seinen scharfen Krallen die Erde bis ins Innerste dieser Ameisenwohnungen auf, streckt dann die lange, gegen Stiche und Bisse unempfindliche Zunge hinein, die geängstigten Thierchen sammeln sich darauf und werden zu Hunderten auf einmal von ihm verschluckt. Es heisst, der Ameisenbär verschone stets die Königin des Baues, damit der Stamm nicht aussterbe, wahrscheinlich aber wol, weil sie zu gross ist für seinen engen Schlund. An andern Stellen zeigte man mir die trichterförmigen Gruben des Ichneumon; das Thier selbst aber, das ausserordentlich scheu ist, bekam ich nicht zu sehen. Ferner erregte meine Aufmerksamkeit der von den Kanúri fato-ngábbere genannte Vogel durch seinen seltsamen Flug, welcher der Bewegung eines von hohen Wellen auf- und niedergeschleuderten Schiffes gleicht; er hat nämlich einen im Verhältniss zu dem kleinen Körper ungewöhnlich langen Schwanz und mag von dessen Schwere immer herabgezogen werden, bis er sich mit erneuter Anstrengung wieder emporschwingt. Leider konnte ich ihn nicht in der Nähe betrachten, da er sich stets ausser

Schussweite hielt. Um 4½ Uhr kamen wir rechts an dem Orte Madadj-eri vorbei. Von da an ging der Weg durch ṅgáfoli- und máttia-Felder (máttia ist eine Art argum moro); auch Indigo, arin oder alin genannt, wird hier gebaut und scheint vortrefflich zu gedeihen. In dem Dorfe Malim-eri, das rings von koltsche-Feldern umgeben ist, wurde um 6 Uhr gelagert.

Weder Schnaken, Flöhe noch sonstige Plagegeister störten diesmal unsere Nachtruhe, und neugestärkt setzten wir uns morgens 7 Uhr wieder in Marsch. Kaum ¼ Stunde vom Dorfe entfernt, überfiel uns abermals ein gewaltiger Platzregen, der zum Aufschlagen meines Zeltes nöthigte, jedoch nicht länger als 20 Minuten anhielt. Hier beginnt nun die Zone der Kuka-Adansonie, des Riesen unter den Riesenbäumen; gewöhnlich hat ihr Stamm in Höhe eines Meters von der Erde 10—12 Meter im Umfang. Hoch in der Luft gewahrte ich den ersten kirgalibú, einen mächtigen Raubvogel, an Grösse den Königsadler übertreffend.

Vormittags 10 Uhr langten wir in der Stadt Mai-dug-eri an, die, etwa 20 Meter höher als Kuka, nur 1 Kilometer weit vom linken Ufer des Ngádda-Flusses gelegen ist. Auf dem Dendal, dem Marktplatze der Stadt, machte unsere Karavane halt. Meine Leute feuerten ein paar Schüsse ab, worauf der Kre-ma, der in Abwesenheit des nach Kuka gereisten Stadtobersten die höchste Behörde repräsentirte, herbeikam und, nachdem er mich begrüsst, uns drei nebeneinander stehende Hütten zur Wohnung anwies. Alle Häuser oder vielmehr Hütten des Orts sind in der Form von Bienenkörben ganz aus Stroh und Binsen zusammengefügt und von Korna-, Hadjilidj- oder von den besonders schönen, breitblättrigen Ngábbere-Bäumen[1] beschattet. Im Innern

[1] Von dem Ngábbere-Baume hat wahrscheinlich der Vogel fato-ṅgábbere seinen Namen; „fato“ heisst Haus, also „fato-ṅgábbere“ etwa: der auf dem Ngábbere-Baume wohnt.

ist das runde Strohdach hübsch verziert; an der Wand prangen Töpfe von Thon, Strohteller und hölzerne Schüsseln, die von der Frau mitgebrachte Aussteuer. Mai-dug-eri verdient übrigens die Bezeichnung als birni, d. h. Stadt, denn in seinen zerstreuten, zwischen Bäumen versteckten Hütten lebt eine Bevölkerung von gegen 15000 Seelen, und zwar war es ein neues Volk mit einer neuen Sprache, das mir in den Einwohnern entgegentrat: die Gámergu, die sich von den Kanúri des nördlichen Bornu wesentlich unterscheiden, hingegen mit den Uándala nahe verwandt sind. Von Farbe schwarzbraun, haben die Gámergu ausgeprägte, doch nicht gerade hässliche Negerphysiognomien, die Männer meist hohe und muskulöse Gestalten. Bei den Frauen schien mir ein sanfter Gesichtsausdruck vorherrschend zu sein; sie tragen wie die Kanúri- und Tebuweiber grosse Ringe oder Platten in der durchbohrten Nase; ihr Haar aber hängt nicht wie bei diesen in kurzen Zöpfen rings um den Kopf herab, sondern liegt von hinten nach vorn zu einem hohen Wulst zusammengerafft über dem Scheitel, während es an den Seiten des Kopfs kahl geschoren wird. Sonst hat die Tracht nichts Abweichendes von der in Kuka. Die Kinder, Knaben wie Mädchen, gehen bis zum Eintritt der Pubertät ganz nackt und eignen sich frühzeitig eine grosse Fertigkeit im Schwimmen an; dennoch war eben am Tage meiner Ankunft ein junges Mädchen in den Wellen der raschströmenden Ngádda ertrunken. Obgleich die Gámergu eine eigene Sprache besitzen, hat sich in Mai-dug-eri und in den andern Städten des Landes, seitdem es unter die Oberherrschaft von Bornu gekommen, die Kanúri-Sprache eingebürgert. Nur in den an den Karavanenstrassen liegenden Ortschaften wurden die Gámergu zum Islam bekehrt; die übrigen sind noch Heiden, gegen die der Sultan, das eigene Land plündernd und entvölkernd, gelegentlich eine Rasia unternimmt.

Als Weisser war ich natürlich, zumal nordische Araber und Berber höchst selten bis hierher kommen, ein Gegenstand des Erstaunens für die Einwohner von Mai-dug-eri. Sobald ich mich auf der Strasse sehen liess, eilten die Leute herbei und betrachteten voll Neugier den weissen Nassára. „Seht", riefen sie einander zu, „auch seine Haare sind nicht schwarz — seine Nase ist gebogen, wie bei den Schua-Arabern — ob er mit seinen Augen auch bei Nacht sehen kann? — ein Weisser kann ja die Sonnenstrahlen nicht vertragen!" u. s. f.; keiner jedoch wurde zudringlich oder legte gar fanatische Unduldsamkeit an den Tag.

Nach den freundlichen Worten, womit mich der Kre-ma begrüsst hatte, glaubte ich nicht anders, als er werde auch für unsere Verpflegung sorgen. Allein vergebens harrten wir abends auf eine Sendung von ihm und hätten den Tag hungerig beschliessen müssen, wenn uns nicht die Nachbarn und die Frau des abwesenden Stadtobersten mit einigem Mundvorrath versehen hätten. Am andern Morgen erschien der Kre-ma in meiner Hütte, entschuldigte sich unter allerhand nichtigen Vorwänden wegen der Versäumniss vom vorigen Abend und versprach, sogleich ein Frühstück zu senden. Ehe er fortging, überreichte er Almas einen Mariatheresienthaler; nach der Sitte hat nämlich jede Stadt dem durchreisenden Kam-mai-be 1 oder 2 Thaler zum Geschenk zu machen. Indess auch das versprochene Frühstück blieb aus, und ich war genöthigt, zur Stillung unsers Hungers ṅgangala und birma zu kaufen. Die birma ist eine Yams-Art mit rankendem Laub, eine mehlhaltige, etwas bittere, aber sehr nahrhafte Wurzelknolle, die bisweilen die Grösse einer Flasche erreicht und unangebaut wild im Walde wächst. Empört über die Wortbrüchigkeit des Kre-ma, liess ich ihn zu mir rufen. Ich schalt ihn einen tata-keri-be und drohte, indem ich ihm den Thalér, den er Almas gegeben, vor die Füsse warf, ich würde den

Sultan von seinem Benehmen gegen mich in Kenntniss setzen. Ohne ein Wort zu erwidern, hob er den Thaler vom Boden auf und steckte ihn gelassen ein. Dann entfernte er sich, mit dem Versprechen, zum Abend Speisen für uns herbeizuschaffen. Natürlich kamen sie ebenso wenig wie das Frühstück. Almas ersetzte ich seinen Thaler aus meiner Tasche; unsere Abendmahlzeit aber fiel kärglich genug aus, da es auf dem Markte nichts Geniessbares als saure Milch zu kaufen gab. Immerhin hatte der Rasttag meinen kranken Leuten sowie den ermüdeten Lastochsen gut gethan.

Früh morgens am 16. September verliessen wir den ungastlichen Ort und gelangten bald ans Ufer der Ngádda. Der Fluss, der hier gerade von Westen nach Osten strömt, war bis zum Rande mit Wasser gefüllt; in manchen Jahren tritt er aus seinem Bett und überschwemmt alle Felder bis dicht an die Stadt. Seine Breite betrug 60 Meter bei durchschnittlich 6 Meter Tiefe. Von den Eingeborenen erfuhr ich, die Ngádda komme von Mumo in Adamaua und breite sich unterhalb weit im Lande aus, sodass ihr Lauf den Tschad-See nicht erreiche. Letztere Aussage schien mir damals angesichts der bedeutenden Wassermasse und der raschen Strömung wenig glaubwürdig; als ich aber später auf meiner Rückreise die ausgedehnten Teiche sah, die von der Ngádda gebildet werden, überzeugte ich mich allerdings, dass sie in der trockenen Jahreszeit, wo der Tschad-See seinen kleinsten Umfang hat, sich nicht in denselben ergiesst. Hingegen möchte ich als gewiss annehmen, dass dies während und kurz nach der Regenzeit der Fall ist. Jedenfalls steht sie, sei es durch Hinterwasser oder durch eine Reihe von Seen mit dem Wasserbecken des Tschad in Verbindung, denn sie ist ebenso reich an Fischen und zwar ganz denselben Arten, die im Tschad-See vorkommen.

Das Uebersetzen über den Fluss ging rasch von statten.

Die Pferde und Ochsen wurden schwimmend hindurchgeritten, und diejenigen meiner Leute, die nicht schwimmen konnten, liessen sich von den andern auf Kürbisschalen herüberbugsiren. Um 11 Uhr 40 Minuten marschirten wir am jenseitigen Ufer in der Richtung von 160° dem Orte Mai-schig-eri zu, den wir nach 1½ Stunden erreichten. Die Endung „eri“, auf welche so zahlreiche Ortsnamen in Udjē ausgehen, bedeutet, soviel ich ermitteln konnte: herkommen; Mai-dug-eri würde also heissen: Vom Sultan Dug herkommen, d. i. erbaut oder gegründet. Vielleicht ist „eri“ mit dem Kanúri-Worte „are“ (Imperativ: komm) und mit dem Teda-Worte „yire“ verwandt.

Mai-schig-eri liegt 1 Kilometer von der Ngádda entfernt, die hier in gleicher Breite wie bei Mai-dug-eri von Südwesten nach Nordosten fliesst; ich badete gegen Abend im Flusse und fand sein vollkommen süsses Wasser so klar, dass ich bis 10 Fuss Tiefe herab Gegenstände deutlich zu erkennen vermochte. Die Bevölkerung des Orts, wol 2000 Seelen stark, ist aus Negern und Schua-Arabern gemischt. Zu letztern gehörte der Ortsvorsteher, hier Mai (Sultan) betitelt, ein hochbetagter Greis und Familienhaupt von 60 Nachkommen. Man brachte uns, im Gegensatz zu der schlechten Bewirthung, die wir in Mai-dug-eri gefunden, Speisen in Hülle und Fülle, und Almas erhielt eine schöne kulgu (das Kleidungsstück, das arabisch tobe heisst) zum Geschenk, worauf er sich nicht wenig einbildete. Ja man bezeigte mir förmliche Ehrfurcht; begegneten mir Weiber auf der Strasse, so liessen sie sich, den Kopf zur Erde gebeugt, auf die Knie nieder und verharrten in dieser demüthigen Stellung, bis ich vorüber war. Leider herrscht unter den Schua in entsetzlichem Grade die constitutionelle Syphilis, und das Uebel wirkt um so verheerender, weil sie gar keine Mittel dagegen kennen. Ich wurde daher von allen Seiten, auch von zwei Töchtern des Mai, deren er glaube ich elf hat, um Medicin angegangen, konnte aber nicht damit dienen, da ich meine Medicamente, ausser Chinin, Opium und Weinstein[1], in Kuka gelassen hatte. Auf Begehren der Kranken schrieb ich ihnen Sprüche auf; sie waschen dann die Tinte von der Schrift, trinken das geschwärzte Wasser und halten dies für die beste Arznei. Ohne Zweifel waren es Araber, durch die den Negern die Venerie zugeführt wurde. Woher käme es sonst, dass z. B. die Kanúri in ihrer doch so wortreichen Sprache keinen Ausdruck für das Uebel haben, sondern es mit „franssa" (Franzosen) benennen, einen Namen, den sie nur von aus Norden kommenden Arabern hatten hören und aufnehmen können. Wenn früher, namentlich von ältern Afrikareisenden, welche die Seuche bei den Negern vorfanden, umgekehrt behauptet wurde, durch geschlechtlichen Umgang mit Negern sei die Syphilis erst den Weissen mitgetheilt und nach Europa gebracht worden, so war dieser Irrthum wol daher entstanden, weil man noch nicht wusste, dass Araberstämme, wie die Schua und die Uled Raschid, bereits seit 600 Jahren in Centralafrika sesshaft sind.

Andern Tags zogen wir in der Richtung von 130° am Flusse aufwärts, bald näher, bald etwas weiter von seinem Ufer. Im Südosten tauchte die Bergspitze des Delalebá vor uns auf. Felder, mit karess, gobeh (Gemüse), koltsche, ñgángala und tjerga, einer mir neuen Getreideart, bebaut, wechselten mit Waldstrecken, in denen der schöne Ngábbere-Baum voll grosser glänzender Blätter und die riesigen Stämme der Kuka-Adansonie, oft 18 Meter und darüber im Umfang, immer häufiger werden; den Hauptbestandtheil des Waldes aber bildet der Kalul-Strauch, dessen lange Schoten ein gutes Rindviehfutter abgeben. In der Ferne sah ich bisweilen eine flüchtige Gazelle oder einen Strauss vorüberjagen.

---

[1] Zur Bereitung von Limonade.

Um während der heissen Tagesstunden zu rasten, hielten wir Einkehr in dem links vom Wege liegenden Dorfe Amarúa, das ganz von Schua-Arabern bewohnt ist. Ich gewahrte unter den Aermsten ebenfalls viele Opfer der Syphilis; aber auch der arabische Schmuz ist bei ihnen zu Hause, wie denn alle Schua-Dörfer in dieser Hinsicht sehr unvortheilhaft von den reinlichen Kanúri-Dörfern abstechen. Ursprünglich gelb, haben jetzt schon über die Hälfte der Schua zufolge ihrer Vermischung mit den Negern schwarze Hautfarbe, auch sind sie längst aus Nomaden sesshafte Ackerbauer geworden, und in nicht ferner Zeit werden sie sich nur noch durch die Sprache von den Kanúri unterscheiden. Sie reden nämlich den alten arabischen Dialekt, der von ihren vor 600 Jahren hier eingewanderten Vorfahren gesprochen wurde und der mit dem heutigen Arabisch, dem maghrebinischen, ägyptischen oder syrischen, nur geringe Aehnlichkeit hat. Ihre Weiber tätowiren und bemalen sich stark an Brust, Rücken und Armen, das Haar hängt ihnen in Löckchen, nicht in Zöpfen um den Kopf, und manche tragen Ringe an den Fusszehen. Als besondere Merkwürdigkeit erwähne ich, dass die Schua-Weiber, wie man mir sagte, beschnitten werden.

Durch einen heftigen Gewitterregen zurückgehalten, konnten wir uns erst nachmittags 3 Uhr wieder in Marsch setzen. Wir verfolgten die Richtung von 130°, passirten mehrere kleine Schua- und Kanúri-Dörfer und blieben in dem Dorfe Roding-eri an der Ngádda, die an dieser Stelle weit über ihre Ufer getreten war. Man quartierte uns in einer eigens zur Herberge für Gäste bestimmten geräumigen Hütte ein und bewirthete uns reichlich mit aus moro oder ṅgafoli znbereiteten Speisen.

Ein nur einstündiger Marsch in der Richtung von 120°, zwischen wohlangebauten Getreidefeldern, brachte uns am andern Morgen, den 18. September, nach der Stadt Kuintaga, wo ich einen Tag zu verweilen beschloss, um meine Vorräthe wieder zu ergänzen; denn von den drei Märkten des Landes, Mai-schig-eri, Kassukula und Kuintaga, ist letzterer der bedeutendste. Die Stadt, deren Häuser zum Theil wie in Kuka aus Thonerde gebaut sind, gehört dem Bruder des Sultans, Mustá (Kanúri-Form für Mustafa). An der Spitze der Verwaltung steht ein Billa-mápema (Ortsvorsteher); ihm sind fünf Billa-ma (Polizeibeamte) untergeben, und diesen wieder acht Máinta-ma (Strassenaufseher); letztere haben die Abgaben einzuziehen, welche dann vom Billa-mápema an Mustá eingeschickt werden. Wie in vielen an der Ngádda liegenden Orten treiben die Bewohner von Kuintaga ausser Ackerbau und Viehzucht auch Gerberei, und das von ihnen bereitete Leder kommt an Geschmeidigkeit und Güte fast dem von Haussa gleich, das mit dem marokkanischen concurrirt.

Nachmittags begab ich mich auf den Marktplatz vor der Stadt. Pferde, Rinder, Schafe, Fleisch, Milch und Butter, Honig, getrocknete Fische, Feld- und Baumfrüchte, Taback, Salz, Sudanpfeffer, rohes und verarbeitetes Leder, Baumwolle, Zeuge und fertige Kleider, Schüsseln und Krüge, Glasperlen und verschiedene andere Karavanenwaaren wurden hier feilgeboten. Unter den Früchten erwähne ich die gadagér-Wurzel, von der Form und Grösse der Georginenknollen, die aus dem Walde geholt und roh gegessen wird, und die ngálibi, eine ölhaltige, der Olive ähnliche Frucht von süssem Geschmack. Auch einige Sklaven standen zum Verkaufe aus; für einen jungen kräftigen Burschen verlangte man 18 Thaler, hätte ihn aber wol um die Hälfte des geforderten Preises losgeschlagen. Die Buden und Verkaufsstände waren in Reihen abgetheilt, und jeder Artikel hatte seine besondere Reihe; dank dieser Einrichtung kam es nirgends, obgleich der Markt sehr belebt und lärmend war, zu erheblichen Unordnungen. Sowol

Producte als Waaren werden meist in Tausch gehandelt, nur theuere Gegenstände werden mit Geld bezahlt. Als Kleingeld dienen statt der Muscheln die gobegá, 2 Zoll breite und 4 Ellen lange Streifen des im Lande gefertigten Baumwollenzeugs, die aber auch bis zu 50 und 100 Ellen Länge zusammengenäht sind. Für 1 Thaler erhielt ich 47 gobegá. Uebrigens hat die gobegá an den verschiedenen Orten verschiedene Länge, in Kuka z. B. nur 3 Ellen, in Mándara nur 1; dazu ist auch die Elle, mit dem arabischen Worte „dra" benannt, nicht überall von gleicher Länge: dort reicht sie nur vom Elnbogen bis zum Handgelenk, in Kuintaga bis zur Spitze des ausgestreckten Mittelfingers. Ich kaufte mir auf dem Markte, da mein letzter europäischer Anzug schon sehr dünn zu werden anfing, eine kulgu von weissem inländischen Kattun, reich gestickt und sehr hübsch gearbeitet, und bezahlte dafür 3½ Thaler. In einer Bude bemerkte ich eine Partie der Glasperlen, die ich in Kuka verkauft hatte und hier leicht wiedererkannte, weil sie von einer Sorte waren, welche sonst in dieser Gegend nicht vorkommt, sondern nach Timbuktu und den westlichen Negerländern geht, und wirklich sagte der Verkäufer auf Befragen, sie seien von dem Christen, der sich jetzt in Kuka aufhalte.

Abends badete ich wieder in der 1 Kilometer von der Stadt entfernten Ngádda. Sie ist hier, mit ihrem Laufe gerade von Osten nach Westen gerichtet, bedeutend kleiner als bei Mai-ḍug-eri, durchschnittlich etwa 20 Meter breit und 5 Meter tief, hat auch eine sanftere Strömung, was mich vermuthen lässt, dass sie auf der Zwischenstrecke durch neue Zuflüsse verstärkt wird. Auf dem klaren, fischreichen Wasser tummeln sich eine Menge wilder Enten, schwarzgefiedert, mit weisser Brust und einer hohen Fettwulst auf dem Schnabel; ich versuchte später das Fleisch derselben, fand es aber von widerlichem Thrangeschmack, wogegen die im Tschad-See lebenden Enten, die diesen Fettwulst nicht haben, sehr wohlschmeckend sind. Zur Abendmahlzeit wurden uns von dem Billa-mápema und von unsern Nachbarn so viel Speisen geschickt, dass ein grosser Theil davon übrigblieb.

Nächsten Tag erfolgte der Aufbruch früh 6 Uhr 25 Minuten. Wir marschirten in der Richtung von 120° und hatten bald üppig wucherndes Unkraut oder Gras und Buschwerk, bald Argum-, Máttia-, Koltsche- und Baumwollfelder zur Seite. Neu treten jetzt auf: der schönbelaubte kassaissa-Baum, wol eine Abart der djedja (Gummibaum), und der hochstämmige, unserer Buche vergleichbare gelto; ferner die mássabē-Staude, deren Knollen eine intensive gelbe Farbe von grosser Dauerhaftigkeit liefern, aber auch geniessbar sind. Von 9 bis nachmittags 2¾ Uhr rasteten wir in dem etwas östlich vom Wege abliegenden Dorfe Uám-eri. Dann ging es gerade ostwärts weiter, zwischen Argumfeldern und an mehrern kleinen Ortschaften vorbei, bis uns gegen Abend ein Urwald von majestätischen Bäumen aufnahm, in dem mehr als mannshohes Gras und dichtes Dornengestrüpp oft ganz den Durchgang versperrte, oder stachlichtes Unterholz, wie Akazien und Korna, kaum ½ Fuss breit vom Wege frei liess. Unmöglich wäre hier mit dem grossen Pferde, das mir Sultan Omar geschenkt, noch mit einem Kamele durchzukommen gewesen; die Lastochsen zwängten sich wohl oder übel hindurch, freilich nicht ohne dass ihnen die Ladung mehrmals vom Buckel gerissen wurde. Zum Glück schien der Mond und konnten wir den Dornen so weit ausweichen, dass sie uns nicht noch mehr, als es geschah, Gesicht und Hände blutig kratzten; meine Kleidung aber hing mir in Fetzen am Leibe, als wir 9½ Uhr die ńgáfoli-Felder von Madegón-eri erblickten und kurz darauf in den Ort selbst einritten. Obgleich die meisten Einwohner schon zur Ruhe gegangen waren, fanden wir gute

Aufnahme. Doch raubte ein Heer blutgieriger Schnaken, die ihren Stachel selbst durch dicke wollene Decken in die Haut senken, Menschen wie Thieren den Schlaf.

Eine Stunde südlich von Madegón-eri fliesst der Jádsaram, den man mir als ein schwaches Flüsschen bezeichnet hatte. Wie erstaunte ich daher, andern Morgens an seinem Ufer angelangt, einen reissenden Strom von fast 500 Meter Breite vor mir zu sehen! Die Bewoher des hart am linken Ufer gelegenen kleinen Ortes Kór-eri sagten mir, in der Mitte sei er über 6 Meter breit; seit 113 Tagen fliessend, habe er gerade an dem Tage (20. September) den höchsten Stand erreicht, was ich indess bezweifelte. Sein Grund, wo man durch das klare Wasser bis zu ihm hinabsehen konnte, war mit grobem Kies bedeckt, offenbar Rudimenten von Granit. Er soll von Adamaua kommen und bei Díkoa vorbei, ohne sich mit der Ngádda zu vereinigen, in den Tschad fliessen.

Bei den Uferbewohnern waren keinerlei Vorrichtungen zum Uebersetzen über den Strom zu finden, denn sie selbst schwimmen behend hindurch, ihre Sachen auf dem Kopfe mit sich nehmend. Meine Leute trieben endlich ein Dutzend grosse Kürbisschalen auf, mittels deren unser Gepäck, Stück für Stück einzeln, und auch mein Hund Mursuk, der sehr elend war, hinübergeschafft wurde. Die Pferde und Ochsen, ans Schwimmen gewöhnt, bedurften keiner Nachhülfe. Ich und meine Begleiter liessen uns, indem jeder mit beiden Händen eine Kürbisschale fasste, durch die starke Strömung hindurchtreiben, wobei die Nichtschwimmer von den Eingeborenen unterstützt wurden. Zuerst von allen betrat ich das andere Ufer, wo ich das Landen der Gepäckstücke überwachte. Bis nachmittags 3 Uhr beschäftigte uns das Herüberholen der Sachen. Als das letzte Stück glücklich gelandet, gab ich den 20 Negern, die uns dabei behülflich gewesen, ein Schaf, und sofort machten sie sich darüber her, es zu braten und zu verzehren. Ausserdem verehrte ich dem Billa-ma von Kór-eri einen rothen Fes; der Beschenkte setzte ihn in meiner Gegenwart seinem ältesten Sohn auf, wandte sich dann zu mir und sagte, er sei zu alt, um noch die neuen Moden mitzumachen; barhäuptig geboren, wolle er auch so sterben!

Mit dem Flussübergange waren jedoch noch nicht alle Schwierigkeiten dieses Tages überwunden. In östlicher Richtung weiterziehend, hatten wir bedeutende Hinterwasser zu durchwaten; an manchen Stellen ritt ich bis an die Knöchel im Wasser, und der Theil des Gepäcks, der zu schwer war, als dass ihn die Leute auf dem Kopfe hindurchtragen konnten, so namentlich mein Zelt und mein Bett, musste der eindringenden Nässe preisgegeben werden. Endlich, nachdem auch diese letzte Fährlichkeit bestanden war, wurde noch vor Abend Bama, die Grenzstadt des zu Bornu gehörigen Gebietes, erreicht. Hier ward mir seitens des Ortsvorstehers gastliche Aufnahme und Bewirthung zutheil. Auch belästigten mich merkwürdigerweise trotz der Nähe des Flusses und der stehenden Wasser in der Nacht die Schnaken nicht, sodass ich eines ungestörten, nach den Strapazen des Tages doppelt erquickenden Schlafes genoss.

Zwischen Bama und der Grenze von Uándala hat man einen Wald zu passiren, in dem oft heidnische Gámergu die Hindurchziehenden überfallen und für die Rasien, die gegen sie angestellt werden, an ihren Feinden, den mohammedanischen Bornuern, Wiedervergeltung üben. Unter gleichen Verhältnissen herrscht übrigens in allen Grenzgebieten der Negerländer grosse Unsicherheit, weshalb sie auch meist schwach oder gar nicht bewohnt sind. Der Stadtvorsteher hielt es daher für nöthig, als wir am folgenden Morgen 6¾ Uhr aufbrachen, uns eine Schar mit Spiessen, Bogen und Pfeilen bewaffneter Neger zur Bedeckung mitzugeben; sie hatte die grosse Kriegspauke,

3*

Hörner und kleinere Trommeln bei sich und machte damit im Walde, ich weiss nicht ob mir zu Ehren oder um sich selbst Muth einzuflössen, fortwährend eine greuliche Musik. Dazu führten die nackten Gestalten kriegerische Tänze auf, indem sie heulend in das Dickicht rannten, dann plötzlich mit hochgeschwungenem Speer auf mich zustürzten, doch ebenso plötzlich einige Schritte vor mir wieder stehen blieben, an ihre Schilder schlugen und, indem sie sich tief verneigten, die Spiesse neben sich in die Erde steckten. Auch ohne diese Escorte hätten indess die Gámergu unsere Karavane, da wir hinlänglich mit Schiessgewehren versehen waren, wol kaum anzugreifen gewagt. Wir durchzogen den Wald in östlicher Richtung. Dichtverwachsenes Unterholz und üppige Schlinggewächse, die mit ihrer Last die höchsten Bäume fast zu erdrücken schienen, machten den Weg namentlich für unsere Thiere äusserst beschwerlich. Nach 3 Stunden eines mühseligen Marsches gelangten wir an das linke Ufer der Nschúa, eines kleinen Flusses, der die natürliche Grenze zwischen Bornu und Uándala bildet. Die Nschúa soll vom Deladebá-Gebirge kommen und sich weiter unten ebenfalls, ohne in ihrem Laufe den Tschad-See zu erreichen, weit im Lande ausbreiten, was ich später auch bestätigt fand. Ihr nur 20 Meter breites, 1½ Meter tiefes und nicht sehr reissendes Wasser war bald überschritten. Trotz der Proteste unserer militärischen Begleiter, die auch hier noch einen Ueberfall der Gámergu befürchteten, lagerten wir am rechten Flussufer, wo ein Schaf gebraten und zum Frühstück verspeist wurde. Um 2 Uhr nachmittags setzten wir unsern Marsch in südöstlicher Richtung fort. Auf dieser Seite des Flusses ist der Wald weniger dicht als auf der Bornu-Seite, doch schlug uns immer noch stellenweis das Gras über dem Kopfe zusammen. Unter den Bäumen herrschte der komo vor, während die Kuka-Adansonie wieder ganz verschwindet.

Ich erquickte mich an der Frucht des ngónogo, den wir hier mehrfach antrafen. Abends 7 Uhr liess ich an einem Wassertümpel im Walde das Lager aufschlagen und es mit grossen Feuern umgeben, da Löwen, Hyänen und besonders viele Büffel den Wald durchstreifen. Es war überhaupt eine sehr unbehagliche Nacht, die wir hier verbrachten; Schnaken in entsetzlicher Menge verscheuchten mir den Schlaf, und von dem starken Thau wurde ich wie von einem Regenschauer durchnässt.

Sobald die Morgensonne den Himmel röthete, wurde der Weitermarsch angetreten. Wir wandten uns ostsüdöstlich und erreichten um 8 Uhr den ersten bewohnten Ort von Uándala, das Dorf Buéndjē, am rechten Ufer eines kleinen Flusses gelegen, den die Anwohner Gua (in der Uándala-Sprache: Fluss), meine Begleiter aus Bornu aber Kolofóto nannten. Man setzte uns in dem Dorfe nichts weiter als eine schwarze Mehlspeise aus ngáfoli mit Bamien-Sauce vor, indem man uns auf den grossen Ort Grea verwies, der ganz nahe sei und wo wir von einem hohen Beamten des Sultans empfangen und reich bewirthet werden würden. Die Leute müssen ihre ngafoli-Felder Tag und Nacht bewachen lassen, sowol gegen die Bergbewohner, mit denen sie in beständiger Fehde leben, als gegen die Affen, die in ganzen Heerden aus dem Walde kommen, um die Saaten zu plündern. Wächter, auf hohen Gestellen sitzend, schauen rings ins Land hinaus und verkünden dem Dorfe, wenn sie etwas Verdächtiges nahen sehen, mit lautem Alarmrufe die drohende Gefahr. Wir verliessen Buéndjē um 2 Uhr 20 Minuten, überschritten nach $^1/_2$ Stunde nochmals die Gua und gingen dann in südöstlicher Richtung durch einen lichten, hauptsächlich mit Gummibäumen bestandenen Wald. Als wir 1 Stunde darin gewandert waren, brach ein Gewitterregen los, vor dem wir anfangs unter einem breitästigen Baume Schutz suchten. Da er aber nicht aufhörte, befahl ich, die Sachen, die dem Verderben durch Nässe ausgesetzt waren, umzuladen, zog meine alte wollene Djilaba über, und vorwärts ging's in Wind und Regen auf dem Wege weiter. Zum dritten mal mussten wir den Gua-Fluss passiren. Ich sah nun, dass man uns in Buéndjē mit der Auskunft, Grea sei ganz nahe, belogen hatte, damit wir nicht mehr Essen verlangen sollten. Es wurde bereits Nacht, obendrein verbarg sich der Mond hinter dickem schwarzem Gewölk. Erst um 7 Uhr erreichten wir den Berg Grea und um $7^1/_2$ das an seiner östlichen Seite liegende Dorf gleiches Namens. Obgleich ich dem Sultan längst angemeldet war und auch die Ortsbewohner wussten, dass ein Christ ihren Herrn zu besuchen komme, fand ich doch nichts zu unserm Empfange vorbereitet. Der Ortsvorsteher war abwesend; es dauerte lange, ehe ein dürftiges Unterkommen für die Nacht ausfindig gemacht wurde, und das Essen, das man uns schickte, war so schlecht, dass ich vorzog, mich hungerig schlafen zu legen.

Morgens beim Erwachen versetzte mich der Anblick des schönen Berges, ein Anblick, den ich so lange entbehrt hatte, wieder in bessere Stimmung. Bis zum Gipfel war der Grea grün bewaldet, hier und da streckten sich an den Abhängen Getreidefelder hin, aus denen die Hütten freundlicher Weiler hervorlugten, und an seinem Fusse weideten Rinder- und Schafheerden in hohem Grase. Als mir nun Hammed eine Schale voll süsser Milch, die er im Dorfe aufgetrieben, als willkommenen Zusatz zu meinem Thee brachte, da vergass ich vollends alles Ungemach der letzten Reisetage. Doloo, die Hauptstadt Uándalas, liegt noch 4 Stunden von Grea entfernt. Von hier aus, meinten Almas und der mir von Aba-Bu-Bekr mitgegebene Begleiter, müsse ich dem Ceremoniell gemäss den Sultan um Erlaubniss bitten lassen, seiner Hauptstadt nahen zu dürfen. Ich ging aber auf ihre Anweisungen nicht ein, sondern befahl, die Pferde zu satteln, und ritt mit ihnen um 8½ Uhr voran. Der Gatroner und die andern Diener sollten mit den Lastochsen und meinem kranken Mursuk, dessen Zustand sich mehr und mehr verschlimmerte, langsam nachfolgen.

Gleich hinter Grea ward in der Richtung von 130° der Berg sichtbar, an dessen Fusse Doloo gelegen ist. Sodann führte der Weg, oft wahrhaft grundlos, durch einen Wald von Gummibäumen um 9½ und 10 Uhr links an den Dörfern Scherif-eri und Djia vorbei zu dem nordöstlich strömenden Flusse Jakoa. Wie bei allen Gebirgsströmen wechselt der Wasserstand des Jakoa nicht regelmässig nach der Jahreszeit, jeder starke Regenguss schwellt ihn an, und ebenso rasch sinkt er wieder. Er war hier ungefähr 300 Meter breit, wird aber unterhalb, wo er mehrere Zuflüsse empfängt, viel bedeutender und soll bei Ngála in den Tschad-See einmünden. Da an den tiefsten Stellen das Wasser nur bis an den Bauch der Pferde ging, konnten wir ihn leicht durchreiten. Jenseit des Flusses war der Weg womöglich noch unpassirbarer als im Walde, alle Augenblicke blieben unsere Thiere in dem zähen, aufgelösten Thonboden stecken. Wir arbeiteten uns indess mühsam vorwärts, bis wir um 12½ Uhr die Häuser von Doloo erblickten. Jetzt liess ich unter einem schattigen Baume halt machen und sandte Hammed ab, meine Ankunft zu melden und um Erlaubniss zum Eintritt in die Hauptstadt zu ersuchen. Nicht lange hatten wir gewartet, da nahte sich vom Thore her eine Reitergruppe. Der an ihrer Spitze auf einem prächtigen Schimmelhengst Reitende, in einen Burnus von feuerrothem Tuch gekleidet, bewillkommnete uns und sagte, dass er gekommen sei, uns in die Stadt zu geleiten, worauf wir uns der Cavalcade anschlossen. Ausserhalb am Thore erwartete mich Hammed, der bis dahin die Stadt nicht hatte betreten dürfen.

III.

Der Sultan von Uándala.

Officieller Empfang. Vertrauliche Audienz. Besteigung des Berges Sremarda. Begehrlichkeit des Sultans. Seine Todesfurcht. Ritt nach der frühern Hauptstadt Mora. Abschiedsgeschenke. Die Unterthanen und die politische Lage.

Unser Zug ging durch mehrere Strassen und hielt dann vor einem mit Thonmauern umgebenen Gehöft, der mir zugewiesenen Wohnung. Sie bestand aus drei verschiedenen Hütten, die zusammen für mich und mein Gefolge genügenden Raum boten. Zwei Stunden nach mir traf auch der Gatroner mit den übrigen Leuten und den Lastochsen glücklich ein. Als ersten Imbiss schickte uns der Herr mit dem rothen Burnus, wie ich nun erfuhr der Bruder des Sultans und einer der höchsten Würdenträger des Reichs, nebst einer Schale Buttermilch ein sehr hartes, dem Pumpernickel ähnliches Brot aus moro; da ich sehr hungerig war, denn ich hatte seit 36 Stunden ausser Thee und Kaffee nichts genossen, würgte ich ein grosses Stück davon herunter. Uebrigens liess sich niemand sehen als ein alter Kre-ma, der sich mir als Diener und Thürhüter vorstellte. Auf meine Frage, wessen Gast ich hier sei, erwiderte er, der Kola-ma (Minister) habe für unsere Beköstigung und sonstigen Bedürfnisse zu sorgen. Zu diesem musste ich aber mehrmals schicken, ehe ich Speisen für uns und einen Sack ngáfoli bekam, der höchstens drei Tage zum Futter für die Pferde und Ochsen ausreichte. Ich hatte ihn zugleich um Butter zur Füllung meiner Lampe bitten lassen (in Centralafrika wird allgemein Butter statt Oel gebrannt), erhielt aber kaum genug für einen Abend, und als ich um grössern Vorrath ersuchte, sandte er mir eine nur halb volle Büchse. Welcher Unterschied in der Aufnahme hier in dem kleinen Vasallenländchen und derjenigen, welche mir in Bornu, dem mächtigsten Negerreiche, zutheil wurde! In Doloo musste ich mir von dem Minister das Nothwendigste erbitten; in Kuka war ich des Sultans eigener Gast und empfing von ihm Weizen, Reis, moro, Butter, Honig und andere Lebensmittel stets in solcher Fülle, dass ich mit dem Uebrigbleibenden einen Handel hätte anfangen können, wäre es mir nicht unschicklich erschienen, von seinen Geschenken etwas zu verkaufen.

Am andern Morgen wollte ich dem Sultan meine Aufwartung machen; da bedeutete man mich, das könne dem Ceremoniell gemäss nicht eher als den dritten Tag nach der Ankunft geschehen. Ich war daher ganz überrascht — eben steckte ich meinem kranken Hunde eine Chininpille in den Hals, denn ich dachte, er leide vielleicht wie die Menschen am Wechselfieber —, als ein Hofbeamter mit der Botschaft erschien, der Sultan erlasse mir die vorgeschriebene dreitägige Frist, er wünsche mich und meine Begleiter sofort zu empfangen. Obgleich ich einwandte, es möchte wol passender sein, dass ich mich dem Sultan zuerst allein vorstelle, da Almas sowol als der von Aba-Bu-Bekr mir überlassene Mann doch eigentlich nur Diener von mir wären und Dunkas sogar in Bornu noch für einen Sklaven gelte, bestand der Bote darauf, sie sollten gleich mitkommen, und so machte ich mich mit ihnen auf den Weg.

Die Residenz des Herrschers von Uándala liegt an dem

kleinen Flusse, der die grössere, westliche Hälfte der Stadt von der östlichen, an den Berg gelehnten scheidet. Sehr weitläufig und ein eigenes Stadtviertel bildend, hat sie doch keineswegs das Aussehen eines Palastes. Auf dem Platz vor dem Eingange kauerten eine Menge Sklaven, darunter viele, wahrscheinlich die neu eingefangenen, mit Ketten belastet. Man hiess uns hier unsere Schuhe ausziehen; ich entgegnete aber, ich sei nicht gewohnt, mit blossen Füssen durch den Koth zu gehen, nur in Gegenwart des Sultans würde ich, wenn es die Sitte einmal so verlange, meine Schuhe ablegen. Grosses Staunen. Der Fall, der jedenfalls noch nicht dagewesen war, wurde dem Sultan gemeldet. Ausser Vogel hatte derselbe noch keinen Christen bei sich empfangen, denn zur Zeit als Denham Uándala besuchte, regierte noch der Grossvater des jetzigen Sultans. Bald kam indess der Bescheid, man solle den Christen beschuht eintreten lassen.

Nun wurden wir durch mehrere kleinere Höfe in einen grossen innern Hof geführt. Es war der Audienzplatz. In einer Veranda thronte auf erhöhtem, mit Teppichen belegtem Sitze der Sultan. Er trug einen weissen seidenen Haik, darüber einen wollenen, ebenfalls weissen Burnus und als Kopfbedeckung eine rothe, turbanartig umwundene Mütze. Zu seinen Füssen kauerte eine Anzahl seiner Günstlinge und Eunuchen. Vor der Veranda stand ein offenes Zelt, unter dem die hohen Würdenträger sassen, acht bis zehn von ihnen in Tuchburnusse gekleidet. Bei spätern Audienzen sah ich nie wieder das Zelt noch überhaupt eine so zahlreiche Versammlung; offenbar wollte der Sultan gleich seine ganze Pracht und Herrlichkeit vor den Fremden entfalten und hatte deshalb auch befohlen, dass ich meine Begleiter mitbringen solle. Ich grüsste Seine Majestät ehrerbietig, und sie erwiderte meinen Gruss mit den mehrmals wiederholten Worten: „L'afia, l'afia, marababik“

(Friede, Friede, Willkommen!), indem sie uns bedeutete, unter dem Zelte Platz zu nehmen. Alle Würdenträger sassen, wie ich sah, so, dass sie dem Sultan den Rücken zuwandten, als ob sie den Glanz, der von dem erhabenen Antlitz ihres Gebieters ausstrahlt, nicht zu ertragen vermöchten. In derselben Weise postirten sich meine Begleiter; ich selbst jedoch fühlte mich hinlänglich stark, von der Sonne Seiner Hoheit nicht geblendet zu werden. Bei der nun folgenden Unterredung sprach der Sultan, obgleich er des Arabischen mächtig ist, die Landessprache, sodass mir seine Worte durch Kanúri ins Arabische verdolmetscht werden mussten. Abgesehen davon, dass in Centralafrika eine Reaction gegen das Arabische eingetreten, wie es ja auch in Kuka aufgehört hat die Hofsprache zu sein, glauben die afrikanischen Herrscher ihrer Würde etwas zu vergeben, wenn sie sich mit einem Fremden direct statt durch Dolmetscher unterhielten.

„Was bist du für ein Landsmann?“ fragte der Sultan. — „Ein Deutscher.“ — „Wohl, aber bist du ein Engländer oder ein Franzose?“ — „Keins von beiden, ein Deutscher; Deutschland ist ein Land für sich und gehorcht keinem fremden Fürsten.“ — „Ich habe nie von diesem Lande gehört, aber man sagt in Wahrheit, die Christen hätten eine Menge Länder und Fürsten.“ — „Allerdings gibt es noch viele Länder ausser diesen, und jedes Land hat seinen eigenen Fürsten.“ — „Kennst du Abd-ul-Asis?“ — „Persönlich nicht.“ — „Hast du Abd-ul-Uahed (Eduard Vogel) gekannt?“ — „Nein, aber viel von ihm gehört und gelesen; er war ein Deutscher wie ich.“ — „Mir sagte er, er sei ein Engländer.“ — „Allerdings hatte er insofern recht, sich hier einen Engländer zu nennen, als er für die englische Regierung reiste.“ — „Er war mein lieber Freund.“ — „Ich hoffe, du wirst auch mich mit deiner Freundschaft beehren." — „O gewiss!" — „Abd-ul-Uahed war Tag und Nacht bei mir."

Ich schalte hier ein, dass der Sultan eines Tages nahe daran war, seinen „lieben Freund" tödten zu lassen, unter dem Vorwande, derselbe habe ohne seine Erlaubniss die Berge bestiegen, in der That aber, weil Vogel sich geweigert hatte, ihm seinen Revolver und seinen Säbel zu schenken. Der Sultan bemächtigte sich der beiden Waffen, die noch in seinem Besitz sind, und hielt den Beraubten in Gefangenschaft, aus welcher diesen nur ein Drohbrief des Mai Omar von Bornu befreite. Seitdem ist der Sultan von Uándala, in zwei Kriegen besiegt, ein völlig abhängiger Vasall des Sultans von Bornu geworden, weshalb ich als Schützling des letztern dergleichen Gewaltthätigkeiten nicht zu befürchten hatte.

Der Sultan fuhr fort zu fragen: „Bezeugst du Mohammed?" — „Nein." — Eine so entschiedene Antwort mochte er, obzwar selbst gleich seinen Unterthanen nur ein lauer Mohammedaner, nicht von mir erwartet haben; er brach in lautes Gelächter aus, und alle Höflinge lachten pflichtschuldigst mit und klatschten in die Hände. „Welchen Propheten bezeugst du denn?" — „Jesus Christus und die Propheten der Söhne Israels." — „Es steht aber doch im Koran, Mohammed ist grösser als alle andern Propheten." — „Das steht allerdings darin, aber wer sagt uns, dass es wahr sei?" — „Nur die Ungläubigen zweifeln daran. Ich sehe, du trägst einen Rosenkranz, und von sehr schöner Arbeit; beten die Christen auch den Rosenkranz?" — „Viele zählen ihre Gebete danach ab; ich indess trage ihn, die Wahrheit zu sagen, blos zum Zeitvertreib." — Neues Gelächter. Nach einer Pause nahm der erste Fakih, der gelehrte Theologe des Landes, das Wort, indem er mich fragte: „Wie oft betest du des Tages?" — „So oft ich das Bedürfniss dazu fühle, doch pflegen die Christen nicht laut und öffentlich zu beten." — „Kennt ihr den gnädigen Herrn und Propheten Abraham?" — „Wir kennen Abraham, halten ihn aber nicht für einen Propheten." — „Hast du den Koran gelesen?" — „Den Koran sowol als auch mehrere von den Nachfolgern Mohammed's geschriebene Bücher." — „O Wunder! und dennoch bist du Christ geblieben?" — „In der That." — „Steht im Evangelium auch vom gnädigen Herrn Omar geschrieben?" — Jetzt war die Reihe des Lachens an mir; und als der Sultan, der aufmerksam zugehört hatte, mich fragen liess, warum ich lache, erwiderte ich: „Das Evangelium ist ungefähr 600 Jahre vor Mohammed geschrieben, wie kann also darin von einem Manne die Rede sein, dessen Thaten erst so viel später begonnen haben?" — „Das ist wahr", sagte er und gebot seinem Fakih Schweigen. Wieder nach einer Pause fragte der Sultan: „Kannst du Flinten verfertigen?" — „Nein." — „Kannst du Uhren machen?" — „Nein." — „Hast du einen indischen Spiegel (Fernglas)?" — „Ja." — „Hast du einen Revolver?" — „Ja." — „Hast du eine Uhr?" — „Ja." — Mit einigen Fragen über mein Befinden und über das Wetter, das wir auf der Reise gehabt, endete die Unterredung, und wir wurden entlassen.

Die ganze Audienz hatte viel Aehnlichkeit, namentlich auch in den Gesprächen über Religion, mit derjenigen, welche Denham beim Vorfahr des jetzigen Sultans gehabt, der ebenfalls Bu-Bekr hiess (Denham schreibt zwar Bucker, doch ist dies ohne Zweifel nur eine Abkürzung des Namens Bu- oder Aba-Bu-Bekr), der aber noch ein vollkommen souveräner Herrscher, ein Verbündeter des Schichs Mohammed el Kanemi gegen die Pullo war. Denham beschreibt die Ceremonie folgendermassen: „Die Art der Begrüssung ist seltsam. Barca Gana (ein Truppenführer, mit dem er von Kuka gekommen war) als Stellvertreter des Schichs näherte sich einem Platze vor den Verschnittenen mit niedergeschlagenen Augen; dann setzte er sich, ohne den Blick aufzuschlagen, seinen Rücken gegen den Sultan gekehrt, und rief, indem er mit den Händen klatschte, „engubero dega!“ (möget Ihr ewig leben!) ... Diese Worte wurden nahe beim Sultan wiederholt, und dann sang sie der ganze Hof...“ Auch von der Gastfreundschaft und der Kochkunst in Mandara weiss Denham nichts Rühmliches zu berichten, so wenig als ich davon erbaut war. Gussab-Mehlbrei in hölzernen Schalen, sagt er, mit heissem Fett übergossen und mit Pfeffer bestreut, gelte dort für die höchste Leistung der Kochkunst.

Nachmittags wollte ich ausgehen, um mir die Stadt zu besehen; da sagte mir der alte Kre-ma, ich dürfe ohne Erlaubniss des Sultans das Haus nicht verlassen. Natürlich kehrte ich mich nicht daran, sondern ging in Begleitung von Almas auf die Strasse. Inzwischen lief der Kre-ma rasch voraus zum Kola-ma, ihm von dem wichtigen Vorfall Anzeige machend. Dieser kam uns entgegen und bat mich umzukehren. Ich erwiderte ihm indess, ich sei kein Gefangener, und setzte ruhig meinen Weg durch die Strassen fort. Beim Hause des Kaiga-ma (ein Kanúri-Wort und Titel am Hofe von Bornu, etwa dem Uándala-Wort Thagama entsprechend) waren Arbeiter mit Erhöhung der Stadtmauer beschäftigt, und um die Leute anzufeuern, spielte man ihnen Musik vor. Es wurden nämlich zwei harfenähnliche fünfsaitige Instrumente mit den Händen gerührt, dazu zwei hölzerne Trompeten von 2 Meter Länge geblasen, eine mit kleinen Steinchen gefüllte und mit Leder überzogene Kürbisschale geschwungen, endlich eine grosse Trommel gepaukt. Denham erwähnt auch „zwei ungeheuere 12—14 Fuss lange Trompeten, welche Männer zu Pferde trugen, sie waren aus Holz gemacht und hatten ein kupfernes Mundstück.“ Diese höllische Instrumentalmusik begleitete ein alter Mann mit seinem Gesange. Ich war eben im Begriff, die Worte, die er sang, in mein Notizbuch zu schreiben, als der Kola-ma in aller Eile herbeikam und mir mittheilte, der Sultan wolle mich auf der Stelle sprechen.

Ohne Zögern begab ich mich in das Palais und wurde sogleich zum Sultan geführt. Er empfing mich diesmal im Innern des Hauses, unter einer Veranda sitzend, deren Boden mit grobem Kies bestreut war. Seine Kleidung bestand aus schwarzer weiter Tuchhose, blauem Hemd und einer weissen Mütze. Nur zwei Eunuchen und zwei die Thür zum Harem bewachende Sklaven waren zugegen. Nach den üblichen Begrüssungen sprach er in ziemlich gutem Arabisch: „Es ist sonst strenge Vorschrift, dass Fremde nicht vor dem dritten Tage nach der Ankunft sich mir vorstellen, auch ohne besondere Erlaubniss vor dem dritten Tage ihre Wohnung nicht verlassen dürfen; mit dir aber mache ich eine Ausnahme, du kannst ausgehen, wann und wohin es dir beliebt. Ich hoffe, du wirst diesen Beweis meiner Freundschaft zu schätzen wissen.“ Ich bedankte mich höflich, und in ungezwungenem Tone wurde die Unterhaltung weitergeführt. Sultan Bekr, nach seiner eigenen Angabe 34, nach meiner Schätzung aber wol 40 Jahre alt, von dunkelschwarzer Hautfarbe, mit freundlichem, von einem schwarzen Backenbart umrahmten Gesicht und hoher, wohlproportionirter Gestalt, zeigte sich mir als eine heitere, stets zum Scherzen und Lachen aufgelegte Natur, dabei in religiöser Beziehung vorurtheilsfrei und fern von Fanatismus oder Unduldsamkeit. Mit lebhaftem Interesse hörte er an, was ich ihn auf sein Befragen von europäischen Einrichtungen, Fabrikaten und neuen Erfindungen mittheilte. Sodann legte er mir seinerseits die Hauptstücke seines Curiositäten-Cabinets vor: eine Stockflinte, den Revolver, den er Vogel abgenommen, eine mit Kupfernägeln beschlagene Kiste u. s. w., natürlich sprach ich über alles meine höchste Bewunderung aus. Erst nach zwei Stunden ward ich entlassen.

Abends ging ich in der Absicht zu baden an den Gua (Fluss), der von Mora kommt und sich mit dem Jakoa vereinigt, fand ihn aber so seicht, dass ich davon abstehen musste. Auf dem Rückwege nach der Stadt begegneten mir mehrere Dorfbewohner, alle ganz nackt bis auf einen den Sitztheil bedeckenden kurzen Lederschurz, die das Fleisch eines gefallenen Esels auf ihren Schultern heimtrugen. Und wie ich mich später überzeugte, wird nicht blos von den heidnischen Dorfbewohnern, sondern auch von den Mohammedanern in Doloo das Fleisch an Krankheiten verendeter Thiere genossen. Auch Denham bestätigt dies. Während seines Aufenthalts am Hofe von Doloo kamen Abgesandte der Musgu dahin; sie verlangten, von einem im Lager crepirten Pferde zu essen, worin Denham einen Beweis erblickte, dass die Musgu keine Christen seien. Er wusste also nicht, dass die Mohammedaner Centralafrikas, da sie nur Gläubige oder Ungläubige kennen, zwischen kerdi (Heide) und nassara (Christ) keinen Unterschied machen. In meiner Wohnung angelangt, liess ich den Kola-ma um einen Topf voll busa, hier ńbull genannt, bitten, ein Gebräu, dessen vorzügliche Bereitung in Uándala man mir gerühmt hatte; allein das widerliche Aussehen schreckte mich ab, es zu versuchen, ich überliess das Getränk meinen zum Theil immer noch kranken Dienern.

Früh am andern Morgen wurde ich von einem Boten des Sultans aus dem Schlafe geweckt, durch den er mich ersuchte, sogleich zu ihm zu kommen. Neugierig, was sein Begehr sei, zog ich mich rasch an und folgte dem Boten. Der Sultan bat mich um Medicin für eine seiner Töchter, die auf einem Auge erblindet war. Da ich sah, dass hier mit Medicamenten, vielleicht selbst mit einer Operation nicht mehr zu helfen sei, schrieb ich nur einen Spruch nieder und legte den Zettel auf das leidende Auge, womit der Vater wie die Tochter sich befriedigt erklärten.

Denselben Tag unternahm ich eine Excursion nach dem 2 Kilometer südwestlich von der Stadt gelegenen Berge Sremarda, auch Sau-kursa genannt. An seinem Fusse zeigte das Barometer (ich hatte nur ein kleines deutsches Taschen-Aneroid mit, das mir Dr. Barth kurz vor seinem Tode von Berlin geschickt hatte) 266½, also eine absolute Höhe von ungefähr 450 Meter. Die Steilheit der Wände und Abhänge, die mit zerstreuten Granitblöcken, dazwischen aber mit undurchdringlichem Gebüsch und hohem Grase bedeckt sind, machte das Hinaufsteigen äusserst schwierig. Oft konnte ich nur auf allen Vieren vorwärts kommen, und mehr als einmal war ich im Begriff umzukehren, aber die Hoffnung auf eine weite Aussicht vom Gipfel des Berges verlieh mir wieder Kraft zum Weiterklettern. Vor mir sprangen Heerden von Pavianen (Cynocephalus) auf, jedesmal wenn ich mich näherte ein dumpfes Gebrüll ausstossend. Endlich erreichte ich die aus einem einzigen Granitblock gebildete Spitze und wurde in der That durch ein herrliches Panorama für meine Mühe belohnt. Zu meinen Füssen lag die Stadt Doloo, nach Süden zu erstreckt sich eine gewaltige Gebirgsmasse, deren bedeutendste Punkte ich übersehen konnte: den Berg Melko, in der Richtung von 140° circa 15 Stunden entfernt, den Berg Muéngdje, in 150° circa 8 Stunden, den Berg Wame, in 170° circa 5 Stunden, die Stadt Mora, in 190° circa 3 Stunden, das Gebirge Padógo, in einem Kreise von 170° bis 240° circa 4 Stunden, den Berg Moktéle, in 210° circa 8 Stunden, das Gelabda-Gebirge, von 280° aus nach Südwesten ziehend, circa 15 Stunden, den Deladebá, von 280° nach Westen ziehend, circa 15 Stunden, den Berg Grea, in 300° gerader Linie circa 3 Stunden, und im Nordosten den einzelnstehenden Fels Mosa, in der Richtung von 50° circa

10 Stunden entfernt. Nach dem Aneroid beträgt die absolute Höhe des Sremarda 620 Meter, die relative 170 Meter. Das Gestein ist grobkörniger grauer Granit, hier und da an der Oberfläche geschwärzt. Ebenso schwierig wie das Hinaufklimmen war das Herabsteigen, wenn es auch schneller von statten ging. Unten angekommen, fühlte ich mich so ermattet, als wenn ich einen ganzen Tag zu Fusse marschirt wäre.

Ich übersandte nun dem Sultan meine Geschenke, hauptsächlich aus verschiedenen Gewehren bestehend, und er bezeigte seine volle Zufriedenheit damit. Den Kola-ma, der zwar nichts von mir erwartet zu haben schien, beschenkte ich mit einem Stück weissen Kattun von 70 Ellen, einem Turban und ein paar Taschentüchern.

Nachmittags liess mich der Sultan wieder zu sich rufen. Nachdem er mir alle seine übrigen Sachen, selbst seine Kleidungsstücke gezeigt hatte, verlangte er meinen Revolver zu sehen. Ich schickte nach der Waffe, und als sie der Sultan betrachtet, äusserte er sich ganz entzückt über die wundervolle Arbeit. Plötzlich sagte er: „Willst du zehn Sklaven dafür, oder wie viele ist er dir werth? — Kola-ma, suche zwanzig Sklaven aus, zehn männliche und zehn weibliche, und gib sie dem Christen. — Bei Gott, den Revolver lasse ich nicht! — Du da, trage ihn schnell fort!“ Damit übergab er ihn einem Eunuchen, der sich damit entfernte. Der Kola-ma wollte gehen, um die zwanzig Sklaven für mich zu holen; ich protestirte aber dagegen, indem ich dem Sultan sagte: „Du weisst doch, dass ich kein Sklavenhändler bin; den Revolver, da du ein so unwiderstehliches Verlangen danach trägst, mache ich dir zum Geschenk, doch ist es mir um so schmerzlicher, mich von demselben zu trennen, wenn ich bedenke, dass die Waffe, sobald die paar Ladungen verschossen sein werden, für dich gar keinen Nutzen mehr haben kann. Indess“, fügte ich hinzu, „will ich dir von Kuka aus die noch vorräthige Munition dazu schicken.“ So war ich denn um meinen schönen damascirten Revolver gekommen. Ich hatte ihn von Lefaucheux in Paris für 130 Frs. gekauft, und Lefaucheux' Revolver versagen nie, was bei den besten englischen und deutschen nicht selten der Fall ist.

War es der Aerger über den Verlust meines Revolvers, oder hatte ich mich bei der Bergbesteigung zu sehr angestrengt, ich bekam abends heftiges Fieber und musste mich zeitig niederlegen. Die ganze Nacht hindurch von wirren Träumen verfolgt, fühlte ich mich am Morgen aufs äusserste ermattet. Eine starke Dosis Chinin in Citronensäure aufgelöst hemmte zwar sofort das Fieber, die Kräfte aber kehrten mir nur sehr langsam zurück. Als der Sultan erfuhr, dass ich unwohl sei, schickte er mir eine fette Kuh, zwei Lederbüchsen voll Butter und einen Topf Honig nebst einem Gericht aus seiner Küche. Im übrigen blieb nach wie vor der Kola-ma mit unserer Verpflegung betraut; die Speisen, die er uns zukommen liess, waren meist unverdaulich, und das Futter für die Pferde so wenig ausreichend, dass ich es durch selbstgekauftes ergänzen musste.

Einen noch schmerzlichern Verlust als am vorigen Tage sollte ich an diesem erfahren. Mein armer Hund, der schon längst nicht mehr gehen konnte, war nachts aus meinem Zimmer, als wollte er mir den Anblick seines Todes ersparen, in den Stall gekrochen und wurde am Morgen todt zwischen den Pferden liegend gefunden. Es kamen sogleich eine Menge Leute herbei, welche den Leichnam zum Verspeisen haben wollten, darunter auch ein Verwandter des Sultans. Letzterm schenkte ich ihn, und hocherfreut trug er den Braten auf seinem Kopfe nach Haus. Man ersieht aus dem Umstande, dass selbst ein Verwandter des Sultans sich nicht scheute, ein nicht geschlachtetes, sondern gefallenes Thier, das den Mohammedanern für djifa, d. h. unrein

4*

gilt, dessen Genuss daher aufs strengste verboten ist, vor aller Augen als Braten heimzutragen, wie wenig der Islam seinem Wesen nach sich hier eingebürgert hat. Meinerseits dachte ich, besser, das Geschöpf, das mir im Leben so grosse Dienste geleistet, dient auch im Tode noch jemandem zum Nutzen, als dass es ungenutzt in der Erde verwest. In unsern Herzen haben ich und alle meine damaligen Begleiter ihm ein dankbares Andenken bewahrt. Als ich 1869 den Gatroner in Tripolis wiedersah, war viel von seiner unermüdlichen Wachsamkeit die Rede, und so oft ich meinen kleinen, jetzt erwachsenen Reisekumpan Noël in Berlin besuche, erinnern wir uns stets gern des treuen Mursuk.

Bis zum Nachmittag hatte sich mein Zustand so weit gebessert, dass ich den kurzen Weg zur Residenz, zwar nicht zu Fuss, doch zu Pferde zurücklegen konnte. Der Sultan bot mir einen jungen Löwen als Präsent an. Ich dankte natürlich für die Ehre, mit dem Ersuchen, er möge das schöne Thier aufbewahren, bis einmal vielleicht ein anderer Reisender aus einem Christenlande zu ihm käme, der mit geeignetern Mitteln zu dessen Transport versehen sei als ich. Von mir verlangte er, ich solle ihm vier Sprüche aufschreiben: einen, der ihn unverwundbar, einen andern, der ihn immer siegreich über seine Feinde mache, einen dritten, der die Kraft habe, dass niemand seine Stadt einnehmen könne, und einen vierten, der ihn vor jeder Krankheit schütze. In seinem Aberglauben befangen, kam der Verblendete gar nicht auf den Gedanken, dass derjenige, dem er solche Zaubermacht zutraute, in diesem Augenblick ja selbst von Krankheit befallen war. Ferner wünschte er einen besonders wirksamen Spruch aus dem Evangelium zu haben; ich schrieb ihm das „Vaterunser“ ins Arabische übersetzt auf und sagte, dieses hielten die Christen für das kräftigste Gebet; wenn er aber mehr aus dem Evangelium lesen wolle, könnte ich ihm das ganze Buch in arabischer Sprache verschaffen.

Auch am Morgen des 27. September entbot mich der Sultan wieder zu sich, und wieder hatte er allerhand Begehren an mich zu stellen. Ich sollte ihm meine Uhr — den Chronometer, überhaupt alle werthvollern Sachen hatte ich in Kuka gelassen — und mein Fernrohr zeigen. Allein da ich nun wusste, dass sehen und behalten bei ihm eins sind, wandte ich vor, die beiden Gegenstände seien ganz zu unterst in meinem Reisesack verpackt und liessen sich jetzt nicht heraussuchen. Er beruhigte sich dabei, verlangte aber nun mein Zelt zu sehen. Dieses glaubte ich eher missen zu können, denn ich hatte noch zwei kleinere Zelte mit, die jetzt, nachdem der grösste Theil des Gepäcks hier verschenkt worden war, für meinen Bedarf genügten. Ich schickte danach, und als es aufgeschlagen vor dem Sultan dastand, fanden die eisernen Pflöcke, das starke Segeltuch, die innere Bekleidung von blauem Merino sofort seinen allerhöchsten Beifall, und ohne mich weiter zu fragen, sah er es als sein Eigenthum an.

Dagegen erhielt ich leicht die Erlaubniss zur Besteigung des südlich von Doloo circa drei Tagereisen entfernten Berges Mendif, dessen Gipfel man als den höchsten Punkt des Gebirges bezeichnet. Leider erwies sich aber mein Vorhaben als unausführbar. Die Regenzeit, die in Uándala und besonders in dem angrenzenden Gebirge gewöhnlich volle sieben Monate dauert, verlängerte sich in diesem Jahre noch darüber hinaus, und während derselben auf die Berge zu gehen, ist eine reine Unmöglichkeit. Ausserdem stellte man mir vor, dass die Bewohner des Gebirgs jeden von Uándala Kommenden als Feind behandeln; denn der Sultan ist wie mit allen Nachbarstämmen beständig im Kriege mit ihnen. Bestreitet er doch seinen ganzen, nicht unbeträchtlichen Aufwand einzig aus dem

Verkauf der Menschen, die er in den Grenzländern ringsum jagt und als Beute mit fortschleppt. So geschah es in der Zeit meiner Anwesenheit zu Doloo, dass eines Abends der Kola-ma mit 50 Mann auf den Menschenraub auszog und in einem jenseit der Grenze liegenden Dorfe ein Dutzend wehrloser Weiber und Kinder vom Felde wegfing. Unselige Folgen des Sklavenhandels! Hätte ich noch monatelang dableiben können, so würde sich vielleicht Gelegenheit gefunden haben, unter sicherer Bedeckung in das Gebirge zu kommen; allein ich musste wieder in Kuka sein, wenn die Antwort auf mein Schreiben an den Sultan von Uadaï dort eintraf, leider also von meinem Vorhaben Abstand nehmen. Ebenso scheiterte der Plan, von Uándala aus über den Delalebá und Isgë nach Magómmeri zu gehen, da man mich versicherte, ich könne auch diese Berge in der nassen Jahreszeit mit Pferden und Ochsen absolut nicht passiren.

Als Gegengeschenk für das Zelt verehrte mir der Sultan eine Meerkatze von der kleinen, in der Berberei und in Tibesti heimischen Art und zwei alte werthlose Pantherfelle, die indess meine Leute zu Schlafdecken gebrauchen konnten; ein Stachelschwein lehnte ich mit dem Bemerken ab, dieses Thier sei auch in Europa genugsam vorhanden. Obgleich er nun schon Geschenke im Werthe von 150 Thaler von mir bekommen hatte, verlangte er noch, ich solle ihm meine Doppelflinten schenken oder wenigstens gegen zwei seiner verrosteten Steinschloss-Gewehre in Tausch geben. Ich erklärte ihm jedoch kurz, die Flinten seien Eigenthum meiner Begleiter, die ich nicht zwingen dürfe, ihre guten Waffen gegen schlechte zu vertauschen. Hierauf liess er sich eine Ledertasche bringen, aus welcher er etwa zwei Dutzend verschiedene Messer und Scheren hervorzog; während er dieselben vor mir ausbreitete, erzählte er, sie seien ihm von Vogel geschenkt worden und er habe die

Tasche immer am Sattel hängen, wenn er ausreite. Ehe er mich entliess, musste ich versprechen, nächsten Vormittag wieder zu ihm zu kommen.

Seiner Gewohnheit gemäss ging auch diese Morgenaudienz nicht vorüber, ohne dass er dies und jenes von meinen Sachen begehrte. Zuletzt beanspruchte er eine Portion von aller Medicin, die ich bei mir habe. Ich brachte ihm Brechpulver, Chinin und Opiumextract, belehrte ihn auch über den Gebrauch dieser Arzneimittel. Da er aber im höchsten Grade mistrauisch ist und in beständiger Furcht schwebt, vergiftet zu werden — er berührt keine Speise, die nicht seine Mutter zubereitet hat, und niemand, sei es auch sein Bruder, darf sich ihm bewaffnet nahen —, sollte ich vor seinen Augen von jedem der drei Medicamente etwas einnehmen. Ich entschuldigte mich mit meinem Unwohlsein, worauf Almas, als echter Höfling, an meiner Statt das fatale Experiment freiwillig an sich vollzog. Man kann denken, welche Wirkung dieses gleichzeitige Verschlucken drei so drastischer Arzneien hervorbrachte und welch fürchterliche Grimassen Almas' ohnehin hässliches Negergesicht verzerrten. Von der Todesfurcht des Sultans erhielt ich einen neuen Beweis, als er mich bat, einen Leistenbruch, an dem er litt, zu untersuchen; denn da ich sagte, er möge sich entkleiden und zu dem Ende seine Diener herausschicken, brach er in die Worte aus, die mir Almas nachher verdolmetschte: „O seht den Christen! Er will mit mir allein sein und mich dann erdrosseln!“ Beim Weggehen forderte er mich auf, nachmittags mit nach Mora, der frühern Hauptstadt von Uándala, zu reiten, was ich gern annahm.

Pünktlich um 2 Uhr fand ich mich, von Almas, Dunkas und dem Gatroner begleitet, vor der königlichen Wohnung ein, wo bereits etwa 50 Grosse des Reichs, alle zu Pferde und mit ihrer besten Kleidung angethan, versammelt waren.

Bald erschien auch der Sultan auf einem schönen, reichgeschirrten Schimmel; er war ganz in Weiss gekleidet und sass auf einer blauseidenen, mit Goldsternchen gestickten und mit goldenen Fransen besetzten Schabracke, einen aufgespannten blauen Regenschirm in der Hand haltend. Sobald die Grossen seiner ansichtig wurden, erhoben sie zur Begrüssung ein wüstes Geschrei, in dem ich die Worte: „Sieger — Stier — Löwe — Herrscher der Könige“ unterscheiden konnte. Ich und meine drei Begleiter mussten uns an die Spitze des Zuges stellen, wahrscheinlich weil wir mit Flinten bewaffnet waren, während alle andern nur Lanzen hatten; dann folgten die Würdenträger und zuletzt der Sultan, umgeben von seinen Sklaven und Eunuchen. Wo der Zug vorüberkam, fielen die Leute auf die Knie nieder und schrien, so laut sie konnten, namentlich die Weiber. Auch seitens der Grossen hörte das barbarische Geschrei den ganzen Weg über nicht auf. „Eine Grube, o Herr! — Ein Stein, o Herr! — Hab Acht, o Herr! — Ein Kornfeld, o Löwe!“ so gellte es mir in einem fort in die Ohren. Schon Denham fand den Gebrauch, dass beim Ausritt des Herrn das Gefolge ihm unablässig zuschreit, sonderbar genug, um desselben in seinem Reisewerke Erwähnung zu thun; er schreibt von einem Ritt, auf dem er den Feldherrn von Bornu Barca Ghana begleitete: „Unterhaltender aber und nützlicher waren die Fussgänger, die dem Zuge vorausliefen und als Pionniere dienten. Es waren ihrer zwölf, sie hatten zackige Lanzen, mit welchen sie sehr geschickt, indem sie rasch voraufgingen, die Zweige zurückbogen und so den Weg offen hielten, der sonst fast ungangbar gewesen wäre. Dabei hörten sie nicht auf zu rufen: «Habt Acht auf die Löcher! — Weicht den Zweigen aus! — Hier geht der Weg! — Vermeidet den Tullah (Akazienbaum)! Seine Stacheln sind wie Speere, schlimmer als Speere! — Biegt die Zweige weg! — Für wen? Für

Barca Ghana! — Wer ist in der Schlacht dem rollenden Donner ähnlich? Barca Ghana! — Wer ist unser Führer? Barca Ghana!» u. s. f."

In kurzem Trabe ritten wir $2^1/_2$ Stunden südwestlich immer durch den Wald. Dann lag die Trümmerstätte von Mora vor uns an der Nordseite einer steilen, 600—800 Fuss hohen Bergwand. Die Stadt wurde im letzten Kriege mit Bornu, 1863, von Aba-Bu-Bekr, dem Sohne des Sultans von Bornu, eingenommen und gänzlich zerstört. Der Sultan hatte sich mit seiner Kriegsschar auf den Berg zurückgezogen. Dorthin konnte ihm der Feind nicht folgen, und es kam eine Capitulation zu Stande, laut welcher er sein Land als Lehen von Bornu zurückerhielt, dagegen sich zum jährlichen Tribut einer bedeutenden Anzahl Sklaven verpflichtete. Als Unterpfand des Friedens musste er Aba-Bu-Bekr seine Tochter zur Frau geben. Indessen, so wenig die Verschwägerung des frühern Herrschers von Uándala, des Sultans Bekr, mit dem Schich Mohammed el Kanemi von Bornu neue Kriege zwischen den beiden Ländern verhinderte, ebenso wenig dürfte der jetzige Sultan sich abhalten lassen, bei erster Gelegenheit die Wiederabschüttelung des ihm auferlegten Vasallenjochs zu versuchen. Gewiss in keiner andern Absicht geschieht es, dass er seine neue Hauptstadt sorgsam befestigen lässt und sich mit den Sultanen von Uadaï und Dar-Fur verbündet.

Mora stand übrigens, als es zerstört wurde, erst kaum 40 Jahre, wie uns Denham erzählt: „Delow (Doloo), die erste Stadt in Mandara, die wir erreichten, und früher des Sultans Residenz mit wenigstens 10000 Einwohnern, hat Quellen mit herrlichem frischen Wasser; in den Thälern stehen Feigenbäume..." Und weiter: „Vor etwa zehn Jahren (also etwa 1812) fand der Sultan so wenig Schutz hinter den Mauern seiner damaligen Residenz Delow gegen die Angriffe der Felatahs, dass er die neue Stadt Mora baute, fast ganz gegen Norden und unter einer halbkreisförmigen Reihe sehr malerischer Berge liegend. Diese natürliche Schutzwehr bildet einen sichern Wall bis auf eine Seite, und der Sultan hat bisher den Angriffen seiner Feinde Widerstand geleistet."

Jetzt hatten sich bereits wieder etwa funfzig Familien an der Stätte neu angebaut. Alle ihre Habe und ihre Vorräthe aber verwahrten sie der Sicherheit wegen oben auf dem Berge, der allerdings ohne europäische Geschütze, wenigstens von der Nordseite her uneinnehmbar ist. Für den Sultan war ebenfalls wieder ein Haus hier errichtet worden. Vor demselben hielt der Zug, doch ich allein wurde vom Sultan eingeladen, mit ihm hineinzutreten. Drinnen fragte er mich, ob auch den christlichen Königen, wenn sie ausreiten, solche Ehren von ihrem Gefolge erwiesen würden, wie ich sie auf dem Wege hierher gesehen und gehört hätte. Ich erwiderte, jedermann bezeige bei uns dem Könige Ehrfurcht, nur geschehe es in anderer Weise; auf Steine und Gruben brauche man den König nicht durch lautes Rufen aufmerksam zu machen, weil alle Wege gebahnt oder gepflastert seien. Das schien freilich über seinen Horizont zu gehen, er schüttelte ungläubig den Kopf dazu. Hierauf musste ich die einzige Merkwürdigkeit des Ortes bewundern, einen Citronenbaum im ehemaligen Garten des Sultans; sonst erhebt noch hier und da eine einsame Palme ihr Haupt über die zerstörten Häuser und Hütten. Nach kurzer Rast stiegen alle wieder zu Pferde, und im Trabe ging es denselben Weg zurück. Die Nacht war schon hereingebrochen, als der Zug in Doloo ankam.

Mora ist einer der südlichsten Orte in Uándala; ich hatte somit ziemlich das ganze Ländchen gesehen, und da die überschwemmten Wege dem weitern Vordringen ein unüberwindliches Hinderniss entgegensetzten, schickte ich mich zur Rückreise nach Kuka an. Am folgenden Tage wurde ich dreimal zum Sultan gerufen. Das letzte mal, abends, fand ich ihn im Innern seines Weiberhauses vor einem lodernden Feuer, das sowol der Beleuchtung als der Erwärmung wegen braunte, denn sobald das Thermometer unter + 30° sinkt, frösteln die Eingeborenen schon. Er äusserte den lebhaften Wunsch, eine Flagge zu besitzen, und hatte ein Auge auf meine bremer Flagge von feinem Merino geworfen. Ich machte ihm indess begreiflich, wenn ein Sultan die Flagge eines andern Sultans führe, so halte ihn alle Welt für dessen Unterthan; es müsse also für das Reich Uándala eine eigene Flagge angefertigt werden. Den nächsten Morgen liess ich von Almas einen Halbmond von weissem Baumwollenzeug mit einem Stern und noch einem andern Abzeichen auf ein viereckiges Stück rothen Damast nähen und einen Stock daran befestigen, an dem man es heraufziehen und herunterlassen konnte. Diese roh zusammengestückelte Flagge brachte ich dem Sultan. Sie wurde sofort an einer passenden Stelle seines Hauses aufgepflanzt. Als er sie von dort herabwehen sah, glänzte sein fettes Negergesicht vor Stolz und Freude. Auf die Frage, wann die Sultane ihre Flagge aufziehen, gab ich ihm zur Antwort: Freitags und an andern mohammedanischen Feiertagen.

Vormittags am 30. September machten wir dem Sultan unsern Abschiedsbesuch. Meine Begleiter erhielten Sklaven zum Geschenk: Almas und der Mann Aba-Bu-Bekr's jeder ein erwachsenes Mädchen im Werthe von 25 Thaler, Hammed einen Knaben von gleichem Werth, Dunkas ein kleines Mädchen im Preise von etwa 10 Thaler. Für mich wurde ein Ameisenfresser (Erdferkel, Orycteropus aethiopicus, auf Uándala: ṅgurugu, auf Kanúri: djóro) gebracht, und da ich bedauerte, das interessante Thier nicht mitnehmen zu können, erbot sich der Sultan, es mir nach Kuka nachzusenden. Zugleich forderte er mich auf, selbst zu sagen, was ich noch begehrte; jeder meiner Wünsche sollte erfüllt werden. Ich erwiderte, für meine Person bedürfe ich nichts weiter, ich hätte nur den Wunsch, dass er Reisende, die nach mir zur Erforschung des Landes und der Gebirge hierherkämen, gastlich aufnehmen und ihnen alle Unterstützung bei ihrem Vorhaben gewähren möge. Das versprach er mit den Worten: „Sage allen Christen, ich bin ein guter Mann, und jeden, aus welchem Christenlande er sei, werde ich willkommen heissen.“ Meine Rückreise betreffend, rieth er mir, nicht über Díkoa zu gehen, weil das ganze Land bis dahin unter Wasser stehe, sondern wieder den Weg über Udjē zu nehmen. Mittlerweile hatte sich ein heftiger Regen eingestellt, sodass ich mir, um nicht auf dem Gange nach meiner Wohnung ganz durchnässt zu werden, einen wollenen Haïk leihen musste.

Einige Stunden nach der Abschiedsaudienz schickte mir der Sultan noch folgende Präsente: einen Korb Datteln, in Uándala eine grosse Rarität, einen Topf voll ñbull, das ich aber, obgleich es im Gebirge bereitet war, ebenso ungeniessbar fand wie das früher von dem Kola-ma mir übersandte Gebräu, ferner einen kräftigen, etwa zwanzigjährigen Burschen, dergleichen auf dem Sklavenmarkte zu Kuka um 25 Thaler verkauft werden, und eine zwischen 12 und 13 Jahre alte Maid von tiefschwarzer Farbe, für die wol, da sie eben die Pubertät erreicht hatte, doppelt soviel zu erlangen wäre. Letztere wollte ich gleich wieder zurückgeben; man sagte mir aber, der Sultan würde dies als eine Beleidigung ansehen, denn er habe sie seinem eigenen Harem entnommen. Sie verstand kein Wort Kanúri und bezeigte völlige Gleichgültigkeit gegen ihr Schicksal, als ich ihr verdolmetschen liess, dass sie mit nach Kuka gehen solle. —

Uándala ist im Süden halbkreisförmig von Gebirgen umschlossen, im Westen bildet der Delalebá, im Osten unabhängiges Fellata-Gebiet, im Norden Bornu die Grenze. Nach Denham hat das Land nicht mehr als 12 Ortschaften, doch kann diese Zahl jedenfalls nur die grössern Orte umfassen. Die Bewohner, im ganzen etwa 150000, wovon 30000 auf die Hauptstadt kommen, halten sich für nahe mit den Kanúri verwandt, und in der That haben die Sprachen der beiden Völker eine Menge übereinstimmender Wörter; Barth hätte deren viel mehr finden können, als er in seinen Vocabularien anführt, wäre er nicht immer von der vorgefassten Meinung ausgegangen, dass die Kanúri nur mit den Teda verwandt seien. In der Körperbildung aber stehen die Uándaler den Haussaern näher als den Kanúri, von denen sie sich durch vollere Formen unterscheiden. Die Männer haben einen hohen, doch flachen Vorderkopf, grobes krauses Haar, feurige Augen und weniger platte, mehr gebogene Nasen als die Bornuer. Von den Frauen sagt Denham: „sie sind berühmt wegen ihres guten Aussehens — Schönheit kann ich nicht sagen. Was man an ihrer Gestalt hervorhebt, muss ich ihnen auch zugestehen: sie sind ausgezeichnet mit der den Hottentottinnen eigenen Fülle begabt, ihre Hände und Füsse sind klein, und da dies in den Augen der Türken sehr geschätzte Eigenschaften sind, so werden Sklavinnen aus Mandara immer mit hohen Preisen bezahlt.“ Nach meinen Wahrnehmungen haben die Frauen, meist von kleiner Statur, breite Gesichter mit hervorstehenden Backenknochen, ausdrucksvolle Augen und nicht so stark gewulstete Lippen wie die Männer. Hinsichtlich der Industrie, namentlich was die feinern Arbeiten anlangt, können sich die Uándaler nicht mit den Kanúri messen; nur in der Verarbeitung des Eisens, das in grossen Massen im Gebirge zu lagern scheint, haben sie es zu ziemlicher Geschicklichkeit gebracht. Gleich in den südlich an Uándala grenzenden Orten sind Eisenstücke als Münze im Verkehr, während bis hierher noch die Kattunstreifen die Stelle des Kleingelds vertreten.

Der grossen Mehrzahl nach ist die Bevölkerung heidnisch. Die Heiden gehen nackt bis auf einen hinten vorgebundenen Lederschurz; sie leben in Monogamie, sind sehr abergläubisch und haben von einem höchsten Wesen wie von der Fortdauer nach dem Tode äusserst schwache Vorstellungen. Gott nennen sie „da-dámia", die guten Geister „abi", das böse Princip „leksee"; für Hölle haben sie gar kein, für Paradies das arabische Wort. Ihres Heidenthums wegen werden sie von den mohammedanisch gewordenen Städtern verachtet, obwol diese mit der Bekehrung nur das Schlechte des Islam: Vielweiberei, Hochmuth, Dünkel und Scheinheiligkeit, sich aneigneten.

Die Regierung des Landes ist eine rein despotische. Wie lange Sultan Bekr regiert, weiss er selbst nicht; ich vermuthe, nahe an zwanzig Jahre. Er soll ein Neffe seines Vorgängers und mit Gewalt zur Herrschaft gelangt sein. Nicht ohne gute Anlagen, wäre er bei vernünftiger Erziehung gewiss ein tüchtiger und braver Mann geworden, aber auch auf ihn übte der dem Heidenthum aufgepfropfte Islam nur verderblichen Einfluss. Nach seiner Angabe hatte er bereits 60 Söhne, und ich zweifle nicht, dass, falls er am Leben bleibt, das Hundert voll werden wird. Bei meinen Besuchen sah ich stets eine Menge der kleinen Prinzen, halb oder ganz nackt, sich in den Höfen umhertreiben; als Abzeichen tragen sie einen silbernen Ring um den Arm, der Vater würde sonst seine eigenen Kinder nicht erkennen; wol aus diesem Grunde werden auch in andern Negerländern, z. B. in Sinder, die jungen Sprösslinge des Herrschers durch ein solches Abzeichen kenntlich gemacht. In grossem Ansehen steht die Mutter des Sultans, denn sie ist die einzige Person, welcher er Vertrauen schenkt; sie führt den Titel Mai-gera. Seine vornehmste

Frau, die Herrscherin im Harem, wird Chalakálto titulirt. Ausser dem Kola-ma (Grossvezier) sind die höchsten Würdenträger: der Temdélla (Oberste der Eunuchen), der Ketagamá (Oberaufseher der Sklaven), der Pugu-má (Oberbefehlshaber der Truppen), der Katschélla-kir-mássarē (Commandeur der Fusssoldaten), der Katschélla-ṅdagrúme (Commandeur der Bogenschützen). Die ganze Kriegsmacht beläuft sich auf einige tausend Mann, darunter etwa 100 Reiter und 20—30 mit Luntenflinten Bewaffnete. Zwei Kanonen, die sich der Sultan aus Aegypten kommen liess, liegen ohne Laffetten und sonstiges Zubehör in einem Hofe seines Hauses.

Die politische Abhängigkeit von Bornu, der sich Uándala nicht zu entziehen vermag, gereicht dessen Entwickelung zum grössten Nachtheil. Denn von dorther wird den Bewohnern der Islam aufgedrungen, damit zugleich aber Feindschaft und Krieg gegen ihre Stammesgenossen, die heidnischen Bergvölker, auf welche sie doch mit allen ihren materiellen Interessen angewiesen sind. Es ist dieser Misstand um so mehr zu beklagen, als gerade die Gebirgsländer im Süden von Uándala der Schlüssel zur Eröffnung Innerafrikas sein könnten. Gewiss liesse sich ohne besondere Schwierigkeiten vom Mendif zur Biafra-Bai ein praktikabler Weg herstellen. Für christliche Missionen — wenn überhaupt solche in Afrika Erfolg haben können, ein Thema, auf das ich noch zurückkomme — wären sie der geeignetste Niederlassungsort, unbedingt viel geeigneter als die von andern vorgeschlagenen Länder Bornu oder Haussa, wo das von der Sumpfluft erzeugte Klima die Missionäre binnen kurzem hinwegraffen und wo die Unduldsamkeit der muselmännischen Regierungen dem Bekehrungswerk unbesieglichen Widerstand entgegensetzen würde. An der Seite des Islam kann und wird das Christenthum nirgends Eingang finden.

IV.

Rückreise nach Kuka.

Ausmarsch aus Doloo. Von Buendjē nach Díkoa über die Dörfer Adjabína, Tjétjele, Abénde, Konomengúddua und Maidjigíddi. Der Ngúrrum-Fluss. Die Städte Díkoa, Ala, Jédē und Ngórnu.

Am Morgen des 1. October waren wir marschbereit und eben im Begriff aufzubrechen, als mich der Sultan nochmals zu sich entbieten liess. Er hatte vergessen, mir seine Aufträge für Kuka zu ertheilen, und nannte nun die Waaren: Papier, Pulver, Thee, Kampher u. s. w., die ich dort einkaufen und ihm mit erster Gelegenheit senden sollte. Beim schliesslichen Abschiede wiederholte er das Versprechen, allen Europäern, die nach Uándala kommen würden, gastliche Aufnahme und Förderung ihrer Absichten zutheil werden zu lassen. Darüber wurde es 11 Uhr, ehe wir, bei gutem Wetter, aus dem Thore von Doloo ausrückten. Mehrere Eingeborene hatten sich meiner Karavane zur Reise nach Kuka angeschlossen, darunter ein Sklavenhändler aus Anay, der ein Pferd und verschiedene Stoffe gegen sechs Negerkinder vom Sultan eingetauscht. Wir durchschritten das Bett des Jánoē und nächtigten dann, nichts weniger als gastfreundlich aufgenommen, in dem Dorfe Scheríferi.

Den folgenden Tag wurde um 7 Uhr aufgebrochen. An einer Stelle vor dem Orte Grea tritt der Delalebá in die nördliche Schneide des Grea, sodass ich seine Entfernung von letzterm auf etwa drei Stunden in der Richtung von 180° bemessen konnte. Ich war mit meinen Begleitern vorausgeritten und erreichte um 11 Uhr Buendjē. Eben waren wir unter Dach und Fach, da strömte wieder ein Regenguss herab, der die eine Stunde später ankommende Karavane ganz durchnässte und den Weg für die nächsten Stunden noch ungangbarer machte, als er bis dahin schon war. So sahen wir uns genöthigt, den Rest des Tages und die Nacht, obgleich wir die Ungastlichkeit der Bewohner auf der Hinreise kennen gelernt hatten, in Buendjē liegen zu bleiben.

Mit Sonnenaufgang setzte sich die Karavane wieder in Marsch und gelangte bald an den kleinen Fluss im Norden von Buendjē. Der Regen hatte sein Bett bis an den Rand gefüllt, woraus mit Gewissheit zu schliessen war, dass es unmöglich sein würde, die viel breitere und tiefere Nschúa zu durchwaten. Wir mussten deshalb nach Buendjē zurückgehen, um dort Kürbisschalen zu leihen und Leute mitzunehmen, die uns beim Uebersetzen über die Nschúa behülflich wären. Im weitern Verlauf meiner Reisen habe ich auch bei den Negern hier und da Brücken angetroffen; in den Ländern aber, die ich jetzt durchreiste, ist mir nirgends eine Brücke zu Gesicht gekommen. Zum Uebersetzen über angeschwollene Gewässer dienen den Eingeborenen mit Luft gefüllte Schläuche, auf welchen sie rittlings sitzen, am häufigsten jedoch ausgehöhlte Kürbisse. Es gibt deren bis zu 2 Fuss Durchmesser, die allein einen Menschen zu tragen vermögen; mehrere zusammengebunden dienen einem rohen Floss zur Unterlage. Natürlich hat diese Art des Transports grosse Unzuträglichkeiten, weshalb ich für meine Person gewöhnlich vorzog, frei durch den Strom zu schwimmen, und zu dem Ende stets einen Schwimmgürtel von Gummi bei mir führte. In Buendjē weigerten sich indess die Leute hartnäckig, trotzdem ich ihnen gute Bezahlung bot, uns mit ihren Kürbisschalen an die Nschúa zu folgen. Almas wollte Gewalt brauchen; ich verhinderte ihn aber daran und befahl endlich, um den Uebergang über die Nschúa entbehrlich zu machen, dass der Weg über Díkoa eingeschlagen werde.

Wir nahmen die Richtung von 20° und bogen nach einer Stunde ganz nach Norden um. Der Weg war entsetzlich, kein Weg, sondern ein fliessender See von 1, oft 2 Fuss Tiefe, beständig in dichtem Walde, der eben nur einen schmalen Raum zum Hindurchkommen frei liess. Das Wasser strömte mit ziemlicher Geschwindigkeit von Süden nach Norden, und es erschien mir nun glaubhaft, dass die meisten dieser Flüsse nicht in ihrem Bette den Tschad-See erreichen, sondern sich weit über das Land ausbreiten und so erst ihr Wasser mit demselben verbinden. Nach zwei Stunden kamen wir zu dem Dorfe Sserádja, das mit seinen Fruchtfeldern wie eine Insel aus dem Wasser hervorragte. Unsere Thiere, die beständig im Wasser wateten und nicht selten bis an den Bauch in den thonigen Boden einsanken, bedurften dringend der Ruhe; zudem war die heisse Tageszeit herangekommen, da wir mit dem Umkehren und den Verhandlungen in Buendjē viel Zeit verloren hatten. Ich liess also hier halt machen.

Um 3 Uhr 10 Minuten setzten wir unsere nasse Reise fort. Meine Füsse hingen fast immer im Wasser, und ich konnte vom Pferde herab mit der Hand in dasselbe hineinlangen. Einer der Lastochsen trug auf dem Rücken mein Bett: Matratze, Kissen und wollene Decken, während zwei Kisten mit Kleidern und andern Gegenständen ihm in Ledersäcken zu beiden Seiten hingen. Oben auf dem Bett sass das Aeffchen, das ich vom Sultan geschenkt bekommen.

Plötzlich sprang das drollige Thier, wahrscheinlich von den Leuten gereizt, dem Ochsen auf den Nacken, dann zwischen die Hörner; der Ochs wurde wild, warf sein ganzes Gepäck ins Wasser, nur den Affen konnte er nicht abschütteln, und es kostete Mühe, ihn wieder zu bändigen. Als ich mein Bett und die Kisten, in denen auch Thee, Zucker und dergleichen verpackt war, im Wasser liegen sah, ergriff ich voll Zorn den Veranlasser dieses Unheils, den Affen, und schleuderte ihn in die Flut. Wie ein Mensch, der dem Ertrinken nahe ist, flehte das Thierchen um Hülfe, bis es von Hammed herausgezogen wurde. Letzterm überliess ich es auch später als Eigenthum. Nach einer Stunde hatten wir mitten im See ein Flussbett zu durchwaten, vermuthlich das des Flusses von Buendjē, und noch eine Wegstunde nördlich brachte uns zu dem Dorfe Adjabína. Hier übernachteten wir, konnten aber ungeachtet grosser Ermüdung wegen der Mosquitos kein Auge zuthun.

Von Adjabína nahm ich einen Führer mit, der uns, bald östlich, bald westlich von der geraden Nordrichtung ablenkend, von Insel zu Insel lootste. Wir waren um 6¼ Uhr ausmarschirt und passirten um 8 Uhr wieder mitten im See, wie an der grössern Tiefe und dem schnellern Lauf des Wassers zu merken war, das Bett der Nschúa, Von 11 bis 3 Uhr nachmittag wurde in dem Dorfe Uyē gerastet. Hinter Uyē überflutete zwar nicht mehr, wie bis dahin, fliessendes Wasser voll Fischen, Muscheln und Schnecken den Weg, dennoch war der Marsch womöglich noch beschwerlicher, denn er führte nun über Sumpfboden, den man eben beackert hatte, um eine Art ńgáfoli, massakúa (Holcus cernuus) darein zu säen. Wie unsere Pferde und Ochsen dieses haltlose, tiefeingefurchte Terrain überwinden konnten, ist mir heute noch unbegreiflich. Scharen wilder Enten flogen vor uns auf, aber wir hatten weder Lust noch Zeit, sie zu schiessen, unsere ganze Aufmerksamkeit wurde von dem Bemühen, nicht im Boden stecken zu bleiben, in Anspruch genommen. Der Sumpf bildet die Grenze zwischen Uándala und Bornu, und um 4 Uhr kehrten wir in dem ersten bornuer Dorfe, Tjétjele, ein. Die Nacht verbrachte ich abermals schlaflos; meine Matratzen und Decken waren noch nass, auch gönnten uns die Schnaken keinen Augenblick Ruhe.

Andern Tags befanden wir uns von neuem, nachdem wir früh um 6 Uhr aufgebrochen, so tief im Wasser, dass die Füsse der Reiter davon bedeckt waren. Es wimmelte darin von Fischen, die theils aus dem Jádsaram und andern Flüssen, theils aus dem Tschad-See hierher kommen, wo sie auf dem grünen Boden reichliche Nahrung finden. Desgleichen bemerkte ich viele Käfer, darunter gewiss manche seltene oder noch unbekannte Species, sowie verschiedene Arten üppig wuchernder Wasserpflanzen. Doch kamen wir auch über trockene Stellen, die sich inselartig aus der Flut erhoben, und um 10 Uhr zu dem allerdings nur aus wenigen Hütten bestehenden Dorfe Aúaram, dessen ärmliche Bewohner uns mit Fischen, essbaren Muscheln und Schnecken bewirtheten. Obgleich wir bereits seit 4 Stunden auf dem Marsche waren, hatten wir wol kaum mehr als 2 Wegstunden zurückgelegt: so schwierig war es, bald durch Wasser, bald über schlüpfrigen Thon- oder grundlosen Sumpfboden vorwärts zu kommen. Ich selbst war so mit meinem Pferde beschäftigt gewesen, dass mir nicht einmal Zeit blieb, die Richtung des Weges genau zu beobachten; sie dürfte sich zwischen 340 und 350° bewegt haben. Nachmittag 2 Uhr zogen wir weiter durch den Wald. Trockenes Land wurde jetzt immer häufiger, zugleich begann eine Reihe meist von Schua bewohnter Ortschaften. Etwa eine Stunde, nachdem wir Aúaram verlassen hatten, ward ich, sei es infolge der anstrengenden Wassermärsche und schlaflosen Nächte, sei es dass ich mir an ngángala den Magen verdarb, von starkem Fieber befallen; mit Aufbietung all meiner Willenskraft erhielt ich mich noch funfzehn Minuten im Sattel, dann aber wurde es mir schwarz vor den Augen, ich musste absteigen und mich zu Fusse fortschleppen bis nach dem schmuzigen Schua-Dorfe Abénde, das wir um 4 Uhr erreichten. Trotz der vielen Mosquitos schlief ich diese Nacht; freilich war es kein ruhiger, erquickender, sondern ein fieberhaft aufgeregter Schlaf. Indess fühlte ich mich am Morgen so weit gestärkt, dass ich wieder mein Pferd besteigen konnte, als wir um 6 Uhr aufbrachen.

Auf ziemlich trockenem, nur selten noch durch Sumpf oder Wasser unterbrochenen Pfade ritten wir in nördlicher Richtung durch einen hochstämmigen Wald. Er lieferte uns wilde Weinbeeren und fast reife Tamarinden, deren Genuss wohlthuend auf meinen Zustand wirkte. Die Tamarinde ist eine für dieses Fieberland unschätzbare Frucht; zerstossen dem Wasser beigemengt gibt sie ein sehr angenehmes säuerliches Getränk und unter Zusatz von Zucker die schönste Limonade. Wir kamen um 10 Uhr in das Dorf Ngusadúbua, rasteten daselbst bis gegen Abend und gingen dann noch 2½ Stunden nach dem zum Nachtlager ausersehenen Dorfe Konomengúddua.

Früh 5½ Uhr wurde die Weiterreise angetreten. Nach einer halben Stunde passirten wir links an dem grossen Dorfe Kuka, nach 1½ Stunden rechts an dem Dorfe Golumfáne vorbei. Ich sah hier viele mit massakúa bebaute Felder. Man säet die massakúa gegen Ende der Regenzeit und versetzt die Pflanzen, wenn sie 2—3 Zoll hoch sind, auf abgetrockneten Sumpfboden, reihenweis 2—3 Fuss auseinander, worauf nach drei Monaten die Ernte erfolgt. Hinter Golumfáne gelangten wir an ein langsam von Süden nach Norden fliessendes Wasser von 2—3 Fuss Tiefe, das aus dem Jádsaram kommen soll, und erreichten dann, an mehrern kleinern Weilern vorbei, um 9 Uhr das Dorf Maidjigíddi. Hier waren meine Kräfte wieder dermassen erschöpft, dass wir für diesen Tag von Fortsetzung der Reise abstehen mussten.

Obschon ich die Nacht, von Mosquitos gepeinigt, nicht hatte schlafen können, liess ich morgens 6½ Uhr aufbrechen. Wieder wateten wir stundenlang tief im Wasser, das bald nach Norden, bald nach Nordosten strömte, bis wir um 11 Uhr ans Ufer des Flusses Ngúrrum (so wurde er mir in Díkoa genannt) anlangten. Sein Bett hatte nur etwa 20 Meter Breite, aber, da es vollständig mit Wasser gefüllt war, mindestens 6—7 Meter Tiefe. Es war hier eine Art Fähre eingerichtet, bestehend aus einem hohlen Baumstamm, in dem vier Menschen Platz nehmen konnten; mittels dieses primitiven Fahrzeugs wurde die Reisegesellschaft nach und nach übergesetzt, und in Zeit von 1½ Stunden befanden wir uns alle am jenseitigen Ufer.

Der Ngúrrum fliesst in nordöstlicher Richtung, nimmt bei Bama, wo er dreimal grösser ist und oft zwei Drittel seiner Wassermasse über das Land ergiesst, den Namen Jádsaram an und mündet östlich von Ngála in den Tschad. Barth, der ihn Jaloë nennt, fand sein Bett Anfang December 20 Klafter (etwa 30 Meter) breit und von 12—15 Fuss hohen Ufern eingefasst, statt eines fliessenden Stroms aber nur unzusammenhängende Wassertümpel von 1—1½ Fuss Tiefe darin. Auch er betont, dass es derselbe Fluss sei, den er auf der Reise nach Adamana bei Udjē zuerst gesehen habe.

Nachmittags 2 Uhr zogen wir in die Stadt Díkoa ein. Wir wurden von drei Söhnen des dortigen Sultans empfangen und in ein leidlich gutes Haus einquartiert. Díkoa war die Hauptstadt eines selbständigen Königreichs gleiches Namens, das aber viel früher schon als Uándala seine Selbständigkeit an Bornu verlor und dem immer weiter umsich greifenden Bornu-Staate förmlich als Provinz einverleibt wurde. Behielt auch der jetzige Sultan, der noch souveräner Herrscher gewesen, seinen Titel Mai, so ist er doch nichts mehr als ein Beamter des Sultans von Bornu; man sagte mir, er sei über 120 Jahre alt, und allerdings sind mehrere von seinen Söhnen schon hochbetagte Greise. Die Stadt zählt 15000 Einwohner, hat ausser der weitläufigen Wohnung des Mai nur unansehnliche Häuser und Hütten und ist von zum Theil verfallenen Mauern umgeben, während Barth die Einwohnerzahl noch mit 25000 angibt und von dem guten Aussehen der Stadt und ihren 30 Fuss hohen Mauern berichtet. In Díkoa soll das beste Kanúri gesprochen werden. Rings um die Stadt wächst viel Reis, der auf dem sumpfigen Boden fast gar keines Anbaues bedarf.

Ich musste eilen, nach Kuka zu kommen; Almas litt an einer Verletzung der Hand, die er sich beim Abfeuern seiner zu stark geladenen Flinte zugezogen, seinen Diener hatte Krankheit marschunfähig gemacht, und Ali war unterwegs auf allen unerklärliche Weise von der Karavane verschwunden. Da man uns überdies zum Abend sehr schlecht und kärglich mit Speisen versorgte, beschloss ich, gleich am andern Morgen weiterzugehen.

Früh $6\frac{1}{2}$ Uhr zogen wir durch das nördliche Thor. Meine Kräfte waren durch die Nachtruhe in Díkoa ziemlich wiederhergestellt, nur die Anschwellung der Milz, eine Folge des überstandenen Fiebers, verursachte mir noch einige Unbequemlichkeit. Kaum hatten wir die Stadt im Rücken, so kamen drei Reiter heraus und im Galop an meine Seite gesprengt. Es waren die Söhne des Sultans, von denen wir bei der Ankunft empfangen worden, und die nun ihr Vater mir nachschickte, um mich bitten zu lassen, ich möge mit ihnen umkehren und wenigstens einen oder zwei Tage sein Gast in Díkoa sein; jedenfalls weil er Angst bekommen hatte, dass ich mich über seine schlechte Aufnahme beim Sultan von Bornu beschweren würde. Ich schlug die Einladung zur Umkehr rund ab, versprach jedoch, bei meiner bevorstehenden Reise nach Uadaï länger in seiner Stadt verweilen zu wollen. Nachdem sich die drei verabschiedet, setzten wir unsern Weg fort, der in der Richtung von 230° zwischen aufblühenden Massakúa-Feldern hinführte. Auch diese Gegend hatte unter Wasser gestanden, aber die Regenzeit war hier schon seit einem Monat zu Ende und der Boden inzwischen durch die Sonnenhitze getrocknet, ja stellenweis bereits in tiefe Risse zerborsten. An mehrern kleinen Dörfern rechts und links vom Wege vorüber, deren Namen man mir nicht nennen konnte, erreichten wir nach 2½ Stunden das Dorf Udjelē. Während wir hier im Schatten zweier schönbelaubten, mit langen Luftwurzeln behängten Lita-Bäume, einer Abart der djedja, lagerten, kam nochmals einer von den Söhnen des Sultans herbeigeritten. Er bat mich um Entschuldigung wegen der mangelhaften Verpflegung, die wir in Díkoa gefunden, indem er schwur, sein Vater habe keine Kenntniss von meiner Ankunft gehabt. Zugleich überreichte er mir einen Topf voll Honig und Almas den ihm als Kam-maibe gebührenden Thaler. Das süsse Geschenk wurde von mir mit einem entsprechenden Gegengeschenk erwidert, und befriedigt, wie es schien, kehrte der Prinz nach der Stadt zurück. Wir aber marschirten vorwärts in der Richtung von 30°. Binnen einer Stunde war das Schua-Dorf Kadjē erreicht, und wieder nach einer Stunde kreuzte unsern Weg ein hoch angefülltes Flussbett, über das wir schwimmend und watend, alles Gepäck auf den Köpfen tragend, hinübersetzen mussten. Der Fluss war kein anderer als mein alter Bekannter von Mai-dug-eri, der Ngádda, der sich, statt wie sonst das Land zu überschwemmen und in Gestalt einer

Reihe von Teichen mit dem Tschad-See zusammenzufliessen, dieses Jahr ein eigenes Bett gewühlt hatte, in dem er von Südwesten nach Nordosten floss. Man sieht, auch Afrika unterliegt immer noch Veränderungen und Umbildungen in hydrogeographischer Beziehung.

Das Land ist von hier an leicht gewellt, und auf einer der kleinen Anhöhen lag bei Sonnenuntergang die Stadt Ala vor uns, die ebenfalls einst Hauptstadt eines unabhängigen Reiches gewesen, doch längst von Bornu annectirt worden ist. Sie zählt jetzt in ihren Mauern 3—4000 Einwohner, die hauptsächlich Tabacksbau betreiben, wozu sich der Boden umher allerdings sehr gut zu eignen scheint, denn ich sah Stauden in Höhe von 3—4 Fuss. Wir zogen in die Stadt ein und hielten vor der Wohnung des Mai. Er kam selbst, auf eine Krücke gestützt, heraus, um uns willkommen zu heissen. Darauf liess er uns ein Haus zur Herberge anweisen, in dessen beschränkten Räumen wir jedoch nicht alle Unterkommen fanden, und auch die Bewirthung war nichts weniger als königlich. Die frühern Sultane von Ala waren wegen Strassenräuberei berüchtigt; jetzt ist ihnen dies Handwerk gelegt, und der Reisende geniesst hier wie in ganz Bornu vollkommene Sicherheit.

Andern Tags marschirten wir von früh 6¼ Uhr an in gerader nördlicher Richtung. Auf diesen Landstrich hatten sich die grossen Heuschreckenschwärme, denen wir auf der Hinreise nach Uándala begegneten, heruntergelassen und sämmtliche Moro- und Ngáfoli-Felder kahlgefressen. Angesichts der von ihnen angerichteten Verheerung wird es begreiflich, wie in anscheinend so gesegneten, fruchtbaren Ländern Hungersnoth eintreten kann, zumal wenn zu der Heuschreckenplage noch Regenmangel und Dürre hinzukommt. Die Neger bauen eben, mit wie wenig Mühe auch der dreifache Ertrag zu gewinnen wäre, nie mehr, als was für den eigenen Bedarf eines Jahres hinreicht; daher haben diejenigen Gegenden, die von Heuschrecken wie von Dürre verschont blieben, keine Vorräthe, um den nothleidenden Districten damit auszuhelfen. Wir betraten um 7¼ Uhr, den kleinen Ort Alē rechts zur Seite lassend, einen Wald, kamen nach einer Stunde links an dem Orte Alégē vorbei, hatten dann eine Strecke weit sumpfiges Terrain zu überschreiten und gelangten wieder nach einer Stunde zu dem aus mehr als 200 Hütten bestehenden Orte Nkinē, gingen aber noch eine Viertelstunde weiter bis Marte-gána, ehe wir Mittagsrast hielten. Die Bewohner machten zwar anfangs Miene, sich unserm Verweilen in dem Dorfe mit Gewalt zu widersetzen, beruhigten sich indess, als sie sahen, dass wir uns nicht von ihnen vertreiben liessen. Hier und in der ganzen Umgegend wurden eben die Felder abgebrannt, sodass starker Höhenrauch die Sonne wie bei einer Sonnenfinsterniss verdunkelte. Um 1½ Uhr wurde wieder aufgebrochen. Ohne Aufenthalt passirten wir nach einer Stunde die ummauerte Stadt Marte-góra (Gross-Marte), nach Barth 4000 Einwohner zählend. Von da an führte der Weg durch Wald bis zu der gleichfalls mit Mauern umgebenen Stadt Jédē. Kurz vor Sonnenuntergang daselbst angelangt, fand ich in dem Besitzer einen mir von Kuka her bekannten Kre-ma, der uns sehr gastfreundlich aufnahm und in einem geräumigen Hause beherbergte. Ich zog indess vor, da die Nacht angenehm mild war und es hier keine Schnaken gab, mein Lager im Freien aufzuschlagen, worüber unser Wirth, als er mir noch zu später Stunde einen Besuch machte, sich nicht wenig verwunderte. Meine Leute befanden sich fortwährend in leidendem Zustande. Auch die junge Sklavin war seit drei Tagen ernstlich krank und weigerte sich dabei entschieden, Medicin einzunehmen. Von Ali war nichts zu sehen noch zu hören, er blieb spurlos verschollen.

Ein zweistündiger Marsch nach Norden brachte uns am folgenden Morgen zu dem mitten in einem Mimosenwalde gelegenen Orte Ngeléoa und eine weitere Stunde an den Ausgang des Waldes. Von da ging der Weg in einer flachen Ebene eine Stunde lang nordwestlich bis zum Orte Ngaránoa, in dem wir die Mittagszeit über rasteten. In etwa 3 Stunden kann man von hier zum Tschad-See gelangen; es waren eben mehrere Leute von ihm zurückgekommen, sie erzählten, dass sein Wasser noch immer im Steigen sei. Die Bewohner von Ngaránoa erwiesen sich als sehr ungastlich, indem sie uns weder Speisen brachten, noch selbst für Geld solche überlassen wollten. Wir brachen daher baldmöglichst wieder auf, um noch vor Abend die drei Stunden nördlich gelegene Stadt Ngórnu zu erreichen. Als ich mit meinen Begleitern zu Pferde in die offene Hüttenstadt, die gegen 20000 Einwohner haben soll, einritt, sagte man uns, der Fugo-ma — diesen Titel (wörtlich: Vorsteher) führt der Stadtoberst von Ngórnu — sei schon seit einem Monat auf der Diebsjagd abwesend, das heisst, er zog von Ort zu Ort und liess sich die eingefangenen Diebe ausliefern, um sie dann zur Aburtheilung nach Kuka zu führen. An seiner Statt empfing und bewirthete uns der Alim oder Fakih des Sultans auf das Freundlichste.

Nur noch eine Tagereise trennte uns von Kuka, wohin wir uns alle, krank und geschwächt wie wir waren, sehnlich zurückwünschten. Wir verliessen Ngórnu am Morgen des 12. October um 6 Uhr und erreichten nach einem Marsch von drei Stunden in nordwestlicher Richtung das Dorf Kólla-kólla, das auf halbem Wege zwischen Kuka und Ngórnu liegt. Der von Gámergu bewohnte

Ort gehört dem Alamino und dient dem Sultan als Station, wenn er sich nach Ngórnu begibt, wo er eine grosse Wohnung mit einem eigenen Weiberhause besitzt. Ich war um 1 Uhr nachmittags mit Almas vorausgeritten und traf um 4 Uhr wieder in den Mauern von Kuka ein.

V.

Noch zwei Monate in Kuka.

Ein Wühler. Nutzen des Chinin. Prächtiger Aufzug. Näheres über Eduard Vogel's und Moritz von Beurmann's Ermordung in Uadai. Veränderter Reiseplan. Das Klima von Bornu. Briefe aus der Heimat. Abschied von Sultan Omar.

Die Kunde von der Wiederankunft des Christen verbreitete sich wie ein Lauffeuer durch die Stadt und erregte um so mehr Sensation, da man mich bereits todt gesagt hatte. Mein Haus und meine Sachen fand ich unversehrt wieder, aber der Sklave Skander, den ich krank zurückgelassen, war inzwischen gestorben. Den folgenden Tag stattete ich dem Sultan meinen Besuch ab. Er empfing mich mit gewohnter Freundlichkeit und schickte gleich darauf Lebensmittel aller Art und in verschwenderischem Ueberfluss nach meiner Wohnung. Ich machte ihm dagegen die mitgebrachte junge Sklavin Kadidjá, nachdem sie sich ausgeruht und erholt hatte, zum Geschenk; das Mädchen kam somit aus einem Harem in den andern.

Nach einigen Tagen langte der Ameisenbär an, den mir der Sultan von Uándala verehrt und nachgeschickt hatte. Es freute mich sehr, die Menagerie im Hofe meines Hauses durch ein so seltenes Thier bereichert zu sehen; er wurde mit Buttermilch gefüttert, die zu jeder Zeit in

Kuka frisch zu haben ist. Aber eines Nachts weckte mich ein sonderbares Schnüffeln und Prusten aus dem Schlafe, und als ich die Augen aufschlug, sah ich mit Schrecken den Ameisenbär dicht vor meinem Lager stehen. Angelockt von den Hunderten grosser rother Ameisen, die in der Nacht zu mir hereinkrochen, um die süssen Reste aus der Theetasse zu naschen, hatte er sich mittels seiner scharfen, fast zwei Zoll langen Krallen unter dem innern Hofe und einem Vorgemache bis in mein Schlafzimmer binnen wenigen Stunden einen unterirdischen Gang gegraben. Natürlich wollte ich einen so gefährlichen Wühler nicht länger im Hause behalten, ich machte dem Prinzen Aba-Bu-Bekr ein Präsent damit. Das Thier zu schlachten, hatte ich mich nicht entschliessen können, obgleich es fett wie ein Ferkel war. Sein Fleisch soll stark nach Ameisensäure riechen, wird aber von den Negern, die keinerlei Fleisch verschmähen, als Leckerbissen gespeist.

Wie sich leider herausstellte, hatte meine Gesundheit durch die in der Regenzeit unternommene Reise nach Uándala nachhaltig gelitten, und nicht besser ging es meinen Gefährten Hammed und dem Gatroner. War nun auch hier in Kuka die Regenzeit vorüber, so hauchte dafür der zerklüftete, weil in der Sonnenhitze zu plötzlich getrocknete Boden aus seinen Spalten giftige Miasmen aus, während die Ostwinde faule vegetabilische und animalische Stoffe von dem durch den Tschad-See überschwemmten Lande in die Stadt hereinwehten. Um dem Fieber entgegenzuwirken, mussten wir alle zwei Tage starke Dosen Chinin nehmen. Freilich wurde dadurch der Magen sehr geschwächt, und da die schädlichen äussern Einflüsse fortdauerten, konnte keine Heilung erzielt werden, aber es wurde doch der sonst unfehlbare tödliche Ausgang des Uebels verhütet. Nicht oft und dringend genug kann ich daher allen Reisenden die Anwendung sowie den prophylaktischen Gebrauch des Chinin empfehlen; es ist nicht nur das einzige Mittel gegen Wechsel- und perniciöse Fieber, auch rheumatischen Leiden wird, nach den Erfahrungen holländischer Aerzte an der Westküste von Afrika, am erfolgreichsten durch Chinin begegnet.

Acht Tage nach meiner Rückkehr begleitete ich Sultan Omar auf dessen Einladung nach seinem Landsitz Kuenge, eine halbe Stunde östlich von Kuka. Auch viele der Grossen bauen sich, wie ich sah, in dem Orte Häuser, sonderbarerweise war aber keins davon fertig. Sobald es bekannt geworden, dass der Sultan die Stadt verlassen habe, beeilte sich alles, was zum Hofe gehörte, ihm nachzureiten. Einer nach dem andern fanden sich die Vornehmen, jeder mit grossem Gefolge, in Kuenge ein, und als man den Rückweg antrat, mochten wol tausend Reiter beisammen sein. Eröffnet wurde der stattliche Zug von etwa funfzig Eunuchen zu Pferde in reicher buntfarbiger Kleidung. Dann kam der Sultan, einen edeln Berberschimmel reitend, der von acht Sklaven am Zügel gehalten wurde. Er trug einen schwarzen Tuchburnus, darunter einen weissseidenen Haik und weite blaue Tuchhosen, einen Turban von weissem Musselin, rothe Stiefel (von den Arabern „chof" genannt) und an der Seite ein Schwert mit silbergetriebener Scheide, das ihm von Vogel überbrachte Geschenk der Königin von England. Das Pferdegeschirr, der Sattel und die goldenen Steigbügel waren von arabischer Art. Am vordern Sattelknopf hing links ein mit Silber beschlagener Karabiner, rechts eine doppelläufige Pistole. Unmittelbar hinter dem Sultan ritten drei Trommelschläger, die unablässig im langsamen Takt auf ihr Instrument lospaukten. Nun folgten dem Range nach die hohen Würdenträger: der Dig-ma, der Katschella-ṅ-burrssa, der Katschella-blall, und das übrige Geleit. Soldaten zu Fuss umschwärmten den Zug und knallten fortwährend Schüsse in die Luft. Dazwischen sprengten Reiter, um ihre schönen Pferde zu zeigen, an den Reihen auf und ab. Je näher wir der Stadt kamen, desto mehr verstärkte sich die Schar. Das Ganze bot ein echtes Bild von der Glanzentfaltung eines mächtigen Negerfürsten. Mich aber hatte der Ritt und der betäubende Lärm dermassen angegriffen, dass ich mich mehrere Tage nicht von meinem Lager zu erheben vermochte.

Ali der Elefant — diesen Beinamen erhielt er wegen seiner kolossalen, plumpen Gestalt und seines schwerfälligen Ganges — war längst von uns allen verloren gegeben. Um so grösser war unsere Ueberraschung, als er nach etlichen Wochen sich wieder bei mir einstellte. Ein schlechter Fussgänger, nicht blos seiner schweren Körpermasse halber, sondern auch infolge der vielen Schläge, welche ihm die Türken auf seine Fusssohlen applicirt, hatte er sich auf der Rückreise von Uándala absichtlich von der Karavane getrennt, um in kleinern Etappen bequemer marschiren zu können. Das Alleinreisen durfte er als Mohammedaner und mit einer Doppelflinte bewaffnet wol ohne allzu grosse Gefahr wagen. Aber er wurde bald vom Fieber befallen, und so brachte er mit der Zurücklegung eines Weges von fünf starken Tagemärschen nicht weniger als 35 Tage zu.

Woche auf Woche, Monat auf Monat waren vergangen, und immer noch harrte ich vergebens der Antwort des Sultans von Uadaï auf mein an ihn gerichtetes Schreiben. Ich bemühte mich unterdess, über die Verhältnisse am Hofe von Uara, der Hauptstadt Uadaïs, sowie über die nähern Umstände der Ermordung Vogel's und Beurmann's Zuverlässiges zu erfahren. Von Bornu aus findet zwar fast gar kein Verkehr mit Uadaï statt, doch kommen bisweilen Leute von dort nach Kuka; einigen derselben verdanke ich die folgenden Mittheilungen, welche freilich von Dr. Nachtigal's Berichten, der selbst in Uadaï verweilte, zum Theil erheblich abweichen.

Der frühere Sultan von Uadaï, Mohammed, war ein, wie man annehmen muss, wahnsinniger Wütherich. Und noch entsetzlichere Greuel als er selbst verübten seine Söhne, Brüder und Vettern. Sie trieben sich betrunken auf den Strassen umher, drangen in die Wohnungen der fremden Kaufleute, die sich nach Uadaï wagten, wie in die der eigenen Unterthanen ein, schändeten die Frauen und raubten, was sie vorfanden. Begegnete ihnen jemand, der besser gekleidet war als sie, so rissen sie ihm die Kleider vom Leibe. Einmal trafen zwei von ihnen eine hochschwangere Frau; der eine behauptete, es sei ein Kind, was sie unter dem Herzen trage, der andere, es seien Zwillinge; die Frau wurde befragt, und da die Arme keine Auskunft zu geben wusste, schlitzten sie ihr, um den Streit zu entscheiden, ohne weiteres den Bauch auf. Mord und Todtschlag gehörten zu den täglichen Vorkommnissen.

Solcher Art waren die Zustände, als Vogel im Januar 1856 nach Uadaï kam. Gleich anfangs mochte er die Vorsicht, die unter so gewaltthätigen und raubsüchtigen Menschen doppelt nothwendig ist, nicht genugsam beobachtet haben, namentlich gab er dadurch, dass er in Gegenwart der Eingeborenen zeichnete und seine Notizen niederschrieb, Anlass, den Fremden bei Sultan Mohammed als türkischen oder christlichen Spion zu verdächtigen. Dieser liess Vogel zu sich nach Uara bringen, empfing ihn jedoch nicht unfreundlich, sondern nahm seine Geschenke an und erwiderte sie mit den üblichen Gegengeschenken. Dann liess er ihm die Stadt Nimro, wo die fremden Kaufleute zu wohnen pflegen, als Aufenthaltsort anweisen. In Nimro verweilte unser Reisender acht Tage frei und ungehindert, ohne jeden Gedanken an Gefahr. Da kam aus Uara der Befehl, er habe sofort das Land zu verlassen; ob er über Kanem nach Fesan zurück, oder über Fur nach Aegypten gehen wolle, sei ihm freigestellt. Er entschied sich für das letztere.

Am Tage der Abreise rieth man ihm, seine drei Diener mit dem Gepäck vorauszuschicken und für sich die Kühle der Nacht zum Ausmarsch zu benutzen. Arglos ging Vogel auf den Rath ein. Als er nun abends, nur von einem ihm befreundeten Scherif begleitet und von fünf Reitern des Sultans escortirt, aus Nimro fortgeritten war, wurden er und sein Begleiter von hinten überfallen und niedergestochen. Seine drei Diener durften, nachdem man ihnen alles Gepäck abgenommen, frei nach Bornu zurückkehren. Beim Weggange von Kuka hatte Vogel noch wenigstens 3000 Thaler an baarem Gelde bei sich gehabt, und dies war wol der Hauptgrund zu seiner Ermordung. Der Sultan nahm von dem Gelde, den Waaren und Reiseeffecten Besitz; sämmtliche Papiere aber sowie die Instrumente — die grössern hatte Vogel bekanntlich in Kuka zurückgelassen, wo ich sie bei Sultan Omar sah — liess er als verdächtige Gegenstände auf der Stelle vernichten.

In demselben Jahre 1856 starb Sultan Mohammed, und einer seiner Söhne, Prinz Ali, ein kaum erwachsener Knabe, bestieg den Thron, nachdem die ältern Söhne auf Anstiften von Ali's Mutter, deren einziger Sohn er ist, theils getödtet, theils geblendet worden waren. Seine Regierung scheint an Gewaltthätigkeit der seines verrückten Vaters wenig nachzugeben. Immer noch setzen Handelsleute, die nach Uadaï gehen, um Sklaven, Elfenbein und Straussfedern dort einzuhandeln, Gut und Leben aufs Spiel, denn mancher wird, wenn er Nimro wieder verlassen will, beraubt oder wol gar ermordet. Nur die Djelaba aus Fur und die Modjábra aus den Djalo-Oasen lassen sich daher durch die Hoffnung auf grossen Gewinn zu dem Wagniss verlocken; dem Sultan Hussein von Fur soll nämlich Uadaï in neuerer Zeit tributpflichtig geworden sein, sodass dessen Unterthanen jetzt einigen Schutzes daselbst geniessen. Das Volk in Uadaï ist dem Trunk von busa und merissa ergeben, und man erzählte sich in Kuka, erst kürzlich seien zwei betrunkene Parteien auf den Strassen Uaras miteinander in Streit gerathen, wobei 68 Menschen das Leben eingebüsst hätten. Auch was man von Sultan Ali selbst berichtete, klang keineswegs erbaulich. Bei einem Ausritt kam ihm sein erster Minister in den Weg. „Bleib stehen!" rief er demselben zu; „wer ein herangalopirendes Pferd fürchtet, um wieviel mehr wird der sich vor Spiessen und Schwertern fürchten!" Damit liess er sein Ross über den Mann hinwegsetzen, dem durch einen Hufschlag der Arm zerschmettert wurde. Einen andern seiner Beamten sperrte er zu einem an ein langes Seil gebundenen Tiger in den Käfig, wo derselbe nur, indem er sich so dicht wie möglich an die gegenüberliegende Wand presste, von den Klauen der Bestie nicht erfasst werden konnte. Der junge Herrscher stand übrigens noch ganz unter dem Einfluss seiner Mutter, welche auch die Beziehungen Uadaïs zu den Höfen der Nachbarstaaten leitete. Ihr Agent in Bornu war der Alamino. Dieser wollte mir gern ein Empfehlungsschreiben an sie mitgeben, sobald ich nur erst den Geleitsbrief vom Sultan erhalten haben würde, den er allerdings für meine Sicherheit unentbehrlich hielt.

Gerade sieben Jahre nach Vogel, im Februar 1863 musste Moritz von Beurmann den Versuch, in Uadaï einzudringen, mit seinem Leben bezahlen. Kaum in der Grenzprovinz Mao angekommen, ward er auf Befehl des dortigen Statthalters ermordet. Sultan Ali befand sich damals in Bágirmi, von ihm ist also der Befehl dazu nicht ausgegangen; als man ihm nach seiner Rückkehr von dem Geschehenen Meldung machte, soll er gesagt haben: „Warum habt ihr den Christen getödtet? Hättet ihr ihn doch wenigstens bis hierher kommen lassen, damit ich mich mit ihm belustigen konnte." Gewiss ist, dass der Statthalter von Mao abgesetzt und als Sklave nach Uara gebracht wurde.

6*

Die Sachen des Ermordeten nahm der Sultan natürlich in Beschlag, und es heisst, auf Anrathen der fremden Kaufleute habe er die Papiere nicht vernichtet, sondern halte sie noch in Verwahrung. Somit wäre es immerhin möglich, wenn auch kaum wahrscheinlich, dass Beurmann's Aufzeichnungen, die sicher namentlich in Betreff seiner Reise durch Jacoba von Wichtigkeit sind, noch einmal zum Vorschein kommen und nach Europa gelangen.

War das, was ich über Uadaï in Bornu erkunden konnte, schon sehr dürftig und ungenügend, so blieben meine Bemühungen, über die weiter nach Süden gelegenen Länder mir irgendwelche Kunde zu verschaffen, gänzlich erfolglos. Man wusste hier absolut nichts von den Völkerstämmen, die jenseit Bágirmi wohnen; es scheint demnach zu keiner Zeit ein Verkehr mit dem Süden bestanden zu haben. Unterdessen beschäftigte ich mich, soweit es meine tief gesunkenen Kräfte zuliessen, mit dem Studium der afrikanischen Sprachen; ich suchte meine Kenntniss des Kanúri und Teda zu vervollkommnen und legte mir von der Musgu-, der Búdduma- und der Uándala-Sprache Vocabularien an.

Mitte November besserte sich mein Gesundheitszustand sowie der meiner Leute. Fieber und Durchfälle hörten auf, wir waren über die schädlichste Jahreszeit, bis auf einen Sklaven, welcher der Blutdiarrhöe erlag, glücklich mit dem Leben hinweggekommen. Bei der Kostspieligkeit des Lebens in Kuka hatten die 200 Thaler, die ich mir geliehen, nicht lange vorgehalten, meine baaren Mittel gingen wieder zur Neige, und ich musste allen Ernstes an die Weiterreise denken. In Gebieten, die ausserhalb des Bereichs der arabischen und berberischen Kaufleute liegen, wo infolge dessen kein Geldumlauf stattfindet, konnte ich hoffen, gegen meine Waaren, gegen Glasperlen und dergleichen alles zum Unterhalt Nöthige einzutauschen; für die Ausrüstung an

Lastthieren und sonstigem Reisebedarf aber rechnete ich auf die Freigebigkeit des Sultans.

Doch wohin sollte ich zunächst meine Schritte lenken? Eine Antwort aus Uadaï war nun nicht mehr zu erwarten, und ohne vorherige Genehmigung Sultan Ali's wäre es vergeblich gewesen, nach Bágirmi zu gehen; hätte er mich auch, die Macht des Herrschers von Bornu respectirend, nicht tödten lassen, so würde er mir doch alle meine Sachen abgenommen und mich zur Umkehr gezwungen haben; selbst Araber wagten damals nicht, nach Mássena zu reisen. Dass die Gebirgsländer im Süden von Uándala unpassirbar waren, erwähnte ich bereits. Ebenso wenig konnte ich mich nach Musgu wenden, da dessen Bewohner, die Massa-Völker, erbitterte Feinde von Bornu sind; Barth und Vogel drangen zwar durch Musgu bis zu den Tuburi-Sümpfen vor, beide aber nur unter dem Schutze von bornuer Truppen, die damals Kriegszüge dorthin unternahmen. Es blieb somit kein anderer Weg nach Süden übrig als der über Adamaua, und diesen beschloss ich einzuschlagen.

Ich theilte dem Sultan meinen Entschluss sowie die Motive zu demselben mit, indem ich ihn um die Erlaubniss bat, am 12. des Monats Redjib (19. November) abreisen zu dürfen. Er war ebenfalls der Ansicht, dass Sultan Ali unsere Schreiben unbeantwortet lassen würde und dass ich nur über Adamaua weitergehen könne, sprach aber den Wunsch aus, ich möge noch bis zum Ende des Monats Redjib (7. December) verweilen; zur Bestreitung meiner Ausgaben für diese Zeit werde er mich mit dem nöthigen Gelde versehen. Noch an demselben Tage spät abends — die Neger lieben es, wie schon Clapperton bemerkt hat, Geschäfte in der Dunkelheit abzumachen — kam der Eunuchenoberst Abd el-Kerim in meine Wohnung und behändigte mir seitens des Sultans die Summe von

60 Thalern, welchem grossmüthigen Geschenk am andern Morgen noch eine Naturalsendung folgte, bestehend aus einer fetten Kuh, einem Schaf, zwei Krügen Butter, vier Töpfen voll Honig und zehn Ladungen Getreide. Die Freigebigkeit des Sultans gegen den Christen erregte grosses Aufsehen in der Stadt, es hiess, ich hätte 1000 Thaler geschenkt erhalten, man kam mich zu beglückwünschen, und als ich nach dem Schlosse ritt, um meinen Dank abzustatten, wurde ich von allen Seiten angebettelt: der eine wollte 5 Thaler, ein anderer 2, ein dritter 3 Thaler von mir haben.

Der Sultan verlangte diesmal meinen „Indischen Spiegel“, den Fraunhofer, den ich von Gotha mitbekommen, gab mir indess dafür einen londoner Dollond von mindestens gleicher Güte. Besonders grosse Freude machte ich ihm durch Ueberlassung des unterwegs, beim Herabfallen der Kisten vom Kamel, zerbrochenen Operngückers, obgleich derselbe von gar keinem Nutzen für ihn sein konnte. Hingegen schickte er mir als Proben einheimischer Industrieerzeugnisse in Bornu und Logone gefertigte Körbe, Tellerchen und Matten, schöner und feiner als ich sie auf dem Markte von Kuka gesehen; ferner ein silbernes Pferdegeschirr, ein gesprenkeltes Löwenfell und ein Pantherfell mit den Mähnen. Von all diesen Sachen ist leider nur das Pferdegeschirr wohlerhalten nach Europa gekommen; ich hatte später die Ehre, es dem Kaiser Wilhelm zu überreichen, und es befindet sich jetzt nebst andern Gegenständen, die ich aus Centralafrika mitgebracht, im berliner Museum.

Am 20. November erreichte das Wasser des Tschad-Sees seinen höchsten Stand. Seit Menschengedenken war ein so hoher Wasserstand nicht erlebt worden; die angeschwollenen Zuflüsse des Komádugu Waube unterbrachen eine Zeit lang alle Communication zwischen Bornu und

Haussa, und im Norden von Ngígmi strömte ein mächtiger Fluss, der sich wahrscheinlich aus Hinterwassern des Waube gebildet hatte, in den See. Dies stimmt auch mit Barth's Beobachtungen überein[1]. In seiner Tabelle „Flussschwelle" heisst es: „Das Tschadbecken erreicht sein höchstes Niveau erst Ende November; alle Ufer des Tschad werden dann überschwemmt, das Wasser fliesst aber dann aus dem Tschadbecken in diesen kleinen Fluss (Komádugu Waube) hinein..." Ueber die verschiedene Regenmenge in den einzelnen Jahren liegen noch gar keine Beobachtungen vor. Nachtigal will 1870 ausserordentlich starken Regenfall erlebt haben, doch möchte ich bezweifeln, dass in diesem Jahre der Tschad mehr Wasser enthalten habe als 1866.

Wenn es möglich wäre, die Gewässer einzudämmen und die Sümpfe auszutrocknen, so würde das Klima Bornus selbst Europäern ganz zuträglich sein, denn die Temperatur ist zufolge der Feuchtigkeit, mit welcher der Tschad-See die Luft schwängert, für ein in der Mitte Afrikas, unter der tropischen Zone gelegenes Land eine gemässigte. Ist die Wassermasse des Tschad zum grössern Theil verdunstet, dann steigt zwar die Temperatur in Bornu ebenso hoch wie in den südlichen Regionen der Grossen Wüste, doch mit dem Unterschiede, dass, während in den Wintermonaten das Thermometer in der Sahara vor Sonnenaufgang unter Null, ja bis auf — 5° fällt, es in Bornu zur Zeit, wo sich die Sonne am weitesten vom Krebse entfernt, vor Sonnenaufgang nie unter + 18° sinkt. In der nassen Jahreszeit zeigte das Thermometer durchschnittlich vor Sonnenaufgang + 22°, um 9 Uhr + 25°, um 3 Uhr nachmittags + 35°, nach Sonnenuntergang + 25°; die Feuchtigkeit der Luft betrug (Psychrometer in Fahrenheit-Scala) durchschnittlich vor Sonnenaufgang (Unterschied der beiden

[1] *Barth*, „Dr. Balfour Baikie's Thätigkeit am untern Niger".

Scalen) 1°, um 9 Uhr 4°, um 3 Uhr nachmittags 9°, nach Sonnenuntergang 3°; der Wind war immer Südwest, in den obern Luftschichten aber, in denen die Regen- und Gewitterwolken zogen, wehte er aus Südost, selten aus Ost. In den Monaten nach der Regenzeit zeigte das Thermometer durchschnittlich vor Sonnenaufgang + 19°, um 9 Uhr + 27°, um 3 Uhr nachmittags 35°, nach Sonnenuntergang 23°; die Feuchtigkeit der Luft betrug vor Sonnenaufgang 6°, um 9 Uhr 17°, um 3 Uhr nachmittags 20°, nach Sonnenuntergang 10°; der Wind war constant Ost, nur manchmal etwas nach Norden abweichend, am stärksten von morgens 8 Uhr bis Mittag, in der Nacht herrschte, wie in der Wüste, mit geringen Ausnahmen vollkommene Windstille.

Die Regenzeit, „ningéri" oder „níngeli" genannt, beginnt in Bornu im Juni und dauert bis Mitte oder Ende September. Während derselben werden die Felder angebaut und kommen die meisten Früchte: Argum moro, Argum máttia, n̈gáfoli, Reis, Bohnen, koltsche, n̈gángala u. s. w., zur Reife. Bornu, überhaupt ganz Innerafrika ist dann ein einziger grosser Park, mit dem üppigsten Gras-, Blumen- und Pflanzenwuchs geschmückt und mit Thieren, namentlich aus dem Insektenreiche aufs mannichfachste belebt. Ende September und Anfang October ist die Erntezeit, „bígela". Aber schon fängt alles Land, das nicht unter Wasser steht, an auszutrocknen und seine grüne Decke zu verlieren. Nur massakúa wird in dieser Periode auf sumpfigem Boden gepflanzt. Mit dem October tritt die kalte Jahreszeit, „binem" ein, die bis zum März währt — natürlich nur verhältnissmässig kalt, denn das Thermometer sinkt nachts nicht unter + 18° und mittags nicht unter + 30°. Auf sie folgt von März bis Juni die eigentliche heisse Jahreszeit, „be". Unter der sengenden Sonnenglut erstarb die Natur, auch alle Insekten, wie die Mosquitos, Schnaken und Flöhe, deren man sich bald darauf nicht zu erwehren vermag, sind gänzlich verschwunden. Trotz der furchtbaren Hitze sind aber gerade diese Monate die gesundesten für Europäer; selten erkranken und sterben Fremde in der heissen Periode. Desto ungesunder ist der Aufenthalt während und unmittelbar nach der Regenzeit, und auch in diesem Jahre war ihr mancher Araber und Berber zum Opfer gefallen. Die Eingeborenen selbst widerstehen nicht den Einflüssen der mit fauligen Stoffen erfüllten Luft, Tausende siechen am Wechsel- oder Sumpffieber dahin. Sogar die Säugethiere fliehen in schlimmern Jahren die sumpfigen Umgebungen des Tschad-Sees, und Nachtigal berichtet, nachdem er von der grossen Sterblichkeit unter den Weissen und Eingeborenen am Ende der Regenzeit gesprochen („Zeitschrift für Freunde der Erdkunde“, Bd. VI): „Zu gleicher Zeit mit dieser excessiven Mortalität der Menschen begann ein allgemeines Fallen der Pferde, welche ebenfalls dann in wenigen Tagen verreckten. Es ist eine allgemein feststehende Thatsache, dass in allen besonders nassen Jahren die Mortalität der Pferde eine ungewöhnliche Höhe erreicht...“ Kamele bleiben deshalb in Bornu nur kurze Zeit am Leben, der Bestand muss durch Zuzug vom Norden her immer wieder ergänzt werden. Bei den Kanúri trägt die Beschaffenheit ihrer feinern Haut dazu bei, dass sie auch gegen Kälte äusserst empfindlich sind und schon frieren, sobald das Thermometer unter + 25° sinkt. Bezeichnend hierfür ist die unter ihnen gebräuchliche Anrede: „ńda tége“, wie ist deine Haut? statt unsers: wie geht's? wie befindest du dich?

Am 22. November traf die Nachricht in Kuka ein, dass zwei Karavanen, die von hier nach Jola abgegangen waren, durch das Land der Margi, das unter der Herrschaft von Bornu steht, nicht passiren konnten, sondern nach Magómmeri umkehren mussten. Zugleich wurde dem Sultan gemeldet: die Städte Gebeh und Gudjbah seien von den

Fellata angegriffen worden; der Besitzer von Gudjbah, ein Katschélla, habe nicht gewagt, mit seiner kleinen Mannschaft die Stadt zu entsetzen; da sei der Bruder des Sultans, Aba-Fa, der sich gerade mit einigen tausend Mann auf einer Sklaven-Rasia befand, den beiden Städten zu Hülfe geeilt. Hier brach die Meldung ab, und es blieb ungewiss, ob der Kampf mit den Fellata inzwischen geendet und welchen Ausgang er genommen habe. Dauerten die Feindseligkeiten in dieser Provinz länger fort, so war mir der Weg über Jacoba verlegt und ich wäre genöthigt gewesen, wollte ich nicht durch die Wüste zurückkehren, über Kano zu gehen; aber auch nach Kano war der nähere Weg über Gummel im Augenblick wegen Unruhen versperrt, sodass Karavanen von Bornu nach Haussa den weiten Umweg über Sinder machen mussten.

In der letzten Woche des November erkrankte ich von neuem, und obwol sich kein Fieber einstellte, schwanden mir die Kräfte in einer Weise, die das Schlimmste befürchten liess. Gleichzeitig waren auch meine Diener wieder krank geworden, mit Ausnahme des kleinen Negers Noël und eines andern Negerknaben, den Hammed vom Sultan von Uándala als Gastgeschenk erhielt. Indess leistete uns allen auch in diesem Falle der Gebrauch von Chinin die vorzüglichsten, wahrhaft wunderbare Dienste. Sobald ich nur wieder mein Pferd zu besteigen im Stande war, ritt ich zum Sultan — er befand sich eben in seiner unfern von meinem Hause gelegenen Wohnung in der Weststadt — und erklärte ihm, wenn er wolle, dass ich Kuka lebendig verlasse, möge er mich keinen Tag länger zurückhalten. Theilnahmvoll hörte er meinen Krankheitsbericht an, worauf er mir nicht nur die Erlaubniss gab, schon den 1. December abzureisen, sondern auch die angenehme Mittheilung hinzufügte, laut neuern Nachrichten von seinem Bruder

Aba-Fa seien die Fellata verjagt und der Weg nach Jacoba wieder ohne Gefahr zu passiren.

Ich bereitete nun sofort alles zur Abreise vor. Währenddem lernte ich noch zwei Eingeborene kennen, die zu frühern europäischen Reisenden in persönlicher Beziehung gestanden und sich derselben noch mit lebhaftem Interesse erinnerten. Der eine war ein alter Katschélla und damals Commandeur der Truppen, welche die Grenze nördlich vom Waube gegen herumschweifende Tuareg bewachten; er erzählte mir, dass er mit den „wackern" Reisenden Denham und Clapperton bekannt gewesen, die zur Zeit des „grossen" Schich el-Kánemi nach Bornu gekommen seien. Der andere, Namens Jussuf Mukni, ein Sohn des einst sehr gefürchteten Statthalters von Fesan, hatte in seiner Jugend Ritchie und Lyon von Tripolis nach Mursuk begleitet und war später mit Barth über Rhat nach dem Sudan gereist. An die Sitten der nördlichen Mohammedaner gewöhnt, fühlte er sich, obgleich schon seit 20 Jahren zuerst in Haussa, dann in Bornu lebend, nicht recht heimisch unter den Negern, und er würde auch nach Tripolis zurückgekehrt sein, hielten ihn nicht die Gnade des Sultans, der es ihm an nichts fehlen lässt, und seine hier erzeugte zahlreiche Familie an Kuka gefesselt.

Durch einen Kurier aus Bárua kam die Meldung, eine von Fesan kommende grosse Karavane sei auf dem Marsche hierher und werde binnen 3 oder 4 Tagen eintreffen. Dies bestimmte mich, meine Abreise noch zu verschieben, denn ich hoffte, mit dieser Gelegenheit Briefe aus Europa zu erhalten, von wo mir nun seit fast einem Jahre keine Nachrichten mehr zugegangen waren. Am 3. December langte die Karavane an. Sie hatte unterwegs, wie ihr Chef erzählte, bei A'gadem einen harten Strauss mit räuberischen Hassun-Arabern zu bestehen gehabt. Im Jahre 1860 war nämlich eine Horde Hassun-Araber aus der Grossen Syrte zu einem Raubzuge nach Süden aufgebrochen und, nachdem sie sich Air unterworfen, durch die südliche Sahara in Kanem und von da in Uadaï eingedrungen. Hier wurden sie von den Truppen des Sultans geschlagen und zerstreut. Ein Theil schlug sich raubend und plündernd wieder nach den frühern Wohnsitzen durch (Beurmann sah sie damals in einer Oase zwischen Benghasi und Fesan an sich vorüberziehen); die übrigen, welche ihre Pferde und Kamele eingebüsst hatten, blieben in Kanem und setzen von dort aus gelegentlich ihre gewohnten Rasien fort. Diese, durch die Tebu-Jäger der Tintümma benachrichtigt, dass eine Karavane am A'gadem-Brunnen lagere, waren 70 Mann stark dorthin gekommen und bei Nacht auf das Lager losgestürmt. Die Módjabra hatten aber nicht versäumt, Wachen auszustellen, um sich gegen einen nächtlichen Ueberfall zu sichern; mit einer Salve aus fast 60 Flinten empfingen sie die Angreifer und nöthigten dieselben nach kurzem Kampfe, unter Zurücklassung von sieben Todten die Flucht zu ergreifen, während sie ihrerseits nur einen Mann, einen Tebu aus Kauar, verloren.

Wirklich überbrachte mir die Karavane Briefe, Zeitungen und ein paar Hefte der Geographischen Mittheilungen, doch war die Sendung von Deutschland aus nicht weniger als elf Monate unterwegs gewesen. Andern Tags bat ich den Sultan, mir die versprochenen Empfehlungsschreiben für die Weiterreise zukommen zu lassen; aber, sei es dass die angekommene Karavane seine Zeit in Anspruch nahm, oder wollte er mich absichtlich noch in Kuka zurückhalten, er sandte die Papiere nicht. Diese neue Verzögerung stellte meine Geduld auf eine harte Probe. Seitdem ich mich überzeugen musste, dass leider keine Aussicht vorhanden sei, durch Bágirmi und Uadaï weiter ins Innere zu gelangen, war mein Entschluss zur Rückkehr gefasst. Ich wollte auf dem kürzesten Wege das Atlantische Meer zu erreichen suchen und mich dann so bald als möglich nach Europa einschiffen. Aber die Reise von Bornu bis an die Meeresküste erforderte mehrere Monate Zeit, und nur für so lange reichte meine erschöpfte Reisekasse gerade noch hin.

Erst am 11. December wurden mir die nothwendigen Legitimationspapiere gebracht und zugleich ein letzter grosser Vorrath von Lebensmitteln. Am 12. ritt ich nach der Residenz, um feierlichen Abschied zu nehmen. Der Sultan empfing mich in versammelter Nokna. Nachdem er mir noch einen europäischen Offiziersäbel geschenkt, wünschte er mir Glück zur Reise und fügte hinzu: „Sage, wenn du zu den Deinen heimgekehrt, jeder Christ werde in meinem Reiche willkommen sein.“ Ich sprach den aufrichtigsten Dank aus für das Wohlwollen und die Güte, die er mir, dem Fremdling, habe zutheil werden lassen, mit der Versicherung, dass ich überall die Grossmuth des Beherrschers von Bornu rühmen und preisen würde.

Sultan Omar ist in Wahrheit ein Fürst von toleranter und humaner Gesinnung. Bei Lebzeiten seines Vaters schon hatten Denham und Clapperton, später Barth, Vogel und namentlich Beurmann wie ich selbst einen freigebigen Beschützer und hülfreichen Freund an ihm gefunden. Ebenso weiss Nachtigal die Unterstützung, die er ihm angedeihen liess, nicht genug zu rühmen. Möchten seine Nachfolger auf dem Throne mit gleicher Milde mehr Energie und Thatkraft verbinden, damit Bornu auch in Zukunft seinen hervorragenden Rang unter den centralafrikanischen Negerreichen zu behaupten im Stande sei.

VI.

Von Kuka nach Magómmeri.

Ausmarsch. Nachtlager in Kasaróa und Mulē. Willkommen in Magómmeri. El Alamino. Eine Straussenzucht. Die Zibethkatze.

Als ich mit meiner Reisebegleitung am 13. December nachmittags durch die Strassen ritt, riefen mir die Bewohner von allen Seiten freundliche Abschiedsgrüsse zu, nur ganz einzelne Stimmen liessen sich vernehmen: „Gottlob dass er fortgeht, der Ungläubige, der Heide, der Christenhund!“ Fünf Monate waren seit meinem Einzug in Kuka verflossen, die Stadt mit ihren grünumrankten Hütten und den schattigen, stets von einer muntern Vögelschar belebten Bäumen war mir wirklich lieb geworden, und nicht ohne Bedauern kehrte ich ihr für immer den Rücken. Wie in Kuka verwenden die Kanúri in allen ihren Städten und Dörfern bemerkenswerthe Sorgfalt auf die Anpflanzung schattengebender Bäume; sie unterscheiden sich dadurch vortheilhaft von den Schua, die als echte Abkömmlinge der fatalistischen Araber zwar Gott für den Schatten danken, den ihnen ein am Wege stehender Baum gewährt, aber nicht daran denken, selbst einen Baum zu pflanzen, wo es Allah nicht gefiel einen wachsen zu lassen. Kaum waren wir durch das Südthor ins Freie gelangt, so entzog der dichte Blätterschmuck die Häuser der Ost- und Weststadt Kuka unsern Blicken.

Ich hatte meine Diener nach und nach entlassen und nur den treuen Hammed, den Marokkaner, und den Negerknaben Noël, der sich kräftig entwickelte, bei mir behalten. Mohammed Gatroni, bei dem sich das Alter sehr fühlbar zu machen begann, sollte mich noch bis Magómmeri begleiten, von da aber nach Kuka zurückkehren, um zwei von dem Dug-ma für mich in Verwahrung genommene Kisten, meine gesammelten Mineralien und Sämereien, die mir vom Sultan geschenkten Proben der bornuer Kunstindustrie und andere für die Reise entbehrliche Gegenstände enthaltend, mit der grossen Karavane, die zu Ende des Rhamadan von Bornu abzugehen pflegt, nach Fesan zu bringen und sie dort Ben-Alua zur Weiterbeförderung nach Tripolis und Europa zu übergeben. Ausserdem bildeten mein Gefolge ein berittener Kam-mai-be mit zwei Leuten, den mir der Sultan, und zwei Sklaven, die mir der Alamino durch seinen Intendanten in Kuka zur Verfügung gestellt. Zu den zwei Pferden, die ich besass, hatte ich mir ein drittes nebst zwei Lastochsen gekauft, und statt meines grossen Zeltes ein kleineres anfertigen lassen, das für die verminderten Reiseeffecten genügenden Raum bot.

Die Physiognomie der Landschaft war, seit ich sie das letzte mal durchzogen, eine völlig andere geworden. Das frischgrüne Gras war in dürres Stroh verwandelt, und der herrschende Wüstenwind hatte alle Vegetation, auch die immergrünen Büsche mit grauem Staub bedeckt. Die damals unter hohem Grase verborgene Kranka-Pflanze mit den grossen fleischigen Blättern stand jetzt frei da und in solcher Fülle, dass man Bornu für ihre eigentliche Heimat halten möchte. Gegen Abend kehrten wir in Hadj-Aba ein, wo ich diesmal recht gastlich aufgenommen, auch nicht von den Flöhen gepeinigt wurde; denn einen Monat nach der Regenzeit verschwinden sowol die Flöhe wie die Mosquitos und Schnaken, ausgenommen in der unmittelbaren Nähe von stehendem Wasser.

In der Nacht kühlte sich die Temperatur bedeutend ab, und morgens vor Sonnenaufgang sank das Thermometer bis auf + 10°, was mir um so empfindlicher war, als in dem von Mauern und Bäumen geschützten Kuka die Temperatur nie unter + 15° herabging. Wir brachen deshalb erst um 8 Uhr 20 Minuten auf. Der Weg führte in südwestlicher Richtung durch einen dichten Wald von Ertim-, Mimosen-, Hadjilidj- und Korna-Bäumen, deren Laub ebenfalls theils grau gefärbt war, theils verdorrt am Boden lag. Alle Vögel, bis auf einzelne Tauben, Sperlinge, Raben und einen oder den andern grössern Raubvogel hatten den schon ganz und gar ausgetrockneten Wald verlassen; kein Perlhuhn sah ich mehr durch die Büsche schlüpfen. In den spärlich vorhandenen Brunnen stand das Wasser 60 bis 100 Fuss tief. Nachdem um 11 Uhr an dem Brunnen Uom-eri unser Vieh getränkt worden und um 1 Uhr einen Flintenschuss rechts von uns der bedeutende Ort Lagarétte liegen geblieben, lenkten wir gerade südlich vom Wege ab, um in dem Dorfe Kasaróa zu lagern, das wir um 2 Uhr erreichten. Merkwürdigerweise gab es hier noch sehr viel Flöhe, obgleich der Ort kein Wasser hatte, sogar der nächste Brunnen eine Stunde weit entfernt war. Ich liess mir mein Zelt aufschlagen und schickte die Leute mit den Ochsen und Pferden an den Brunnen, um die Thiere zu tränken und unsere Schläuche mit Wasser zu füllen.

Auch am folgenden Tage wurde erst um 8½ Uhr aufgebrochen. Die Nacht war noch kälter gewesen als die vorige, das Thermometer sank bis auf + 7°. Dagegen fiel jetzt in der Nacht kein Thau trotz der Nähe des Tschad-Sees, dessen Wasser doch um diese Zeit noch unvermindert hoch steht; es ist eben der Staub der Wüste, welcher nun der Luft alle Feuchtigkeit benimmt. Immer in sandiger, dichtbewaldeter Ebene weiterziehend, gelangten wir um 10 Uhr an den Brunnen Karangúa, der eine Tiefe von 100 Fuss hat. Zehn Minuten östlich davon liegt der gleichnamige Ort, und ebenso weit westlich der Ort Gamgállergē. Um 11 Uhr überschritten wir die Grenze der Provinz Allargē. In einem der nächsten Dörfer wollte ich um 1 Uhr lagern lassen, aber die Besitzerin desselben, eine dicke Negerin, die früher Sklavin im Harem des Schich el-Kanemi gewesen war, gab vor, es sei kein Brunnen in dem Orte, und rieth uns, lieber nach dem eine halbe Stunde rechts vom Wege liegenden Dorfe Toē zu gehen. Der Billa-ma (Ortsvorsteher) von Toē nahm mich sehr freundlich auf, ja er war so aufmerksam, dass er meine Hütte mit hohen Matten umgeben liess zum Schutz gegen die Kälte, die seinem Gefühl schon fast unerträglich erschien. Die Bewohner dieses Ortes, wie aller andern Orte zwischen hier und Kuka, sind Kanembu, d. h. Abkömmlinge der Bewohner Kanems, und mit dem Vater des jetzigen Sultans von Kanem nach Bornu übergesiedelt. Die Dörfer südlich von Toē aber haben eine aus Schua, Kanúri und Gámergu gemischte Bevölkerung, und zwar bilden letztere, Vettern der Uándala, welche selbst wieder mit dem Kanúri- und Kanembu-Stamme nahe verwandt sind, die überwiegende Zahl.

Auf dem Wege hierher bemerkte ich wieder eine Menge oft 5—6 Fuss hoher Ameisenhügel von eigenthümlicher Form. Kein Land dürfte so viele Ameisen haben und so verschiedene Arten wie Bornu in seinen ausgedehnten Waldungen. Die Ameisen, die meine Wohnung zu Kuka scharenweis heimsuchten, gehören zu der grossen rothen Art. Vor ihrer Gefrässigkeit und ihrem Spürsinn ist nichts Süsses sicher; den Zucker musste ich alle Tage anderswo aufhängen, sonst hatten sie ihn gleich ausgekundschaftet und verzehrt. Aber sie beissen den Menschen nicht. Hingegen verursacht der Biss einer andern in den Häusern Kukas heimischen Art, die sich grosse Vorrathskammern von Getreide- und andern Abfällen unter dem Boden anlegt, eine sehr schmerzhafte, stundenlang bleibende Anschwellung. Eine dritte Hausameise, die jedoch auch im Freien vorkommt, ist die kleine röthliche Art. Im Walde beobachtete ich bisjetzt vier Arten: erstens die bekannte rothköpfige, von der es mehrere Unterarten zu geben scheint, indem die einen 10—15 Fuss hohe senkrechte Thürme mit runden Oeffnungen bauen, die andern ebenso hohe Haufen ohne sichtbare Oeffnungen, und noch andere nur 2—3 Fuss hohe, inwendig wie ein Schwamm durchlöcherte Kegel aufwerfen; zweitens die grosse schwarze, die ihren Bau meist unter Büschen und Bäumen anlegt, um ihn durch die Wurzeln gegen das Ausgraben des Ameisenfressers zu sichern; drittens die mittelgrosse schwarze, deren Bau sich kaum über den Boden erhebt, von dem aus aber geebnete, einige Zoll breite Wege nach allen Richtungen hin auslaufen, auf denen die Thierchen ihre Vorräthe herbeischleppen; viertens endlich die silberne oder weisse, die auch in der Grossen Wüste sehr verbreitet ist. Ein Ameisenfresser, so häufig dieses Thier hier sein soll, ist mir nie im Freien begegnet.

Am 16. December rückten wir früh um 7 Uhr aus. Nachdem wir wieder auf den Weg eingelenkt, wurde dieselbe Richtung wie am vorigen Tage verfolgt. Je weiter wir vordringen, desto dichter wird der Wald, obgleich die hohen Bäume nur durch die schwarzschattige Tamarinde vertreten sind. Eine Stunde von Toë liegt noch ein kleiner Ort, der ebenfalls Toë heisst, etwas links vom Wege, dann hört jede Spur von Anbau auf. Dagegen ist der Wald wieder reich mit Thieren bevölkert: Heerden von Wildschweinen stürzen mit krachendem Geräusch durch die

Büsche; Gazellen und Antilopen weiden zur Seite des Wegs, ohne sich durch unser Herannahen verscheuchen zu lassen; das kleine Ichneumon eilt von einem Schlupfwinkel zum andern; hier zeigten sich auch wieder grosse Ketten Perlhühner, und viele andere, meist buntgefiederte Vögel, darunter der Pfefferfresser mit seinem langen krummen Schnabel. Auf der breiten Strasse, die durch diesen Wald führt, kamen mehrere Karavanen sowie einzelne Wanderer an uns vorüber. Gegen 1 Uhr waren meine Kräfte wieder dermassen erschöpft, dass ich mich nicht länger auf dem Pferde zu halten vermochte. Unter dem schirmenden Blätterdach einer dichtlaubigen Tamarinde liess ich Rast machen. Eine Tasse Kaffee, etwas Zwieback, Koltsche und Datteln, welches Frühstück mit Ausnahme des Kaffees meine Leute mit mir theilten, und eine Stunde Ruhe frischten mir die Lebensgeister wieder an, und so konnte ich noch bis zu dem 1½ Stunden entfernten Dorfe Mogur reiten, wo das Lager aufgeschlagen wurde.

Am folgenden Morgen fühlte ich mich wohler. Wir setzten um 7 Uhr unsern Marsch fort, gingen die erste Stunde gerade westwärts, bogen dann aber nach Südwesten um und behielten diese Richtung den ganzen Tag bei. In den Morgenstunden war es empfindlich kühl, sodass ich für nöthig fand, über meine Kulgu aus Bornu noch eine wollene fesaner Djilabe anzuziehen. Der Wald wurde nun weniger dicht, besonders das Unterholz, und obgleich die Bäume zur Hälfte ihr Laub verloren hatten, liess sich doch erkennen, dass die Vegetation hier sich zu ändern beginnt. An Stelle der Kranka und Ertim, die im nördlichen Bornu und in Kanem heimisch sind, treten jetzt andere Bäume und Sträucher. Ebenso werden Veränderungen in der Thierwelt bemerkbar. Es erscheinen neue Vogelarten, viele von schönen Farben und Formen; sehr zahlreich sind namentlich die Langschnäbler und Langschwänzer. Vor-

7*

mittags 9 Uhr kamen wir zu dem Brunnen und Dorfe Tjíroa, und um 10 Uhr zum Brunnen **Mátaram**. Um 1 Uhr traf unser Weg wieder mit der grossen Strasse zusammen, von der wir indess schon nach einer halben Stunde von neuem ablenkten, um nach dem Dorfe Mulē zu gehen, das zum Nachtlager bestimmt war. Der Ort bestand nur aus drei Hütten. Hier im Süden Bornus haben die Hütten eine von der im Norden gebräuchlichen schon erheblich abweichende Form, indem die Wände aus grob geflochtenen Matten mit Moro-Stroh überwölbt sind. Im allgemeinen habe ich die Bemerkung gemacht, dass vom Innern Afrikas nach der Küste zu die Bauart der Hütten sich allmählich immer mehr vervollkommnet, bis sie zuletzt ganz in den Häuserstil übergeht. Nochmals sei übrigens bei der Gelegenheit wiederholt, dass alle von Kanúri und Kanemgu erbauten Orte bei weitem reinlicher, wohnlicher und gefälliger aussehen als die Dörfer der Schua-Araber, denen eben jeglicher Sinn für Comfort und Sauberkeit abgeht. Man bewirthete uns in Mulē mit Perlhühnern, die hier in Schlingen gefangen werden. Nebst den Hühnern halten die Eingeborenen Ratten für den feinsten Leckerbissen, daher sie ihnen mit Fallen eifrig nachstellen.

Ein dreistündiger Marsch in südwestlicher Richtung theils durch Wald, theils zwischen Feldern und an einer Reihe kleiner Ortschaften vorbei brachte uns am andern Tage vormittags 10 Uhr nach Magómmeri, dem Sitz und Eigenthum des Alamino. Noch ehe die Hütten des Orts sichtbar wurden, vernahmen wir den Schall der grossen Trommel, die Tag und Nacht vor dem Hause des Gutsherrn von Magómmeri geschlagen wird. Zugleich begegnete uns ein Trupp festlich angethaner Reiter, von einem Schmaus und Reiterspiel heimkehrend, wozu sie vom Alamino zur Feier der Beschneidung seines jüngsten Sohnes geladen waren. Ich hatte mich tags zuvor durch einen Boten bei demselben anmelden lassen; er schickte uns daher zwei gepanzerte Reiter entgegen, die mich in seinem Namen begrüssten und uns in die bereit gehaltene Wohnung geleiteten. Es war ein grosses mit Matten umfriedigtes Gehöft, eigens, wie es schien, zum Funduk (Gastherberge) eingerichtet.

Kaum waren wir unter Dach, so erschien ein Diener des Alamino und lud mich ein, sogleich mit zu seinem Herrn zu kommen. Ohne Zögern folgte ich. Die herrschaftliche Wohnung, ziemlich entfernt von dem Funduk, ist sehr weitläufig, sie nimmt fast die ganze nördliche Hälfte des Orts ein. Man hiess mich in einen grossen Vorhof treten, in dem viele Männer um ein mit türkischen Teppichen verhängtes Bettgestell aus Delebpalmenholz im Sande hockten, die auf Einlass zu warten schienen. Hier nahm mich ein anderer Diener in Empfang und führte mich zu einem der innern Höfe. Inmitten desselben unter einem schönbelaubten Kornu-Baume lag der Herr des Hauses, in eine einfache schwarze Kulgu gekleidet und von rings aufgehäuftem Reisegepäck umgeben. Nachdem er mich herzlich willkommen geheissen, sagte er mir, er sei im Begriff sich nach Kuka zu begeben, um die Ränke seiner Feinde und Neider am Hofe zu hintertreiben, habe aber meinetwegen die Reise verschoben, denn er wisse, dass es ihm der Sultan sehr übelnehmen würde, wenn er mich nicht selbst auf seinem Territorium gastfreundlich bewirthet hätte, und er hoffe, ich werde ein paar Tage in Magómmeri verweilen. Da ich ohnedies der Ruhe bedurfte, auch an meiner Ausrüstung mehreres zu ordnen und zu vervollständigen hatte, gab ich ihm die gewünschte Zusage. Hierauf erkundigte er sich, was es Neues in Kuka gebe, und es entschlüpfte ihm dabei die Frage: „Wie hoch steht jetzt Moro dort im Preise?“ Doch ohne meine Antwort abzuwarten, fuhr er fort: „Verzeih! Ich vergass, dass ihr euch um dergleichen nicht bekümmert, da ihr nicht um zu kaufen oder zu verkaufen in unser Land kommt, wie die Araber und Berber, sondern nur hier euer Geld ausgebt." „O!" erwiderte ich, „du bist im Irrthum, wenn du glaubst, alle Christen seien so reichlich mit Geld versehen, wie es dein Freund Abd-el-Uáhed gewesen. Mein Vorgänger Ibrahim Bei musste sich hier Geld leihen, auch ich selbst war genöthigt, wie du wol gehört haben wirst, ein Darlehen in Kuka aufzunehmen, und sinne und sorge nun beständig, ob ich mit meinem Gelde bis an das grosse Meer ausreichen werde." — „Gott wird schon helfen!" tröstete er. „Gehe nur vorerst in deine Herberge und stärke dich mit den Speisen, die ich inzwischen hingeschickt."

El Alamino, derzeit nach dem Sultan der reichste und mächtigste Mann in Bornu, besass kaum 15 Jahre vorher nichts als das Hemd, das er auf dem Leibe trug. Er ist vom Stamme der Schua-Araber und war der vertraute Diener des Hadj-Beschir, der zur Zeit von Barth's erstem Aufenthalt in Bornu allmächtiger Minister am Hofe von Kuka war. Als Abd-er-Rahman, der Bruder Sultan Omar's, sich des Thrones bemächtigte, tödtete er Hadj-Beschir und verbannte dessen Diener und Anhänger, zu denen ausser dem Alamino auch Mohammed Kománi und der jetzige Dug-ma Ibrahim gehörten. Nach kurzer Zeit wurde aber Abd-er-Rahman erdrosselt, und Omar gelangte wieder zur Herrschaft. Dieser rief die Verbannten nicht nur zurück, sondern machte Ibrahim zu seinem ersten Minister, Mohammed Kománi zu seinem Privatsecretär und obersten Kadhi des Landes und schenkte dem Alamino unter Verleihung der Kogna-Würde den grössten Theil der Güter und Ländereien, welche Hadj-Beschir besessen hatte. Einmal über so reiche Mittel verfügend, wusste der Alamino rasch seine Macht zu mehren, indem er auf eigene Hand Kriegszüge gegen die Heiden in und ausserhalb Bornus bis nach Adamaua hin unternahm. Ganz Margi wurde durch ihn bezwungen und zu einer Dependenz des Bornureiches gemacht, und eben in den Tagen meines Aufenthalts kamen Abgesandte des Sultans von Tjibuk, einem kleinen Königreich drei Tagereisen südöstlich von Lagē, nach Magómmeri, welche eine Summe Geldes in Kattunstreifen, den Ertrag einer von jedem Bewohner dieses Landes zu entrichtenden jährlichen Steuer, als Tribut überbrachten. Wenn Barth im dritten Bande seines Reisewerks vom Alamino erzählt, derselbe sei früher ein gefürchteter Strassenräuber, dann hartherziger Polizeichef unter Hadj Beschir gewesen, so steht das in offenbarem Widerspruch mit andern Stellen, wo er dessen Gutmüthigkeit und Liebenswürdigkeit rühmt. Mir gegenüber hat sich der Mann, wie vor mir gegen Beurmann und Vogel und später gegen Dr. Nachtigal, stets in uneigennütziger Weise gefällig und hülfreich erwiesen.

In meine Herberge zurückgekehrt, fand ich einen lächerlichen Ueberfluss von Speisen und Lebensmitteln vor: ein fettes Schaf, ein paar Dutzend Hühner, mehrere Krüge Butter und Honig, einen Korb voll Eier, grosse Schüsseln mit Reis, andere mit gebratenen Perlhühnern und mit Giraffenfleisch. Zu dem Feste am Tage vorher war nämlich ausser vielen Schafen, Kühen und Hühnern auch eine riesige Giraffe geschlachtet worden; das Thier lieferte nach Aussage der Diener nicht weniger als sechs Kamelladungen Fleisch, jede von 5 Centner Gewicht, und noch an den aufgehäuften Knochen, die mir später gezeigt wurden, konnte man seine ungeheuere Grösse ermessen.

Als Gegengeschenk übersandte ich meinem splendiden Wirth drei rothe Mützen, Pulver, Zündhütchen, Schreibpapier und nebst andern Kleinigkeiten 25 Pfund Datteln und 5 Pfund Zuckermandeln. Letztere, welche die Bornuer wie alles Süsse sehr lieben, hatte ich in Kuka von der aus

Fesan gekommenen Karavane gekauft. Da der Alamino schon früher mehrmals von mir beschenkt worden, unter anderm mit einer Doppelflinte, so hatte er diesmal, wie er mich wenigstens versicherte, nichts erwartet und zeigte sich daher sehr befriedigt von der verhältnissmässig geringen Gabe.

Nachmittags fand vor seinem Hause eine Fortsetzung des gestrigen Festes statt. Mehrere hundert Männer zu Pferde, die meisten in bunter Festkleidung, andere halb nackt und einen langen Speer in der Hand schwingend, übten wetteifernd ihre Reiterkünste, in denen die Kanúri es wol mit allen Pferde züchtenden Nationen aufnehmen können, jedenfalls aber den Arabern und Berbern weit überlegen sind. Müde vom Sehen spät abends wieder in meinem Funduk angekommen, empfing ich noch Besuch von dem ältesten Sohne des getödteten Veziers Hadj-Beschir, Namens Abd-el-Kader, der nach Gudjba gehen wollte, um dort Elefanten zu jagen. Der gesprächige junge Mann hatte von Overweg die Abenteuer Robinson Crusoë's erzählen gehört und unterhielt mich nun mit diesen, auf seine Art wiedergegebenen Geschichten.

Andern Tags machte ich einen Ritt durch das Dorf. Magómmeri, recht hübsch auf einer kleinen Anhöhe gelegen, hat gegen 4000 Einwohner, sämmtlich Sklaven oder Leute des Alamino, und eine entsprechende Zahl von Hütten. In dem umzäunten Hofe vor jeder Hütte weiden ein oder zwei Pferde, mit welchen die männlichen Bewohner ihrem Herrn auf seinen Rasien zu folgen haben. Durch den ganzen Ort gewähren angepflanzte Korna- und Hadjilidj-Bäume wohlthuenden Schatten. Die nächste Umgegend ist etwas gewellt und mit Gruppen herrlicher Tamarindenbäume bewachsen.

Auf meinen Wunsch liess mich der Alamino von einem seiner Eunuchen in den Räumen seiner ausgedehnten Behausung umherführen. Durch mehrere kleinere Höfe, wo Sklavenkinder, Gazellen, Hühner und Perlhühner durcheinander liefen, kam ich in einen grossen Hof mit drei der umfänglichsten Hütten, die ich je gesehen. Es ist die Küche für den aus mehr als 500 Köpfen bestehenden Haushalt. Eine Menge junger und alter Weiber waren mit Zurichtung und Kochen der Speisen beschäftigt. Sie säuberten das Getreide von Kleie, stampften es in hölzernen Mörsern nach dem Takte eines eintönigen Negergesangs, oder rieben es auf Granitsteinen zu Mehl, kneteten Brot auf hingebreiteten Ziegenfellen, reinigten Honig vom Wachs, und setzten die kolossalen Giddra (thönernen Töpfe) ans Feuer. Ausser dieser Küche für das Hauspersonal und die täglichen Kostgänger gibt es noch einen besondern Küchenraum, in dem für den Alamino selbst, seinen Harem und seine vornehmern Gäste gekocht wird.

Wieder durch verschiedene Höfe gelangte ich in den Straussenhof, einen umschlossenen länglichen Raum, der 30 Straussenweibchen und einem Männchen zum Tummelplatz und zur Brutstätte diente. Die Thiere werden behufs Gewinnung der Federn, die man ihnen einmal im Jahre ausrupft, auf dem Hofe gezüchtet; alle die 30, von einem Männchen stammend, waren hier in der Gefangenschaft ausgebrütet und grossgezogen worden. Mein Führer zeigte mir in dem weissen Sande sieben Löcher, jedes mit 25 bis 30 Eiern, und belehrte mich, dass die Bruthennen ihre Eier am Tage frei liegen lassen und sie nur des Nachts bebrüten. Als Nahrung erhalten sie allerlei Fleischabfälle, Gras, Kräuter und mit Wasser getränkte Kleie. Obwol die Straussenzucht bei dem hohen Preise, mit dem die Federn bezahlt werden, sicher einen sehr lohnenden Ertrag liefern muss, war dies die einzige, die ich auf meinen Reisen in Afrika angetroffen. In Sella, das einst berühmte Straussenzucht gehabt haben soll, fand Beurmann nichts mehr davon vor. In Kuka und andern Ortschaften Bornus laufen zwar einzelne Strausse zahm auf den Strassen herum, aber von einer eigentlichen Zucht und Pflege habe ich nirgends etwas bemerkt. Nördlich von der Sahara aber und in dieser selbst wird der riesige Vogel immer seltener. Der Strauss, strutio camellus, ist, wenn jung eingefangen, leicht zu zähmen und gewöhnt sich sogar an den Menschen. So erwähnt Eduard Mohr, er habe auf seiner Reise nach den Victoria-Fällen zwei Strausse längere Zeit mit sich geführt, sie dann an eine andere Karavane verkauft, und nach Monaten hätten sie ihn wiedererkannt. Im wilden Zustande lebt der Strauss meist von Vegetabilien, doch verschmäht er auch animalische Nahrung nicht; in seinem Magen und den Excrementen finden sich sowol Pflanzenreste als kleine Knochen, Theilchen von Eidechsen, Heuschrecken und andern Thieren. Merkwürdig ist, dass die Weibchen, besonders in der Wüste eine Anzahl ihrer Eier ausserhalb des Sandnestes legen und nicht mit den andern bebrüten. Diese unausgebrütet bleibenden Eier dienen der jungen Brut zur Nahrung, solange sie nicht wie die Alten in raschem Laufe weite Strecken durchmessen kann, um sich selbst das nöthige Futter zu suchen.

Zuletzt wurde ich in die Höfe geführt, welche die Rüst- und Waffenkammern sowie die Vorrathshäuser für die Lebensmittel umschliessen. Jene enthielten Lanzen, Wurfspiesse, Köcher voll vergifteter Pfeile, Panzer, Schilde von verschiedener Form und aus verschiedenen Stoffen, vom schweren ledernen bis zum leichten aus Stroh geflochtenen; ferner Sättel und wattirte Ueberzüge für die Pferde — wol zur Armirung von 1000 Reitern ausreichend. Die Vorrathshäuser waren angefüllt mit Töpfen voll Honig und ausgehöhlten Kürbissen voll Butter. Alles Getreide aber lagerte in aus Matten geflochtenen Körben, deren jeder 10 bis 15 bremer Last Getreide fassen konnte, im Freien, damit die Würmer nicht hineinkommen; nur während der Regenzeit wird es zum Schutz gegen Feuchtigkeit und Schimmel in Thürmen von Thon aufbewahrt.

Nach Beendigung meines Rundgangs liess der Alamino eine Zibethkatze bringen, um mir das Ausleeren der Moschusdrüse zu zeigen. Die Katze befand sich in einem engen Käfig. Durch dessen Gitter wurde eine Stange gesteckt und das Thier damit eine Zeit lang gereizt. Hierauf packte ein Mann den Schwanz der Katze, zog ihre beiden Hinterbeine durch die Stäbe des Käfigs, quetschte die Drüse stark mit der Hand, stülpte sie um und schabte mit einem elfenbeinernen Stäbchen das stinkende weissliche Fett heraus. Dann wurde die Drüse mit Butter eingeschmiert, und der Hinterkörper des gequälten Thiers wieder in den Käfig gezwängt. Das gewonnene Fett that man in eine kleine lederne Büchse; es färbt sich nach einigen Tagen röthlich und wird mit der Zeit immer dunkler. Bei uns hat man das Zibethfett durch Bibergeil ersetzt; bei den Mohammedanern aber ist es noch das beliebteste Parfum, das wie Gold und die kostbarsten Essenzen mit Metkal gewogen wird. Die Zibethkatze, viverra civetta, erreicht eine Länge von gegen 2 Fuss, ohne den Schwanz, der die gleiche Länge hat. Ihr Kopf ist rundlich, die Schnauze spitz, ähnlich der des Fuchses. Das weisse Fell hat dunkelgraue Streifen, die von einer schwarzen über den Rücken verlaufenden Borste oder Mähne ausgehen, aber den Bauch weiss lassen. In der Freiheit geht die Zibethkatze nur des Nachts auf Raub aus, daher sie auch im Käfig während der Nachtstunden wie toll umherspringt. Man füttert sie mit Hühnern, Kröten und andern kleinen lebendigen Thieren, denn sie frisst, wie behauptet wird, kein geschlachtetes Fleisch.

Am dritten Tage machte ich mich zur Weiterreise fertig. Der Alamino, der mir fortwährend ungeheuere Quantitäten von Speisen schickte, hatte mich gebeten, einen

Brief an Sultan Omar zu schreiben, worin ich die in Magómmeri gefundene Aufnahme und Bewirthung rühmte, und ich erfüllte gern seinen Wunsch. Ich tauschte von ihm gegen ein Pferd, die beiden Lastochsen und eine einläufige Flinte ein Kamel ein und liess ihm, um das Gepäck noch mehr zu erleichtern, meine Matratze und einen Teppich zurück, mit der Bitte, er möge die beiden Gegenstände andern, nach mir kommenden Reisenden zur Benutzung überlassen. Beim Abschied ertheilte er mir durch seinen Fakih den Segen zur Reise.

VII.

Durch das südwestliche Bornu.

Zwei Fakih als Reisebegleiter. Provinz und Ort Karágga-Uora. Walddörfer. Weihnachten in Uassáram. Der Ort Mogodóm. Ein See. Die Städte Gudjba, Mutē und Gebē. Schlimme Lage der Grenzbewohner.

Meine kleine Karavane verliess am Abend des 21. December Magómmeri und ging nach dem eine Stunde südwestlich davon gelegenen Orte Bumbum, wo durch die Fürsorge des Alamino uns das Nachtlager bereitet war.

Vor dem Aufbruch hatte ich noch eine rührende Scene erlebt. Wie sich der Leser erinnern wird, führte mein Diener Hammed einen etwa 8 Jahr alten Negerknaben mit sich, den er in Uándala vom Sultan geschenkt erhielt. In Magómmeri bestimmte ich nun, er solle den Knaben gegen eine entsprechende Geldentschädigung an Mohammed Gatroni abtreten, damit ihn dieser mit nach Fesan nähme. Die beiden waren auch mit meiner Anordnung einverstanden. Als aber dem kleinen Edris — so hatte ich das Kind genannt — bedeutet wurde, dass er von Hammed getrennt werden sollte, fing er jämmerlich an zu weinen; er hatte sich an seinen Herrn, obgleich er ihm erst wenige Monate zugehörte, bereits aufs innigste attachirt und wollte durchaus nicht von ihm lassen, ja er musste bei unserm Abzuge eingesperrt werden, und noch weithin vernahmen wir sein markdurchdringendes Geschrei. Zwei Jahre nachher traf ich in Tripolis wieder mit dem alten Gatroner zusammen; ich fragte ihn sogleich, was aus Edris geworden sei, und erfuhr zu meiner Genugthuung, der Knabe lebe und gedeihe bei ihm in Fesan, wo er von seiner Frau wie ein eigenes Kind gehalten werde.

Unter mehrern andern Personen schlossen sich mir zwei Fakih zur Reise nach Jacoba an. Der eine war ein Sohn des ehemaligen Kadhi Mohammed el-Habib zu Mursuk, den Lyon als hochbetagten Greis betrunken in einer öffentlichen Kneipe angetroffen. Der würdige Sohn kannte ebenfalls keinen höhern Genuss, als sich in busa oder ñbul zu betrinken. Vor 20 Jahren war er nach Kuka gekommen, um dort sein Glück zu machen, aber fortgesetzt seiner Leidenschaft fröhnend, hatte er es zu nichts gebracht, sondern lebte fast ganz von Unterstützungen, die ihm der Sultan oder die Grossen Bornus, auch der Alamino, aus Achtung vor seiner Familie, in der das höchste Kadhiat Fesans seit Jahrhunderten erblich ist, dann und wann zukommen liessen. Als er einmal von jemand denuncirt worden war, der ihn in der grossen Fastenzeit hatte essen sehen, schwor er auf den Koran, er sei krank und könne deshalb die Fasten nicht halten. Ein andermal verklagte ihn ein Kogna, der in der Nokna gerade nichts anderes zu klatschen wusste, beim Sultan, er sei schon den ganzen Tag zum Aergerniss aller Gläubigen betrunken und sitze eben noch bei einer Gulla Busa. Der Sultan, welcher ein strenges Verbot gegen den Verkauf und Genuss dieses berauschenden Getränks erlassen hatte, befahl, den Frevler auf der Stelle zu holen, und herrschte ihn, als er vorgeführt wurde, an: „Schämst du dich nicht, dir nach Art der Christen und Ungläubigen einen Rausch zu trinken und so unserer Religion zu spotten?“ — „O Herrscher der Gläubigen", erwiderte der verschmitzte Schriftgelehrte, „wer hat mich bei dir verleumdet! Wie kannst du glauben, dass es jemand wagen würde, in deiner Hauptstadt, unter deinen Augen Busa zu brauen und zu verkaufen!" — „Beim Propheten", sagte Sultan Omar, geschmeichelt, mit solchem Respect von seinem Verbote sprechen zu hören, „der Mann ist so nüchtern wie ich, sonst könnte er nicht so vernünftig reden." Und unser Freund ward nicht nur gnädig entlassen, sondern obendrein zur Entschädigung für die falsche Anklage mit einem Burnus beschenkt. Jetzt war ein Bruder von ihm mit Hinterlassung nur einer Tochter und eines bedeutenden Vermögens, bestehend in 60 Sklaven, mehrern hundert Stück Rindvieh u. s. w., in Jacoba gestorben. Nach mohammedanischem Gesetz muss die Tochter mit den überlebenden Brüdern des Vaters die Erbschaft theilen. Ungeachtet nun noch ein anderer Bruder in Mursuk lebte, ging unser Fakih nach Jacoba, um, wie er mir sagte, die Hälfte des Erbes in Empfang zu nehmen, und hatte schon drei Leute gemiethet, welche die auf seinen Theil fallenden Sklaven und Ochsen heimtreiben sollten. Allein ich fürchtete für den Mann, dass er die Rechnung ohne den Wirth gemacht, denn seine Nichte war verheirathet, die mohammedanischen Gesetze aber sind biegsam und die Richter nichts weniger als unbestechlich.

Der andere Mallem, der sich zu uns gesellte, war aus Lógone gebürtig und hatte soeben auf der Hochschule in Kuka sein Doctorexamen absolvirt. Er trug eine im Lande gefertigte Kulgu, an der mehr Löcher als heile Stellen zu sehen waren; an einem Strick über seiner Schulter hing eine Kürbisflasche, ein Tintenfass und eine kleine Ledertasche, die zwei oder drei Rohrfedern, zwei schmuzige gelbe Bücher oder vielmehr zusammengeheftete, mit Suren beschriebene Blätter Papier und ein hölzernes Täfelchen enthielt. Das waren seine ganzen Habseligkeiten. Als Zweck seiner Reise gab er an, er habe gerade keine andere Beschäftigung und hoffe, sich vielleicht eine neue Kulgu zu verdienen. Ich schlug ihm vor, unterwegs mein Kamel zu hüten; dafür wollte ich ihm, in Jacoba angekommen, eine Kulgu verehren; er ging aber nicht auf den Vorschlag ein, weil ihm dann keine Zeit bleiben würde, den Leuten Sprüche aufzuschreiben. Im weitern Verlauf der Reise sah ich wirklich, wie er in jedem Dorfe, wo wir anhielten, auf seine hölzerne Tafel ein paar Sprüche oder eine Sure aus dem Koran schrieb und sie den Leuten hinreichte, welche dann die Tinte davon abwuschen und tranken. Manchmal wurde ihm mit einigen Muscheln gelohnt, und bekam er nichts, so schmeichelte es doch seiner Eitelkeit, dass ihn das Volk für einen grossen Gelehrten hielt. Er rühmte sich, den ganzen Koran auswendig zu wissen, und schrieb auch geläufig die arabische Schrift, verstand aber selbst nicht ein Wort von der Sprache Mohammed's.

Am andern Morgen wurde um 7½ Uhr abmarschirt. Eine Stunde lang hielten wir westsüdwestliche, von da an beständig südwestliche Richtung. Das Aneroid zeigte eine allmähliche, sanfte Steigung des Bodens. Trotz der schon vorgerückten trockenen Jahreszeit standen hier rechts und links am Wege grosse Wassertümpel, in denen sich viele Wildschweine wälzten; auch anderes Wild zeigte sich in ziemlicher Menge. Hier und da prangte noch eine Pflanze in so saftigem Grün wie zur Regenzeit. Mächtige Adansonien treten auf; die Basis eines Baums hatte 17 Meter Umfang, und in seinem hohlen Stamme konnte ich mich liegend bequem nach allen Seiten hin ausstrecken. Um 1½ Uhr kehrten wir in dem etwas links vom Wege liegenden Orte Lambóa ein, der schon zur Provinz Karágga-Uora gehört. Dort blieben wir über Nacht.

In den Morgenstunden des folgenden Tags verdunkelten Höhenrauch und Wüstenstaub im Verein den Himmel, sodass die Sonne, als sie endlich sichtbar wurde, wie eine dunkelrothe Kugel erschien. Ueber Höhenrauch in diesen Gegenden, hier wie in Europa von Pflanzenverbrennung herrührend, haben auch frühere Reisende berichtet; unter andern schrieb Vogel („Zeitschrift für Erdkunde", 1856): „Höhenrauch ist in den bergigen Districten Bautschis sehr häufig, ganz wie in Thüringen, mit dem nämlichen jodartigen Geruche. Oft verhüllt er 4—5 Tage die ganze Gegend, bis ein heftiges Gewitter ihn niederschlägt." Wir legten an diesem Tage sieben Stunden zurück, erst zwei in westsüdwestlicher, dann drei in südwestlicher, und wieder zwei in westsüdwestlicher Richtung. Ueber leichtgewelltes Terrain kamen wir nach der ersten Stunde auf einen ebenen, mit vielen leeren Strohhütten besetzten Platz. Es ist der Marktplatz für den Ort Karágga-Uora, den wir um 9½ Uhr erreichten; jeden Freitag verwandeln sich die leeren Hütten in Verkaufsbuden. Der hübsch gelegene Ort gehört zur einen Hälfte dem Alamino, zur andern dem Katschélla Blel. Am Eingang desselben fiel mir ein Feigenbaum wegen seiner erstaunlichen Dimensionen auf, welche die unserer stärksten Eichen übertrafen. Die Früchte, die gerade reif waren, unterscheiden sich äusserlich nicht von den Feigen des südlichen Europa, sind aber bei weitem nicht so süss von Geschmack. Gleich hinter den Ackerfeldern dieses Dorfes beginnt ein dichter Wald, durch den mein hochbeiniges und hochbuckeliges Meheri sich mühsam den Weg bahnen musste. Die Kolossalität des Kuka-Baums (Adansonia digitata) erschien mir hier um so augenfälliger, da er mit seinem Riesenhaupte noch aus der Umgebung anderer grosser Bäume so hoch herausragte. Ich möchte ihn den Elefanten der Baumwelt nennen; denn da wo der Baum sich ungehemmt entwickeln kann, entspricht der Höhe und Dicke des Stammes auch die breite Ausdehnung seiner Aeste und Zweige. In der Nähe bewohnter Ortschaften wird freilich dieses natürliche Verhältniss zerstört; die jungen Blätter der Adansonie dienen den Eingeborenen als beliebtes Gemüse, kaum entfaltet, werden sie sammt allen Trieben und Schösslingen abgerissen. So muss das Gezweig verkümmern, und nur in diesem bedingten Sinne kann man Karl Ritter's Ausspruch, die Adansonie scheine ihre ganze Vegetationskraft auf den Stamm zu verwenden, als richtig gelten lassen. Wir passirten um 12 Uhr Kanígi und lagerten um 2 Uhr 20 Minuten in Dábole. Beide Orte liegen, nur von wenigen bebauten Feldern umgeben, mitten im Walde. Die Nachtruhe wurde mir von dreist über mich weglaufenden Feldmäusen geraubt, deren es hier in erschrecklicher Menge gab. Mein Diener Hammed erkrankte von neuem und war so schwach, dass er keinerlei Dienste zu leisten vermochte.

Durch dichten Wald, dessen Einsamkeit hier und da ein Dorf unterbricht, zogen wir am folgenden Tage 1½ Stunden west-, dann wieder 1½ Stunden südsüdwest- und schliesslich 1 Stunde südwestwärts. Das Terrain bleibt eben oder kaum merkbar gewellt, doch befinden wir uns jetzt schon ziemlich hoch über dem Tschad-See und folglich in einer etwas gemässigtern Temperatur. Weil nun auch in geringer Tiefe unter der Erde hier überall Wasser vorhanden ist, erhielt sich das Laub auf den Bäumen noch frisch und grün. Hingegen war ebenso wie in den Niederungen gleich nach dem Aufhören der Regenzeit alles Gras abgebrannt worden und der Waldboden in ein schwarzgraues Aschenfeld verwandelt. Hätten die Bäume in Centralafrika weniger saftreiche Stämme, oder wären sie so voll Harz wie fast alle Bäume in der Berberei, dann müssten sie von dem Brande des hohen Grases mit ergriffen und verzehrt werden. Ein grosser Theil Algeriens und Marokkos hat in der That auf diese Weise seine Wälder eingebüsst, und es ist deshalb jetzt unter der französischen Regierung — für viele Gegenden leider zu spät — den Arabern aufs strengste verboten, im Walde und dessen Nähe das dürre Gras anzuzünden. Hier im tropischen Afrika aber scheint das Abbrennen des Grasbodens dem Hochwalde keinen Schaden zu thun, ich fand nur am Fusse der Bäume die Rinde vom Feuer geschwärzt. Die zurückbleibende Asche dient allerdings als vortreffliches Düngmittel, und sobald in der Regenzeit der Boden wieder befeuchtet wird, sprosst neues Grün in üppiger Fülle aus demselben hervor. Ausserdem werden Millionen schädlicher Insekten und Würmer, Heuschrecken, Ameisen, Schnecken, Schlangen u. s. w., durch die Feuergluten vertilgt. Zum ersten mal sah ich an diesem Tage die Früchte der Adansonie; sie hängen wie die Nester des Webervogels an fadendünnen Zweigen von 1—1½ Ellen Länge und gleichen in der äussern Form den Melonen, haben aber eine weiche, wie Sammt anzufühlende Schale. Die Kerne werden in Wasser zerkocht, welches dann von Leberleidenden als Arznei getrunken wird. Die Neger im Sudan sollen die Frucht auch wie die Blätter als Gemüse und zu Suppen verwenden. Um 11 Uhr traten wir in den District Uassáram ein, und kurz darauf in den gleichnamigen Hauptort selbst. Das recht stark bevölkerte Gebiet gehört dem Alamino, der durch einen vorausgeschickten Intendanten uns beim Billa-ma des Orts angemeldet und den Einwohnern vorgeschrieben hatte, wie sie uns einquartieren und verpflegen sollten. Wir fanden daher das Quartier schon in Bereitschaft gesetzt, und sobald wir abgestiegen waren, schickte mir der Billa-ma nicht nur Schüsseln voll Milch und gekochter Speisen, sondern auch ein Dutzend Hühner, 50 Pfund Butter, 25 Pfund Honig und eine Last Getreide. Es war der 24. December, Weihnachten! Um so mehr freute ich mich der reichen Gaben,

8*

denn ich konnte nun andere beschenken und damit Festfreude um mich her verbreiten.

Den ersten Weihnachtsfeiertag ruhte ich in Uassáram, zumal auch mein Kamel einen Rast- und Weidetag nöthig hatte. Das Wetter war verhältnissmässig kühl genug — in den heissesten Tagesstunden stieg das Thermometer nicht über + 28° —, um an Weihnachten zu gemahnen; Rauch und Wüstenstaub verfinsterten den Himmel dermassen, dass erst um Mittag die Sonne den dichten Nebel zu durchbrechen vermochte. Nachdem es heller geworden, unternahm ich einen Spazierritt in die Umgebungen des Dorfs. Gut angebaute Getreidefelder wechselten hier mit Indigo-Pflanzungen, die gleichfalls gut zu gedeihen schienen. Auf den Bäumen war das Laub noch grün, die Digdigi-Pflanze, die sich lustig an den Hütten emporrankte, trieb sogar frische Blüten. Wieder vor meiner Wohnung eingetroffen, wurde ich von einem Fellata — sie selbst nennen sich Pullo und von den Arabern werden sie Fulan genannt — angeredet, der mich bat, ihn nach seiner Heimat Koringa (Gombē) mitzunehmen, indem er zur Unterstützung seiner Bitte geltend machte, die Pullo seien ja keine Neger, sondern auch weisse Männer. Die Ethnologen mögen untersuchen und entscheiden, ob die rothhäutigen Pullo wirklich der weissen Rasse oder welcher andern sie beizuzählen sind: ich nahm den neuen Vetter gern in meine Begleitung auf, denn da er fertig Kanúri sprach, rechnete ich darauf, dass er mir in seinem Lande als Dolmetscher werde dienen können.

Abends wurden wir ebenso reichlich wie am vorigen Tage mit Speisen und Lebensmitteln versorgt, alles für Rechnung des Alamino, welcher den Leuten an ihren Abgaben den Werth des Gelieferten zurückvergütet. Nach dem Essen streckte ich mich behaglich, eine Tasse Kaffee schlürfend, vor das lodernde Feuer. Auch ein Glas Bordeauxwein hätte mir nicht gefehlt, wenn die Kiste, die Herr Consul Botta in Tripolis gütigst an mich abgesandt, an ihre Adresse gelangt wäre; sie war aber leider von den Tebu, welche sie mit der grossen Karavane nach Kuka bringen sollten, aus Nachlässigkeit, vielleicht auch mit Absicht in Kauar zurückgelassen worden, und wer weiss, in welche unberufene Kehle der mir bestimmt gewesene kostbare Rebensaft geflossen sein mag. Ich gedachte der verschiedenen Weihnachten, die ich wie diesmal fern von den Meinigen, allein unter anders gearteten, anders denkenden und empfindenden Menschen verlebt: in Mursuk, bei den Troglodyten im Djebel Sintan, am Ued Draa, und war über dem Sinnen allmählich eingeschlummert. Da weckte mich Hammed mit dem Rufe: „Herr, der Braten ist fertig!" Meine Leute hatten mich nämlich gebeten, als sie von mir hörten, dass bei den Christen dieser Tag ein hoher Festtag sei, zur Feier desselben ihnen ein Lamm zum besten zu geben; dieses war nun geschlachtet und am Spiess gebraten worden, und ungeachtet der Masse von Speisen, die sie an dem Abend bereits zu sich genommen, wurde es noch um Mitternacht verzehrt.

Am 26. December verliessen wir 7 Uhr morgens Uassáram. Drei Stunden nördlich davon an dem directen Wege von Magómmeri nach Gudjba liegt der ummauerte Ort Gáfata. Von den sieben Stunden, die wir an dem Tage zurücklegten, liefen die ersten vier in gerader westlicher, die letzten drei in südwestlicher Richtung. Wir passirten zunächst wieder den Marktplatz von Uassáram, in dessen leerstehenden Hütten weissbrüstige Raben und Aasgeier einstweilen ihr Quartier aufgeschlagen, und kamen dann an zahlreichen Dörfern mit wohlcultivirten Saatfeldern vorüber. Der Wald hat hier dem Ackerbau weichen müssen, nur der Kuka-Baum steht mitten in den Feldern und darf seine gigantischen Glieder, frei von beengender Umgebung, in die Höhe und Breite ausstrecken. So ging es vier Stunden im offenen Lande fort, durch den District Kodúmba, den wir nach zweistündigem Marsch erreichten, bis zur Grenze des Districts Ingrumai. Von da an hatten wir drei Stunden lang wieder durch sehr dichten, besonders für mein Kamel fast undurchdringlichen Wald zu marschiren, ehe wir an das Reiseziel dieses Tages, nach Mogodóm, den ersten Ort im District Gudjba, gelangten. Merkwürdig, dass hier im äussersten Südwesten von Bornu ein ganz gleichlautender Name vorkommt wie der des ehemaligen Teda-Ortes in Kauar, nach welchem das dortige Mogodóm-Gebirge benannt wurde. Unser Mogodóm ist ein recht ansehnlicher Ort, der früher wahrscheinlich mit Wällen umgeben war, wenigstens sind noch Spuren eines Wallgrabens vorhanden. Die Bewohner treiben die Cultur der Baumwollpflanze in einer Ausdehnung, wie ich sie bis dahin noch nirgends angetroffen hatte.

Sobald wir am folgenden Morgen die Baumwollfelder um Mogodóm hinter uns gelassen, nahm uns abermals ein dichtes Waldrevier auf. Wir gingen zwei Stunden südsüdwestlich und lenkten dann ganz nach Südwesten um. Nach dreistündigem Marsch kamen wir mitten im Walde an einen schönen grossen See, wol eine Stunde im Umfang, der mit einer grün bewachsenen Insel darin und dem frischen Laub, das seine Ufer umkränzte, einen wirklich reizenden Anblick darbot. Die trockene Jahreszeit verlor hier gänzlich ihre ausdörrende Macht. Tausende von Wasservögeln belebten den Spiegel des Sees, und unfern von uns löschten Gazellen ihren Durst in der süssen Flut, während eine Heerde Affen, als sie uns gewahr wurde, mit ängstlichem Geschrei ins Dickicht zurückfloh. Niedergetretenes Gras und abgebrochene Baumzweige bezeichneten den Pfad, auf dem die Elefanten sich zur Tränke heranbewegen. Einen besondern Namen scheint der See nicht zu haben, denn die

Wörter „kúlugu“ und „n̄galajim“, die man mir nannte, heissen nur überhaupt: stehendes Wasser. Weitere drei Viertelstunden brachten uns an das Bett eines Flüsschens, das einzige Rinnsal auf dem Wege von Kuka bis hierher; es hatte zwar noch Wasser, aber ein so schwaches Gefälle, dass ich die Richtung seines Laufs nicht zu erkennen vermochte. Wie ich später erfuhr, heisst das Flüsschen Ansei, kommt aus Kogu (wol Barth's „Kogher“) im Lande der Babur, also aus Süden, und wendet sich von hier an Schemgo vorbei und durch Kerri-Kerri dem Waube zu. Bevor es Kerri-Kerri erreicht, soll es unter der Erde, dort aber durch eine lange Höhle fliessen; und auch hier behält es, obzwar sein Bett in den regenlosen Monaten austrocknet, das ganze Jahr hindurch Wasser in geringer Tiefe. Aus dem Laufe dieses Flusses geht somit hervor, dass das Land der Babur zum Wassersysteme des Tschad, nicht zu dem des Bénuē gehört.

Um 11¼ Uhr zogen wir in die Stadt Gudjba ein und hielten vor dem Hause des Katschélla Abdallahi-uld-Ali-Margi, des derzeitigen Statthalters. Man geleitete uns in ein passendes Quartier, wohin alsbald der Katschélla ein Schaf und mehrere Schüsseln voll Speisen schickte. Ich übersandte ihm darauf mein Gegengeschenk zugleich mit einem Schreiben des Sultans von Bornu, in welchem er von diesem angewiesen wurde, mir die erforderliche Schutz- und Begleitmannschaft nach Koringa zu stellen. Am folgenden Tage begrüsste ich ihn persönlich in seiner Wohnung, einem Complex mit verschiedenen Höfen umschlossener Hütten und Veranden aus geflochtenen Matten. Alsdann machte ich einen Gang durch die Stadt. Gudjba hat in seinen baufälligen Mauern eine grosse Anzahl Hütten wie Häuser von Thon und zählt gegen 20000 Einwohner, die theils Bekenner des Islam, theils Heiden sind. Früher von einem eigenen Sultan regiert, der zwar noch seinen Titel, aber keinen Einfluss mehr besitzt, steht der District jetzt ganz unter der Botmässigkeit des Sultans von Bornu.

Wir verliessen am 29. December früh 6¾ Uhr Gudjba und gingen fünf Stunden lang südwestlich, dann bis Mutē südsüdwestlich. Da die dazwischenliegenden Orte Kóreram und Dora zerstört und nicht mehr bewohnt sind, nahmen wir den kürzern Weg durch den Wald, obwol derselbe durch räuberische Ngússum unsicher gemacht wird, weshalb wir fortwährend unsere Doppelflinten und Revolver in Bereitschaft hielten. Ehe wir in den Wald eintraten, sahen wir — die Atmosphäre war an dem Tage ausnahmsweise rein — auf circa zehn Stunden Entfernung den Berg Figa oder Fika in Westsüdwesten sich erheben. Nach drei Stunden befanden wir uns auf dem Kamm der Hochebene von Gudjba; während von Magómmeri bis hierher der Boden immer sanft angestiegen war, senkte er sich nun ziemlich rasch abwärts. Hier lag auch zum ersten mal wieder Gestein, und zwar rother Sandstein, offen zu Tage. Um 3¾ Uhr erreichten wir ohne Unfall den kleinen befestigten Ort Mutē, der ungefähr auf gleicher Höhe mit Kuka, also nur wenige Fuss über dem Spiegel des Tschad-See liegt. Er präsentirt sich von aussen recht malerisch, denn aus den vielen Bäumen, mit denen er wie alle Kanúri-Dörfer bepflanzt ist, ragen einzelne Dattel- und Dum-Palmen empor, und die Palme macht stets einen angenehmern, ästhetischern Eindruck in der Umgebung von andern Bäumen als in einem einförmigen Palmenwalde. Da die Region der Dum-Palme schon einen Tagemarsch südlich von Kuka ihre Grenze hat, so mussten die Exemplare hier eigens angepflanzt sein und sorgfältig gepflegt werden. Wir zogen durch eins der beiden engen Thore in Mutē ein und blieben daselbst zur Nacht. Die Bevölkerung ist ebenfalls aus Mohammedanern und Heiden gemischt. Ihr ehemals unabhängiger Sultan ist jetzt dem Katschélla von Gudjba unterstellt.

Noch ermüdet von dem am vorigen Tage zurückgelegten starken Marsch gingen wir den 30. um 7 Uhr morgens weiter. Die Richtung blieb diesen ganzen Tag hindurch Südsüdwest. Gleich hinter Mutē kamen wir an einen grossen, von zahlreichen Ibissen und einigen Störchen bevölkerten kúlugu (Teich) vorüber, dann an einem Flüsschen Namens Dindeli, das vom Fika herabkommt und, nachdem es sich mit andern ebenfalls von Westen kommenden Rinnsalen vereinigt hat, dem Góngola zufliesst. Nun folgte wieder dichtbestandener Wald, anfangs nur von Talha-Bäumen, deren Blüten die Luft mit heliotropähnlichem Wohlgeruch erfüllten; später gesellten sich andere Bäume dazu, namentlich Korna mit reifen, wohlschmeckenden Früchten, und Kuka-Adansonien, doch bei weitem nicht von der Grösse wie die auf der Hochebene von Gudjba. Um 11 Uhr passirten wir das trockene Flussbett des Gúnguru, mit so steilem Ufer, dass mein Kamel beim Hinabsteigen das Gepäck verlor, und um 12 Uhr das des Konokáne; beide Flüsschen gehören zu denen, die mit dem Dindeli vereint in den Góngola münden. Von hier an tritt auch Granit zu Tage, doch erhebt sich der Boden nicht über das Niveau von Kuka.

Um 1 Uhr war unser Tagesziel, die von Wällen umschlossene Stadt Gebē, erreicht. Wir fanden ihre Bewohner in sehr kriegerischer Stimmung, selbst die kleinen Knaben übten sich eifrig im Schiessen mit Pfeil und Bogen, denn die Stadt hatte kurz vorher eine Belagerung auszuhalten gehabt. Von alters her musste nämlich Gebē einen jährlichen Tribut von zwei Sklaven an das benachbarte Gombē entrichten; weil aber ersteres in neuerer Zeit an Bornu gefallen war, verweigerte es seit drei Jahren diesen Tribut. Nun rückte der Sultan von Gombē,

Mohammed Koringa, vor die Stadt, um sie zur Erfüllung ihrer Verbindlichkeit zu zwingen. Die Belagerten hielten indess tapfer stand, und als der Feind vernahm, dass Aba-Fa aus Kuka ein Heer zum Entsatz heranführe, hob er die Belagerung auf und ging eiligst über die Grenze zurück. Trotz dieser Sachlage entschied Sultan Omar von Bornu, Gebē müsse den rückständigen Tribut bezahlen.

Ueberhaupt sind die Grenzorte dieser Negerländer in übler Lage, selten finden sie genügenden Schutz vor feindlichen Ueberfällen. So hatte erst kürzlich der Katschélla von Gudjba einen Einfall in das Fellata-Gebiet gemacht und aus einem Orte, der weder zu Bornu noch zu Sókoto gerechnet wird, eine Anzahl Gefangener fortgeschleppt, um sie als Sklaven zu verkaufen oder nur gegen hohes Lösegeld frei zu geben. Besonders wird dem Sultan Omar in dieser Beziehung wol mit Recht Mangel an Energie vorgeworfen. Er hat sich von Uadaï wie von Sókoto Beleidigungen ruhig gefallen lassen, und als während meines Aufenthalts in Kuka die räuberischen Uled Sliman aus Kanem 9000 Stück Rinder von Ngigmi forttrieben, schickte er keine Soldaten zu ihrer Verfolgung und Bestrafung aus. Sollte er sich vorgenommen haben, in den letzten Jahren seiner Regierung in Frieden mit seinen Nachbarn zu leben, so könnte ihm solche Schlaffheit unter den Verhältnissen, wie sie in Bornu bestehen, leicht Thron und Leben kosten. Noch gibt es viele Anhänger der alten Sefua-Dynastie, und auch die Nachkommen seines getödeten Bruders Abd-er-Ráhman warten nur auf eine günstige Gelegenheit, die Ermordung ihres Vaters zu rächen. Nachtigal deutet in seinen Berichten aus Bornu auf den möglichen Sturz der herrschenden Familie hin und schreibt unter anderm in einem Briefe vom 14. November 1870 an die Redaction der „Zeitschrift für Erdkunde“: „Wie zu Denham's Zeit der Hof der alten Sefua-Dynastie mit seinen demoralisirten, zu nichts mehr fähigen Hofschranzen das Land an den Rand des Verderbens gebracht hatte, so scheint mir der Hof von Kukaua (Kuka) nicht viel besser zu sein.“ Im Interesse der europäischen Reisenden wäre es jedenfalls sehr zu beklagen, wenn ein so wohlwollender Herrscher wie Sultan Omar beseitigt werden und vielleicht ein Wütherich vom Schlage des frühern Sultans von Uadaï oder des Königs von Dahomëh den Thron des Bornu-Reiches einnehmen sollte.

VIII.

Eintritt ins Reich der Pullo.

Der Fluss Góngola. Im ersten Pullo-Dorfe. Die Doppelstadt Birri. Sendung Hammed's nach Tapē an den Sultan von Kalam. Ueber die Abstammung der Pullo. Durch Duku nach der Hauptstadt Gombē.

Morgens 7½ Uhr am Neujahrstage 1867 waren wir von dem Grenzort Gebē aufgebrochen. Bis 11 Uhr blieb unsere Marschrichtung Westsüdwest, dann wendete sie sich nach Südwest bis zum Flusse Góngola, an dessen Ufer wir eine Stunde gerade gen Süden gingen, um von da noch eine Stunde wieder südwestwärts vorzuschreiten. Die Gegend charakterisirt sich durch Hügel und Wald; rechts im Norden streicht das niedrige Degal-Gebirge, und am Góngola sahen wir gerade nördlich von uns in einer Entfernung von ungefähr acht Stunden den Berg Figa auftauchen. Je mehr wir uns dem Flusse nähern, desto reicher wird die Vegetation; die Bäume auf dem durchfeuchteten Boden sind mit frischgrünem Laubwerk geschmückt wie mitten in der Regenzeit, ja ein Gürtel von fruchttragenden Palmen erfreut das Auge. Desgleichen verkünden ausgetretene Spuren von Elefanten, Löwen, Panthern und vielen andern Vierfüsslern die Nähe fliessenden Wassers. Der Góngola breitet seine Hinterwässer hier am linken Ufer weit im

Lande aus; der Strom selbst war in der Furth, durch die wir hinüberpassirten, zwar nur 2 Kilometer breit, aber reissend und tief genug, dass er unsern Pferden bis an den Bauch ging. Sein klares Wasser fand ich von vorzüglichem Geschmack und von belebender Wirkung auf meinen durch Fieber geschwächten Körper. Der Grund ist mit Kies und einer Schicht groben Sandes bedeckt; er liegt auf gleicher absoluter Höhe mit Kuka. Eine Stunde unterhalb von hier biegt der bis dahin direct südwärts gerichtete Lauf des Flusses nach Südosten um. Zuerst wurde der Góngola von Vogel besucht, der ihn auch Góngola nannte. Barth meint, es sei dies nicht sein wirklicher Name, sondern der Name eines Stammes; wäre das richtig, dann müsste er „Fluss der Góngola“ heissen, was aber nicht der Fall ist.

Um $1\frac{1}{2}$ Uhr kehrten wir in dem ersten Pullo-Dorfe ein; es heisst gleich dem südlich davon sich hinziehenden Gebirge ebenfalls Góngola.

Das Reich der Pullo besteht, wie das der Kanúri, aus einer Menge kleinerer und grösserer Sultanate, die alle dem Sultan von Sókoto unterthan sind. Sókoto ist die gegenwärtige Hauptstadt, deshalb wird jetzt häufig das ganze Reich so genannt; die Residenz kann aber leicht einmal anderswohin verlegt werden, und dann würde auch der Name des Landes sich wieder ändern. Und nicht blos nach dem Namen der Hauptstadt, auch nach dem Namen des regierenden Fürsten pflegen die Neger ein Land zu benennen; so hörte ich Kalam immer Koringa nennen, weil dessen Sultan Mohammed Koringa heisst, während dasselbe Land bei Barth Bóberu genannt wird nach dem damaligen Sultan Bóberu, dem Grossvater Koringa's. Erst einige Tage vor meiner Ankunft in Góngola war Sultan Hamedo von Sókoto gestorben und sein Neffe Alio, der Sohn seines verstorbenen Bruders Bello, zur Regierung gelangt. Alle Sultane des Landes, sagte man mir, begeben sich nun nach

Sókoto, um dem neuen Herrscher zu huldigen, und ich würde daher wahrscheinlich Mohammed Koringa nicht in Gombē antreffen.

Ich war in Kuka darauf vorbereitet worden, dass im Reiche der Pullo auf Gastfreundschaft nicht zu rechnen, aber der Bedarf an Lebensmitteln in jedem Orte billig zu haben sei, und in der That kamen, sobald wir uns gelagert, Weiber mit Körben und Schüsseln auf dem Kopfe herbei, die Ngáfoli, Moro, Bohnen und Koltsche zum Kauf anboten. Gegen Muscheln, welche hier die einzige Geldmünze sind (in Bornu nimmt man Muscheln nur in den grossen Städten neben Kattunstreifen als Geld, doch dehnt sich ihr Gebrauch immer weiter aus: so wurden sie jüngst auch in Bágirmi, wenigstens in dessen Hauptstadt Másseña, als Zahlmittel eingeführt), erhandelte ich von ihnen Mehl, Gemüse und einige Hühner. Zugleich mit uns und unter dem Schutze unserer Flinten war eine Karavane, die Salz und Rinder zum Verkauf brachte, über die Grenze hierhergekommen. Sie lagerte dicht neben uns, damit man glauben sollte, sie gehöre zu meinem Reisegefolge, und so ihre Waare zollfrei passiren liesse. Sonst wird für die von Bornu ins Land kommenden Producte ein Eingangszoll erhoben, für ein Pferd oder Rind 20 Muscheln, für ein Schaf oder eine Ziege 10 Muscheln, von jeder Kopflast Salz ein gewisses Quantum in natura. Der Import von Vieh und Salz aus Bornu ist bedeutend, da die Pullo wenig Viehzucht treiben, namentlich Pferde fast gar nicht züchten, und das Salz, welches sie aus der Asche des Runo-Baums gewinnen, dem, das in Nordbornu aus der Suak-Asche gekocht wird, an Güte bei weitem nachsteht.

Die Bevölkerung von Góngola, etwa 1200 Seelen stark, gehört dem Pullo-Stamme an und redet auch die Pullo-Sprache, ist aber infolge der Vermischung mit den angrenzenden Kanúri wie mit den Ureinwohnern des Landes, den

Haussa, äusserlich kaum mehr von den Negern zu unterscheiden: eine Wandelung, die sich beim grössten Theil der Fellata vollzieht, da sie fast nirgends unvermischt beisammen wohnen, sondern über sehr weite Gebiete vertheilt sind.

Nach einer im Freien verbrachten kalten Nacht — vor Sonnenaufgang fiel das Thermometer bis auf + 5° — setzten wir uns morgens 7 Uhr wieder in Marsch, bis auf wenige Grad die direct westliche Linie verfolgend. Vom rechten Ufer des Góngola an steigt das Terrain ziemlich rasch, und von allen Seiten erheben sich schön bewaldete Berge aus Sandstein, mitunter auch aus Kalk. Um 9½ Uhr an den Ausgang eines Engpasses gelangt, der mit einem Thor und einem starken Steinwall verschlossen wird, sahen wir in einem Thalkessel die hochummauerte Stadt Begē vor uns liegen. Ihre Hütten, aus der Ferne nicht sichtbar, sind durch einen Wald von Palmen überragt, sodass man glauben könnte, einen Ksor in der Sahara vor sich zu haben, zeigte nicht ein Blick auf die dazwischenstehenden Gunda-Bäume und auf die grünbewachsenen Berge ringsum, dass man sich in der Tropenzone des waldigen Afrika befindet. Nur nach Südwesten schweift der Blick über das Thal hinaus, bis die Aussicht fern am Horizont durch die Hochebene von Birri begrenzt wird. Wir zogen ohne Aufenthalt zwischen Tabacks- und Baumwoll-Pflanzungen an der Stadt vorbei. Dicht hinter Begē führt ein Weg ab nach dem circa 5 Stunden westlich entfernten Orte Náfata. Nach einem weitern Marsch von 2½ Stunden erreichten wir die untere Stadt Birri, ebenfalls in einem Thalkessel gelegen, und blieben daselbst zur Nacht. Man gewährte uns gegen Bezahlung in Muscheln Quartier und gute Verpflegung. Die Einwohner, deren Zahl sich auf 1500 belaufen mag, Mohammedaner, doch frei von Fanatismus, sind Fellata, aber stark mit Negerblut vermischt und daher meist von schwarzer Hautfarbe. Ich erfuhr hier, dass Mohammed Koringa seine Hauptstadt Gombē verlassen habe, um weiter südlich eine Rasia auf Sklaven auszuführen.

Andern Tags wurde um 7 Uhr aufgebrochen. Wir stiegen erst durch einen 10 Minuten langen Engpass zur obern Stadt Birri hinauf, die zweimal so gross ist wie die untere, gingen deren äussere Mauer entlang und kamen durch einen etwas breitern Pass auf die in südwestlicher Richtung sanft ansteigende Hochebene. Das Gestein, das aber nur an wenigen Stellen zu Tage tritt, ist grober Sandstein; im ganzen ist der Rücken des Plateaus mit ausserordentlich dichtverwachsenem Walde bedeckt. Um meinem Kamel einen Durchweg zu öffnen, mussten oft Aeste, ja Bäume abgehauen und beiseite geschafft werden; seine Ladung zerriss an den Dornen der Akazien- und Lotos-Bäume, und uns Reitern schlug das hohe Gras über den Köpfen zusammen. So brauchten wir 7 Stunden bis zu unserm nicht mehr als 5 Kamelstunden entfernten Lagerorte, dem ärmlichen Walddorfe Uaua. Dort angekommen, ward mir gesagt, Mohammed Koringa lagere in dem Oertchen Tapē, das ungefähr 10 Stunden südlich von Uaua liege. Auf diese Nachricht schickte ich Hammed in Begleitung des Kendjam (Reiters) von Gudjba dahin ab, mit dem Auftrage, dem Sultan meinen Gruss zu entbieten und die Geschenke, die ich für ihn bestimmt hatte, zu überreichen, sodann auf dem kürzesten Wege nach Uaua zurückzukehren, wo wir bis zu seiner Wiederkunft bleiben würden.

Die Dorfbewohner verkauften mir gegen Muscheln Getreide, Gunda-Früchte und Holz, das beim Verbrennen einen angenehmen Duft entwickelte, ähnlich wie das von den Türken und Arabern zum Räuchern verwendete Gomári-Holz. Fleisch verschafften wir uns durch Schiessen einiger Waldtauben. Meine Hütte gewährte am Tage Schutz gegen die Sonnenstrahlen, welche jetzt noch nachmittags die Luft bis auf + 30° im Schatten erwärmten, und in der Nacht vertrieb ein tüchtiges Feuer die Kälte der Hochebene.

Ich bewunderte hier wieder die Thonbauten der Ameisen, gothische Thurmspitzen von 15 Fuss Höhe und darüber. Zu den früher aufgezählten Ameisenarten tritt westlich von Gudjba noch eine neue hinzu. Kleiner als jene, welche die gothischen Bauten aufführt, baut sie 2—3 Fuss hohe Kuppeln oder Gewölbe im byzantinischen Stil; diese Kuppelbauten sind von aussen festgeschlossen, scheinbar ohne jeglichen Zugang, im Innern aber wie ein Schwamm durchlöchert. Beide Arten lassen sich am Tage nicht blicken, sondern schaffen nur in der Morgendämmerung vor Sonnenaufgang an ihrer künstlichen Architektur.

Am dritten Tage, 5. Januar, gegen Mittag kehrte Hammed von Tapē zurück. Der Sultan Koringa hatte meine Botschaft freundlich aufgenommen und liess mir sagen, ich möchte ihn in seiner Hauptstadt Gombē erwarten, wo er nach acht Tagen einzutreffen gedenke. Im Lager bei ihm befand sich sein Verbündeter, der Sultan von Messauda; diesem gab er einen Theil meiner Geschenke, unter anderm eine Harmonica. Die beiden Fürsten waren gemeinschaftlich auf den Menschenraub ausgezogen und hatten zunächst vor, den Ort Katúnga, einen Tagemarsch südlich von Tapē, zu überfallen und auszuplündern. Als Hammed sich verabschiedete, befahl Mohammed Koringa einem Mann aus seinem Gefolge, er solle mitreiten, in Duku Getreide für uns requiriren und dasselbe von dort nach der Hauptstadt bringen lassen.

Ueber den Weg zwischen Uaua und Tapē berichtete mir Hammed: Den ersten Tag hatte er ungefähr 5 Stunden in gerader Südrichtung zurückgelegt; nachdem er

2 Stunden von Uaua den Ort Komē passirt, übernachtete er in dem Dorfe Djori. Von da ritt er am nächsten Morgen 6 Stunden südöstlich, überschritt nach der vierten Stunde das Rinnsal des Kelli-Flusses, der von Süden kommend östlich dem Góngola zuströmt, und erreichte Tapē gegen Mittag. Zurück zu nahm er bis Komē eine andere, etwas nähere Tour. Nach den Angaben der Bewohner von Uaua liegt eine Tagereise südlich von ihrem Dorfe der Ort Kafaráti, eine Tagereise südwestlich der Ort Kúndulu, eine Tagereise östlich der Ort Delláu und zwei Tagereisen südlich der Ort Bode.

Am 6. Januar früh 6¾ Uhr ging es wieder vorwärts. Immer noch war der Wald so dicht, dass er unserm Durchkommen grosse Schwierigkeiten entgegensetzte. Wir hielten die Richtung von 160°, gelangten um 9 Uhr zu dem neuangelegten Dorfe Ssuka und kreuzten um 10 Uhr eine Strasse, welche die beiden Orte Gambē und Ualul miteinander verbindet; ersterer blieb 2 Stunden nördlich, letzterer 3 Stunden südlich von uns entfernt. Schon eine Stunde hinter Uaua überschritten wir den höchsten Punkt der Hochebene von Birri; die Abdachung ist jedoch eine sehr sanfte, sodass ich sie nur mittels des Barometers wahrnahm. Jetzt zeigte sich am nordwestlichen Horizont der niedrige Rücken des Kalam-Gebirges, und bald darauf zogen wir in den von hohen Litha-Bäumen beschatteten Ort Tinda ein. Wieder hatten wir in 7 Stunden nur 5 Wegstunden zurückgelegt.

Tinda war der erste Pullo-Ort, wo man uns gut bewirthete. Die Einwohner brachten unaufgefordert Schüsseln voll Milch, Yams, Koltsche, Morobrei nebst Hühnern und andern Lebensmitteln ins Lager; ich erfreute sie dagegen durch Gaben von Salz und einigen Taschentüchern. Gastfreundschaft ist bei den Pullo nicht vorgeschriebene Sitte wie bei den mohammedanischen Völkern, aber sie erweisen sich darum nicht minder, vielmehr in besonders anzuerkennendem Maasse gefällig und hülfreich gegen Fremde. Nirgends auch geniesst das Eigenthum der Reisenden so vollkommene Sicherheit; vor einem von Pullo bewohnten Dorfe kann man die Pferde und Kamele sammt allem Gepäck unbeaufsichtigt im Freien lassen, ohne besorgen zu dürfen, dass etwas davon entwendet werde. Und wie gegen Fremde bewähren sie im Verkehr unter sich, in ihrem Familien- und Gemeindeleben die Grundsätze gegenseitiger Billigkeit und Verträglichkeit, daher das sogenannte Sókoto-Reich zu den friedlichsten und wohlgeordnetsten Innerafrikas gehört. Zur Zeit als Clapperton zuerst Sókoto besuchte, soll der Staat fester organisirt gewesen sein, als er später von Barth und von mir gefunden wurde; vielleicht war der damalige Herrscher eine energische Persönlichkeit, welche die Theile mit kräftiger Hand zusammenzuhalten wusste.

Die Fragen über Abstammung, Herkunft und Verwandtschaft der Pullo (oder Fullo, Fullan, Fellata) sind noch ungelöst, da sie selbst keine geschichtlichen Documente besitzen und diejenigen anderer afrikanischen Völker, welche der Pullo erwähnen, nicht die geringste Auskunft darüber geben. Es ist ebenso gut möglich, dass sie vom Westen oder von Nordosten aus dem Nilthal eingewandert, als dass sie, wie Barth meint, von Osten her ins Innere gekommen sind. Nur eine tiefere vergleichende Durchforschung ihrer reichen, wohlklingenden und biegsamen Sprache, des Fulfulde, dürfte im Stande sein, auf die Spur ihrer Verwandtschaft mit andern Völkerrassen zu leiten. Eichthal glaubt sie mit den Malaien verwandt, Richardson und Clapperton lassen sie aus Vermischung der Araber mit Negern hervorgegangen sein; beide Hypothesen aber werden von Sprachforschern verworfen. Das Gebiet, auf welchem heutzutage die Pullo ihre Wohnsitze haben, ist ein sehr weit ausgedehntes; dennoch muss ich Barth's

9*

Angabe, dass auch in Tuat von alters her Pullo ansässig seien, durchaus widersprechen. Er hielt die dortigen Mischlinge von Arabern oder Berbern und Negern irrthümlich für Pullo. Einzelne der letztern mögen wol so weit nach Norden gehen, und viele junge Pullo-Mädchen werden in die Harems verkauft, allein wirkliche Ansiedelungen von Pullo gibt es in Tuat nicht.

Wo sich die Pullo unvermischt erhalten haben, da ist ihre Hautfarbe gelb wie matte Bronze, der Körperbau wohlproportionirt und die Gesichtsbildung der der kaukasischen Rasse entschieden sehr nahe stehend: etwas niedere Stirn, mitunter breite, doch nie platte Nase, schmale, nicht wulstige Lippen, keine hervortretenden Backenknochen, ausdrucksvolle schwarze Augen, dazu starker Bart und glänzend schwarzes, zwar krauses, doch langes Haar. Jedenfalls sind sie bei weitem der schönste Menschenschlag von Centralafrika. Die Männer tragen ein weisses, oben vielgefälteltes Kattunhemd mit langen weiten Aermeln; die Frauen winden ein Stück Baumwollenzeug, aus Streifen zusammengenäht, um die Hüfte, sodass der Oberkörper vom Nabel an unbedeckt bleibt; die jungen Leute gehen bis auf einen Schurz vor der Scham ganz nackt.

Höchst wahrscheinlich waren die Pullo ursprünglich ein viehzüchtendes Nomadenvolk und lernten erst von den Haussa Getreide und Gemüse bauen, sie haben aber darin, wie in andern Arbeiten ihre Lehrmeister übertroffen. Neben dem Landbau treiben sie auch jetzt noch etwas Rindviehzucht, die weiter nach Süden ganz aufhört. Sie bereiten gleich den Negern gute Butter, haben es aber nicht bis zur Käsebereitung gebracht, wie überhaupt in ganz Afrika nur die Araber, Berber und Abyssinier Käse zu bereiten verstehen. Die Hütten der Pullo und der Haussa bestehen wie die im südlichen Bornu aus Thonwänden und einem bienenkorbförmigen Dache, und obwol die Wände hier viel dünner sind, leisten doch ihre Hütten infolge des bessern Materials und der dauerhaftern Arbeit stärkern Widerstand gegen die Einflüsse der Witterung als die Wohnungen der Kanúri. Ihre Wasserkrüge, Esstöpfe, Matten und sonstigen Geräthe zeugen von der Geschicklichkeit und dem Farbensinn der Verfertiger; ich sah Matten in Mannshöhe von zierlichem Geflecht und geschmackvoller Zusammenstellung der Farben, die mit 4—5000 Muscheln oder einem Mariatheresienthaler bezahlt werden.

Wir verliessen das gastliche Tinda am 7. Januar früh 7 Uhr in der Richtung von 280° und wandten uns nach einer Stunde gerade westwärts. Durch dichten Wald und an mehreren kleinen Ortschaften vorbei gelangten wir um 9 Uhr zu dem Dorfe Báluru, wo ein kolossaler Litha-Baum, dessen Stamm wie ein Bündel Faschinen aussah, meine Aufmerksamkeit erregte. Die Luft war wieder durch Wüstenstaub so verfinstert, dass man nicht im Stande war, Gegenstände in einiger Entfernung zu unterscheiden. Hart am Wege erheben sich rechts und links niedrige Hügel, und wie ich aus meinem Aneroid ersah, neigte die Strasse immer noch langsam abwärts. Um 11 Uhr ritten wir in die auf Kalkboden liegende, von Ringmauern und doppelten Gräben umschlossene Stadt Duku ein. Sie übertrifft Kuka an Umfang, zählt aber schwerlich mehr als 15000 Einwohner, denn innerhalb der Mauern befinden sich grosse Gärten und unbebaute Plätze. Auf einem der letztern wurde gerade Markt abgehalten, der indess nicht von Bedeutung zu sein scheint. Der von Mohammed Koringa mitgesandte Reiter hatte hier das Frühstück für uns bestellt; da ich aber noch bei zeiten Gombē erreichen wollte, stieg ich nicht vom Pferde, sondern liess den Marsch ohne Aufenthalt fortsetzen.

Hinter Duku fängt der Wald an lichter zu werden;

die stachlichten Mimosen und Korna-Bäume verschwinden mehr und mehr, und der prächtige Runo-Baum tritt an ihre Stelle. Nach einer Stunde überschritten wir das Rinnsal des Alhádi, und wieder nach einer Stunde das trockene Bett des Gana, die beide von Südwest nach Nordost dem Gombē-Flusse zufliessen. Nun öffnete sich eine weite, blühende, mit zahlreichen Dörfern und Weilern geschmückte Landschaft, in der die Hauptstadt von Kalam malerisch zwischen Hügeln und Bergen vor uns lag. Eine letzte Marschstunde brachte uns an das Ziel. Wir zogen vor die Wohnung des Sultans und wurden von dessen Bruder in das für uns bestimmte Quartier gewiesen, das aus vier Hütten bestand. In diesem Quartier fand ich zum ersten mal sogenannte Feuerbetten, lange, hohle Kasten von Thon, die in den Wintermonaten des Nachts mit Holz oder Kohlen wie ein Backofen geheizt und, mit einer Matte überdeckt, von den fröstelnden Negern als Schlafstätte benutzt werden. Gombē, eine grosse, mit gut unterhaltenen Mauern und Gräben umgebene Hüttenstadt — ich bemerkte kein einziges Haus — mag wol 20000 Einwohner haben, von denen die Mehrzahl Pullo, die übrigen Kanúri- und Haussa-Neger sind.

Unser Fakih aus Mursuk traf in Gombē seine Nichte an und erfuhr von ihr, dass die Erbschaft, nachdem die Schulden des Erblassers bezahlt worden, sich von 60 Sklaven auf 3 und von 100 Stück Rindvieh auf 100000 Muscheln reducirt habe, welcher Rest bis zum Austrag der Sache beim Gericht deponirt sei, daher es ihm nichts nützen würde, nach Jacoba zu gehen. Er musste also mit seinen gemietheten Leuten leer nach Kuka zurückkehren. Was ihn aber im Augenblick noch mehr schmerzte als die getäuschte Hoffnung, war, dass er, weil eben das Ramadhan-Fest begonnen hatte, unter den strenggläubigen Pullo während dieser Zeit das Nbultrinken einstellen musste.

Das Getreide, das aus Duku für uns geliefert werden sollte, war nicht angekommen, auf dem Markte von Gombē aber gab es des Ramadhan-Festes wegen weder Getreide noch sonst etwas zu kaufen. Deshalb beschloss ich, die Zurückkunft Mohammed Koringa's in seine Residenz nicht abzuwarten, sondern schon am nächsten Tage weiterzugehen. Der Bruder des Sultans und der Kaiga-ma suchten zwar meine Abreise zu hindern, indem sie den Eingeborenen, die ich an Stelle der bisher von mir benutzten Leute des Fakih miethen wollte, das Mitgehen bei Strafe verboten, allein ich liess mich dadurch in dem einmal gefassten Entschlusse nicht wankend machen. Morgens am 9. Januar wurde unser Kamel beladen, und da Hammed wieder so am Fieber litt, dass er nicht zu Fuss gehen konnte, übernahm ich selbst das Amt des Treibers und gab dem kleinen Noël mein Pferd.

So zogen wir um 8 Uhr 20 Minuten aus dem Thore von Gombē. Draussen boten mir zwei Kanúri ihre Dienste an, der eine als Führer, der andere als Kameltreiber. Beide verstanden sowol die Pullo- als auch die Haussa- und die Bolo-Bolo-Sprache, welche Sprachen in den südwestlichen Ländern, die ich nun zu passiren hatte, die vorherrschenden sind. Gern bewilligte ich deshalb ihre Forderungen: 6000 Muscheln an den Führer, welche sein ihn begleitender Vater sofort in Empfang nahm, und nur 1500 Muscheln, in Jacoba auszuzahlen, an den Treiber, obwol diesem eigentlich das schwerste Geschäft zufiel. Wir marschirten eine Stunde in gerader südwestlicher, dann $2^1/_2$ Stunden in südsüdwestlicher Richtung. Dank dem Segen des immer fliessenden Stromes gleicht die ganze Gegend einem anmuthigen Park, dessen grüner Rasenteppich nirgends daran erinnerte, dass die Regenzeit schon seit Monaten vorüber war. Scharen von Vögeln nisteten in den belaubten Bäumen, und gravitätisch stolzirte der

Rinderhüter, der sich zur Regenzeit auch in Kuka häufig sehen lässt, hinter den grasenden Kühen einher. Begreiflicherweise haben auf dem immer durchtränkten, fruchtbaren Boden die Menschen sich ebenfalls in Menge angesiedelt. Am rechten Ufer des Flusses folgen dicht nacheinander die Dörfer Lambda, Galdjigína, Kolombári, Tjúari und Auáni, und das linke ist gewiss nicht minder stark bewohnt, nur konnte man wegen der grossen Ausdehnung der Hinterwässer dieses nicht so weit übersehen, zumal Waldrauch und Wüstenstaub die Fernsicht verdunkelten. Mehrere Canoes von ausgehöhlten Baumstämmen bezeugten, dass selbst bei hohem Wasserstande der Verkehr zwischen beiden Ufern nie ganz unterbrochen sein mag.

IX.

Im Reiche Bautschi (Jacoba).

Ueberschreitung der Grenze. Burriburri. Die Bolo-Neger. Ein Pseudo-Scherif. Ankunft in der Hauptstadt Garo-n-Bautschi. Ritt nach Keffi-n-Rauta. Besuch beim Lámedo. Oeffentliche Audienzen. Die Lagerstadt Keffi-n-Rauta.

Der Fluss Gombē bildet die Grenze zwischen den Reichen Kalam und Bautschi oder Jacoba. Wir setzten um 12 Uhr auf das rechte Ufer desselben über und erreichten bald die in weitem Umfange von Mauern umgebene Bautschi-Stadt Burríburri, die indess, da neben den Hütten grosse Felder und Gärten sich ausbreiten, wol nicht mehr als 5000 Einwohner zählt. Letztere sind sämmtlich Kanúri; sie reden die Sprache ihrer Stammesgenossen in Bornu, wissen jedoch nichts von der Gastfreundschaft, wie sie dort gegen Fremde geübt wird; ich sah mich sogar genöthigt, zum Schutz gegen Diebe des Nachts Wachen vor unserm Lager auszustellen. Der Ortsname Burriburri oder Berriberri kommt in diesen Theilen Afrikas nicht selten vor, und man kann mit ziemlicher Gewissheit annehmen, dass alle so benannte Ortschaften von Kanúri gegründet und bewohnt seien. Sporadisch sind die Kanúri bis zum Niger und Bénuē hin verbreitet.

Andern Tags, den 10. Januar, kamen wir wegen der Schwierigkeit des Weges nur 2 Stunden in südwestlicher

Richtung vorwärts. Mehrmals warf das Kamel die Ladung ab, die Stricke zerrissen, die Säcke platzten, und vieles von meinen Sachen wurde beschädigt. Indess gewährte die reizende Umgegend von Burriburri vollen Ersatz für diese Widerwärtigkeiten. Das Bild, das sich mir hier in der Morgenfrühe darbot — im Vordergrunde der vom Süden kommende Fluss, dann dessen jenseitiges sanftgewelltes und grünbewaldetes Ufer mit den zahlreichen Hüttendörfern, am östlichen Horizont zwei hintereinander aufsteigende Bergketten, alles mit dem blauen Duft des Waldrauches umschleiert — konnte mich an die Porta Westphalica des heimatlichen Weserstroms versetzen, wenn anders der Blick auf die fremde Vegetation, die Form der Hütten, die fetten Buckelrinder, die mit Bogen und Pfeilen bewaffneten Neger eine Täuschung der Art hätte aufkommen lassen. Wir näherten uns, während das Terrain immer hügeliger wurde, dem Gabi-Flusse, der aus Südwesten vom Djaránda-Gebirge herabfliesst und in den Gombē-Fluss mündet. Als wir ihn erreicht und überschritten hatten, blieben wir, um die Schäden der Ladung auszubessern, in einem der an seinen beiden Ufern liegenden Dörfer, die alle Gabī genannt werden. Es bestand aus äusserst ärmlichen, schmuzigen Hütten und war von Bolo-Heiden bewohnt. Die Bolo reden eine eigene Sprache und haben stark aufgeworfene Lippen, doch weniger dunkle Hautfarbe als die Bágirmi. Die Männer, gross und kräftig von Gestalt, scheren sich den Kopf nicht kahl, wie die Kanúri, Bágirmi, Haussa und andere Negerstämme, sondern tragen ihr volles Haar. Die Frauen sind klein und corpulent und binden das Kopfhaar von hinten nach vorn in eine hochgethürmte Wulst zusammen. Man räumte uns freundlich eine von den schmuzigen Hütten ein, bekümmerte sich aber sonst nicht viel um die Gäste. Abends ging ich an den Fluss. Der Gabi hält das ganze Jahr hindurch Wasser, um diese Zeit freilich nur einen schmalen Streifen; ich fand es klar und süss. In dem groben Kiessande des Grundes führt er viele Plättchen Marienglas mit sich, die in der Sonne wie Gold schimmern, und sein breites Bett enthält mächtige Blöcke von Granit, weiter abwärts auch von Kalk- und Sandstein. Heerden von Pavianen und Meerkatzen beleben die immergrünen Ufer.

Am folgenden Tage wurden wieder kaum 4 Wegstunden zurückgelegt. Nachdem wir die erste Stunde südwestlich einen volkreichen Landstrich, hierauf südlich einen Wald, gleichfalls an vielen bewohnten Dörfern vorbei, durchzogen hatten, galt es, ein äusserst zerklüftetes und unwegsames Gebirge mit unserm Kamel zu übersteigen. Oft mussten wir dem Thiere seine Ladung abnehmen und alles einzeln auf unsern Köpfen tragen, damit es die steilen Pässe erklimmen konnte, und es war selbst zu verwundern, wie es unbelastet die Mühen und Hindernisse des Weges überwand. Je nach der Beschaffenheit des Terrains bogen wir im Zickzack bald rechts, bald links von der geraden Richtung ab, hielten uns jedoch im allgemeinen südwestlich. Wie in der Kabylie fehlt es auch hier mitten im Gebirge nicht an Dörfern, theils keck von schroffen Höhen herabschauend, theils hinter Felsblöcken versteckt liegend. In einem derselben, wo wir anhielten, um nach dem besten Wege zu fragen, wurden wir mit Tamarindenwasser bewirthet und zum Absteigen eingeladen. Die Oberfläche der Berge bestand anfangs aus Kalk- und Sandstein, später trat grobkörniger Granit zu Tage. Unter der reichen Baumvegetation herrschten die Mimosen vor, und zum ersten male begegnete mir hier der Candelaber-Baum, ein riesiger Cactus mit ganz eigenthümlichen Formen. Durch Vogelstimmen aller Art und das heisere Geschrei der Affen war die Waldeinsamkeit belebt. Gegen Abend kehrten wir in dem Bergdorfe Djaro ein. Obwol uns mehrere seit dem Frühjahr leerstehende Hütten zur Verfügung gestellt wurden, lagerten wir, aus Furcht vor Skorpionen und anderm Ungeziefer, im Freien unter einem breitästigen Runo-Baume. Es sollen viele Panther und Leoparden in der Gegend hausen; wir unterhielten deshalb in der Nacht grosse Feuer, ich wurde jedoch durch nichts als dann und wann durch das Geheul hungeriger Hyänen im Schlafe gestört.

Am 12. Januar vollbrachten wir einen sechsstündigen nach Südwesten gerichteten Marsch in wilder Gebirgsgegend. Wir passirten im Aufsteigen eine Menge nach Osten strömender Wässer und hatten vom Orte Barē an im Westen eine Reihe von Bergen zur Seite, deren höchste, südliche Spitzen, der Súngoro- und der Kobi-Berg, nach meiner Schätzung sich 1500 Fuss über das Plateau erheben. Zwischen und auf den Felsen fanden wir auch hier noch zahlreiche Dörfer. Ihre Bewohner, Bolo-Neger von schwarzer, nur bei einigen, wol infolge der Vermischung mit den Fulan, etwas hellerer Hautfarbe, gingen nackt. Die Männer, robuste und gedrungene Gestalten, hatten wenigstens kleine Schurzfelle von ausgefranstem Leder vorgebunden. Die Weiber aber, alte wie junge, waren ohne alle Bekleidung, während sehr breite Ringe von Silber, Eisen oder Kupfer die Oberarme und Beine umschlossen; ausnahmsweise legen sie einen handbreiten Ledergürtel um die Hüften, an dem vorn und hinten ein oder mehrere Blätter befestigt sind; die Haare werden entweder wie ein Helmbusch oder in Form eines hohen korbähnlichen Kranzes zusammengerafft. Von Statur klein und rund, haben die Weiber in der Jugend sanfte Gesichtszüge, im Alter dagegen sind sie von abscheulicher Hässlichkeit. Wollte ich sagen, sie sehen aus wie des Teufels Grossmutter, so wäre dies ein falsches Bild, denn die Neger malen den Teufel nicht deshalb weiss, um ihn recht hässlich, sondern um ihn möglichst furchtbar darzustellen. Ueberhaupt darf man nicht glauben, dass die Neger, weil ihre Gesichtsbildung von der unserigen so entschieden abweicht, wesentlich andere Begriffe von Frauenschönheit haben als wir. Ein nach unserm Geschmack mehr oder weniger schönes Gesicht steht bei ihnen in gleicher Geltung, und wenn sie auch bisweilen spottweise unsere feinen Lippen mit denen der Meerkatzen und unsere langgestreckte Nase mit dem Schnabel des Pfeffervogels vergleichen, so wissen sie doch die Schönheit einer Fellata-Frau mit kaukasischen Gesichtszügen recht wohl zu schätzen. Ein Neger, der eine schwarze Madonna zu malen hätte, würde sicher nicht eine Musgu- oder Tuburi-Negerin, sondern eine wohlgebildete Bornuerin oder Uándala zum Modell nehmen.

Wir gelangten an Damagúsa, Kakaláfia und andern unbedeutenden Ortschaften vorbei nachmittags zu dem grossen ausschliesslich von Fellata bewohnten Orte Tjungóa, dem Ziel unsers Tagemarsches. Zu meiner Verwunderung ward uns seitens der Bewohner gastfreundliche Aufnahme und Bewirthung zutheil; selbst unsere Pferde bekamen wieder einmal sattsam Korn zu fressen. Die Sache klärte sich folgendermassen auf. Seit Jahren war ein Mann hier ansässig, der sich einen Scherif der Schingéti nannte, d. h. der Schellah-Berber, die nordwestlich von Timbuktu bis zum Ocean die Wüste durchstreifen und, obwol sie nichts weniger als Abkömmlinge Mohammed's sind, den zum Islam bekehrten Negern sich als Schürfa darstellen, um sie auf schamlose Weise auszubeuten. Der Fulfulde-Sprache vollkommen mächtig, predigte er den Fellata beständig vor, um in das Paradies zu kommen, gebe es kein sichereres Mittel, als dass sie seine geheiligte Person nach Gebühr verehrten, ihm dienstbar seien und seine Ländereien unentgeltlich bearbeiteten. Er hatte eine Frau ihres Stammes geheirathet und war mit ihr im Jahre 1866 nach

Mekka gepilgert, was den Ruf seiner Heiligkeit noch bedeutend vermehrte. In Bornu verstand man es besser, wie er wohl wusste, die echten Schürfa von den falschen zu unterscheiden; daher war er auf die Kanúri sehr schlecht zu sprechen, und damit wir den Ortsbewohnern seine wahre Herkunft nicht verrathen möchten, empfahl er ihnen angelegentlich, uns aufs beste zu verpflegen.

Als wir am folgenden Tage aufbrachen, hatte sich eine Menge Volks um uns versammelt. Da kam auch der Pseudo-Scherif auf einem kleinen verkrüppelten Pferde herbeigeritten, um mir eine Strecke weit das Geleit zu geben. Zum Abschiede beschenkte er meinen Diener Hammed, welcher sich ebenfalls für einen Scherif auszugeben pflegte, als Collegen mit 100 Muscheln, indem er den seine Freigebigkeit anstaunenden Negern zurief: „Seht, so muss man Schürfa bewirthen, das ist der sicherste Weg zur Thür“ (des Paradieses)! Jedenfalls war er seinerseits sicher, dass seine gläubigen Verehrer ihm die 100 Muscheln bald wieder ersetzen würden.

Wir legten an diesem Tage abermals nur einen Weg von 6 Stunden in westsüdwestlicher Richtung zurück. Die uns umgebenden Berge bildeten jetzt gewaltige Granitmassen in relativer Höhe von 1500 bis 2000 Fuss, alle gut bewachsen und von mannichfachster, oft wunderlichster Formation. Zwei Stunden zu unserer Rechten ragte der von Heiden bewohnte Dündi-Berg empor; an ihn stösst der bedeutende Berg Ngámoli, der sich im Bogen bis zum Djinker-Berge hinzieht. Letzterer scheint mit seinen nach Südosten entsendeten Ausläufern den Weg gänzlich zu versperren, aber durch die von steilen, fast lothrechten Granitwänden eingefasste Schlucht führt ein gangbarer Pass. Hier sollen viele Panther im Hinterhalt lauern, um von Viehheerden, die hindurchgetrieben werden, sich ein Beutestück zu holen. Die östlich und westlich von dem Passe befindlichen Fellata-Dörfer werden nach dem Berge selbst Djinker genannt. Nach Ueberschreitung des Passes sahen wir rings am Horizont Berge von grössern Dimensionen und bis zu 6000 Fuss relativer Höhe vor unsern Blicken auftauchen. Es war Nachmittag, als wir den Ort Súngoro erreichten, der theils von Pullo-, theils von Haussa-Negern bewohnt ist. Ein heftiger Fieberanfall nöthigte mich leider, gleich bei der Ankunft mein Lager aufzusuchen.

Die Dörfer der Pullo sind meist weitläufiger angelegt als die der Kanúri, und auch ihre Wohnungen weichen in der Bauart von denen der letztern erheblich ab. Während die Hütten einer Kanúri-Wohnung, eines sogenannten fáto, einzeln und ohne Ordnung in einem viereckigen Gehege stehen, bilden die drei bis vier Hütten der Pullo-Wohnung einen Kreis, dessen Zwischenräume durch thönerne Vorrathsthürme von gleicher Höhe wie die Hütten selbst ausgefüllt sind. Aus einer Hütte führt eine Thür, durch die man aufrecht hindurchschreiten kann, nach dem innern Hofraum; es ist dies ein wesentliches Unterscheidungsmerkmal auch von allen andern Negerwohnungen. Die übrigen Hütten haben nur nach dem äussern Hofe eine runde Oeffnung von $1\frac{1}{2}$ Fuss im Durchmesser. In der Mitte des Kreises stehen meist noch einer oder mehrere solcher Vorrathsthürme, und oft ist das Ganze mit Matten überdacht. So bildet die Pullo-Wohnung ein geschlossenes Haus, wogegen die der Kanúri und anderer Negerstämme nur aus einer oder mehrern einzelnen Hütten besteht. Was indess die Kanúri vor den Pullo voraus haben, ist die grössere Reinlichkeit.

Ich war am andern Morgen noch sehr angegriffen, stieg aber doch zu Pferde, um die nur mehr 3 Stunden entfernte Hauptstadt von Bautschi zu erreichen. Südwestliche Richtung haltend, passirten wir die Orte Joli, am Berge gleiches Namens gelegen, und Kiruin, ebenfalls von hohen

Felsen umgeben. Die Berge im Südost, Süd und Südwest traten immer deutlicher hervor, namentlich der kolossale Tsaránda- (Djaránda-) Berg, der mich lebhaft an den Monte Baldo am Gardasee erinnerte. Jetzt sahen wir die röthlich schwarzen, nur von wenigen Thoren durchbrochenen Thonmauern der Hauptstadt Garo-n-Bautschi — dies ist ihr eigentlicher Name, während sie von den Arabern und nach ihnen auch von den östlich wohnenden Negern, nach dem Namen ihres Gründers, Jacoba, Jacobo, Jacobári genannt wird — in endloser Einförmigkeit sich hinstrecken. So herrlich die Natur dieses weite Alpenthal geschmückt hat, einen so öden Eindruck macht von aussen gesehen die Stadt, da die Bäume im Innern nicht hoch genug sind, als dass sie mit ihren Kronen die hohe, kahle Mauer überragen könnten.

Wir ritten durch das Thor in die Stadt ein. Unterwegs hatte ich schon gehört, dass der Lámedo (das Pullo-Wort für Sultan, König) nicht in Garo-n-Bautschi anwesend sei, sondern seit 2 Monaten mit seinem Kriegsheer in der befestigten Stadt Rauta verweile. Auch Vogel berichtete in einem Briefe an Ehrenberg vom 11. December 1855, er habe den Lámedo nicht in seiner Residenz angetroffen; derselbe stehe schon 7 Jahre im Felde gegen den 65 englische Meilen gegen Nordnordwest an der alten Strasse nach Kano wohnenden heidnischen Stamm der Sonóma, welcher durch aus Bautschi entlaufene Sklaven fortwährend Verstärkung erhalte. Zum Glück war ich ausser an den Lámedo auch an einen Kaufmann aus Rhadames Namens Hadj Ssudduk empfohlen. Ich liess mich nach dessen Hause führen und erfuhr hier zwar, auch er habe bereits seit längerer Zeit die Stadt verlassen; das Haus war aber von einem Verwandten von ihm Namens Ali-ben-Abidin bewohnt, der mir, nachdem er mein Empfehlungsschreiben in Empfang genommen, freundlichst seine Dienste anbot. Er geleitete mich sofort zur Residenz des Lámedo und stellte mich daselbst dem Obersten der Sklaven, dem Intendanten über den königlichen Hofhalt, als Gast seines Gebieters vor. Es wurde zwischen den beiden ausgemacht, dass der Kaufmann für mein Quartier, der Intendant für die Beköstigung zu sorgen haben sollte. Demgemäss ward mir ein ebenfalls dem Rhadameser gehöriges Haus zur Wohnung eingeräumt, und bald brachten mehrere königliche Diener zwei kleine Säcke mit Korn, ein Huhn und ein Töpfchen Honig. Als Trinkgeld gab ich den Ueberbringern eine Anzahl Muscheln, welche den Werth der Sendung reichlich aufwog; dennoch waren sie nicht zufrieden damit, sondern unverschämt genug, noch 1000 Muscheln zu verlangen. Ali-ben-Abidin wollte sich ins Mittel legen, allein meinem als durchaus nothwendig erkannten Grundsatz getreu, jeden Erpressungsversuch der Art sogleich energisch zurückzuweisen, liess ich mich auf keine Unterhandlungen ein, machte vielmehr kurzen Process und jagte die Kerle mitsammt den überbrachten Lebensmitteln zum Hause hinaus. Abends schickte uns dann die Erste Frau des Lámedo, der man inzwischen meine Ankunft gemeldet hatte, ein gutes und splendides Mahl.

Den folgenden Tag widmete ich der Ruhe und Erholung von den Strapazen der Reise. Am 16. Januar aber brach ich nach Keffi-n-Rauta auf, um den Lámedo zu begrüssen und ihm meine Geschenke zu überreichen. Ich nahm die beiden Kanúri aus Gombē mit, auch mein Kamel und mein Zelt, in der Hoffnung, der Lámedo werde mir beides abkaufen, denn ich hatte mich überzeugt, dass es unmöglich sei, mit dem Kamel weiterzukommen; ohne dasselbe aber konnte mein schweres Zelt nicht transportirt werden, welches mir übrigens für die fernere Reise auch allenfalls entbehrlich schien. Es war 8 Uhr morgens, als ich die Stadt in nordwestlicher Richtung verliess. Um

8½ Uhr passirte ich das vom Djaránda kommende Flüsschen Sadánka, kurz darauf den ansehnlichen Ort Tündu, von hohen Felsen umschlossen, um 10½ Uhr den Fluss Lindíoa, der, ebenfalls vom Djaránda kommend und nach Nordosten fliessend, etwa 5 Stunden weiter abwärts sich in den Gabi ergiesst, und gelangte, die Ortschaften Billi und Magária hinter mir lassend, an den letztern selbst. Es ist, unter anderm Namen, derselbe Fluss, den wir bei Gombē überschritten; seine Quellen und Zuflüsse entspringen theils im Goa- und Gora-, theils im Djaránda-Gebirge. Jenseit des Gabi folgten noch mehrere unbedeutende Wasserrinnen, einige von den Heiden zerstörte Dörfer, dann der grosse Ort Nahúta, und um 3 Uhr nachmittags, nach einem scharfen Ritt von 7 Stunden (10½ Kamelstunden), befand ich mich vor den Mauern von Keffi-n-Rauta. Ich ritt durch ein geöffnetes Thor und direct bis zur Wohnung des Lámedo. Auf meine Frage, wo derselbe augenblicklich verweile, wies man auf ein der Wohnung gegenüberliegendes verandenartiges Gebäude, ohne hinzuzufügen, dass es seine Moschee sei. Erst als ich eingetreten war, bemerkte ich den Verstoss, dessen ich mich als Ungläubiger mit dem Betreten eines Bethauses schuldig gemacht, und zog mich auf der Stelle wieder zurück. Nun wurde ich in mein Quartier, eine recht gut eingerichtete Hütte geführt.

Nach einer Stunde liess mich der Lámedo zu sich entbieten. Er lag im vordersten Hofe seines Hauses auf einer Ochsenhaut, umgeben von den Grossen des Reichs, die fast alle, während sonst an Negerhöfen niemand bewaffnet vor dem Herrscher erscheinen darf, lange Schwerter trugen. Beinahe hätte ich einen zweiten Verstoss begangen und einen andern statt des Monarchen begrüsst, da ihn äusserlich nichts von den Versammelten unterschied; seine ursprünglich weiss gewesene Kleidung war infolge langen Gebrauchs ebenfalls schmuzig grau geworden, und ein Litham verhüllte wie bei den übrigen sein Gesicht, sodass nur die Augen frei blieben. Als die Begrüssungsformeln ausgetauscht waren, übergab ich ihm meine Briefe. Den des Sultans von Bornu entfaltete und las er sofort, worauf er — ich hatte meinen Kanúri-Burschen als Dolmetscher zur Seite — zu mir sagte: „Es scheint, du bist sehr befreundet mit dem Sultan, der wol überhaupt die Christen liebt?" — „Sultan Omar", erwiderte ich, „hat mir in der That viel Freundschaft erwiesen, wie er auch andere christliche Reïsende vor mir aufs Grossmüthigste behandelt hat." Dann eröffnete ich ihm, ich hätte einen Revolver für ihn mitgebracht, und da er denselben gleich zu sehen wünschte, liess ich das Kästchen durch den Kanúri aus meiner Wohnung herbeiholen. Inzwischen zeigte ich ihm meinen türkischen Firman. Er wandte das Pergamentblatt hin und her, beguckte es von oben und unten und fragte dann spöttisch, wozu es mir nütze. „Dieses vom Beherrscher aller Gläubigen ausgestellte Schreiben", antwortete ich, „wird überall, wo Mohammedaner wohnen, respectirt und gewährt mir Schutz auf meinen Reisen." — „Das mag im türkischen Reiche sein", sagte er; „wir aber verstehen kein Türkisch, und unser Beherrscher der Moslemin ist nicht der Sultan in der Türkei, sondern der Sultan in Sókoto." Danach erhob er sich und ging allein mit mir in einen der innern Höfe. Hier behändigte ich ihm den Revolver. Nachdem er sich dessen Construction und einzelne Bestandtheile genau hatte erklären lassen, fragte er nach dem Preise; denn es ist bei den Lámedos der Fellata nicht so selbstverständlich wie bei andern Negerfürsten, dass jeder Fremde ihnen Geschenke überreichen muss. Natürlich ersuchte ich ihn, die Waffe, die mich mit dem Etui 5 Guineen gekostet, als Geschenk zu behalten; ich nahm aber die Gelegenheit wahr, ihm mein Kamel und mein Zelt zum Kauf anzubieten. Scheinbar auf die Offerte eingehend,

10*

bestimmte er, dass folgenden Tages die Besichtigung der Gegenstände und der Handel darüber stattfinden solle. Wir unterhielten uns sodann über meine Weiterreise. Sultan Omar hatte ihn in seinem Schreiben gebeten, er möge mir behülflich sein, dass ich sicher nach Nupe, oder falls die Wege dahin durch Krieg oder Aufruhr versperrt wären, nach Kuka zurückgelangen könnte. Der directe Weg nach Nupe, durch das Gebirge über Daróro, meinte der Lámedo, sei gegenwärtig nicht sicher; er rathe mir, zunächst nach Láfia-Beré-Beré zu gehen, bis wohin er mir einen Führer mitgeben wolle; von da werde ich leicht nach Eggē und weiter nach Nupe kommen. Mir war dieser Vorschlag ganz recht, da die Tour über Sária durch frühere Reisende theilweis schon beschrieben worden ist, und ich erklärte mich daher gern damit einverstanden.

Am Vormittag des nächsten Tages wohnte ich einer öffentlichen Audienz beim Lámedo bei, zu der seine Grossen wieder vollzählig um ihn versammelt waren. Der von mir geschenkte Revolver wurde unter ihnen herumgereicht und fand allgemeine Bewunderung; desgleichen eine Pistole, die Beurmann, und ein Messer mit mehrern Klingen und Schrauben, das Vogel hier zum Präsent gemacht hatte. Bei diesen öffentlichen Audienzen hat jeder aus dem Volke freien Zutritt und darf seine Anliegen oder Beschwerden dem Lámedo selbst vortragen, welcher persönlich, ohne Zuziehung der Räthe, alles auf der Stelle entscheidet. Leider verstand ich wegen Unkunde der Sprache nichts von den Verhandlungen, ich war deshalb froh, als die vierstündige Sitzung endlich geschlossen ward. Jetzt kam der Handel um mein Kamel und Zelt an die Reihe. Nach Negersitte, nicht nur in Mittel-, sondern auch in ganz Nordafrika, selbst auf dem Markte zu Tripolis, stellt der Verkäufer keine Forderung, sondern wartet ab, was man ihm für seine Waare bietet, und der Reflectant steigert sein Gebot so lange, bis es vom Verkäufer annehmbar befunden wird. Die Beauftragten des Lámedo gingen aber mit ihrem Gebot nicht über 30000 Muscheln für das Kamel und 10000 für das Zelt hinaus; und da ich mich zur Annahme eines im Verhältniss zum Werthe der Gegenstände so äusserst niedrigen Preises nicht entschliessen konnte, blieb der Handel ohne Resultat.

Abends wurde in der Nähe meiner Wohnung eine Hochzeit gefeiert. Ein Haufen Männer und Weiber, gefolgt von einer lärmenden Kinderschar, zog durch die Strassen und schleppte in seiner Mitte die junge, fast nackte Braut, die wie unsinnig zappelte und schrie, an Armen und Beinen zur Hütte des ihrer harrenden Bräutigams. Mag nun das Sträuben natürlich oder erheuchelt sein, der gute Ton in Bautschi verlangt, dass die Ehecandidatin auf dem Transport zum Hause ihres Zukünftigen aus Leibeskräften strample und schreie, überhaupt möglichst starken Widerstand an den Tag lege.

Keffi-n-Rauta, oder kurzweg Rauta, liegt etwas niedriger als Garo-n-Bautschi, doch auf demselben Plateau, das im Westen und Nordwesten in einer Entfernung von 8 bis 10 Stunden durch anscheinend 3—4000 Fuss hohe Berge begrenzt ist, unter welchen in der Richtung von 170° vom Mittelpunkte der Stadt aus gesehen der Djaránda-Berg hervorragt. Zufolge des von den Bergmassen ausgeübten Drucks findet sich überall auf dem Plateau Wasser in geringer Tiefe unter dem Boden, hier und da sogar ein offenes, selbst in der trockenen Jahreszeit gefüllt bleibendes Wasserloch. Der Ort ist eigentlich weniger eine Stadt als ein mit Thonmauern umwalltes Lager, in dessen Mitte der Lámedo eine weitläufige, ebenfalls aus Thon erbaute Wohnung hat. In den sie umgebenden Hütten waren 10000 Mann Truppen einquartiert. Die ständigen Bewohner, nur etwa 1000 an Zahl, sind sämmtlich Haussa-Neger und

Sklaven des Lámedo. Sonntags wird vor den Thoren ein kleiner, unbedeutender Wochenmarkt abgehalten.

Ich wollte am 18. Januar früh morgens die Rückreise nach der Hauptstadt antreten, musste aber bis Mittag warten, ehe mich der Lámedo zur Abschiedsaudienz empfing. Bei derselben stellte er mir den Mann vor, der mich nach Láfia-Beré-Beré geleiten sollte, und versprach, ihn demnächst mit Empfehlungsschreiben für mich nach Garo-n-Bautschi zu senden. Nun stieg ich zu Pferde, und nach einem siebenstündigen scharfen Trabe traf ich abends wieder in der Hauptstadt ein.

X.

Herrscher und Volk von Bautschi.

Gründung des Reichs. Aufstände der Heiden. Oberhoheit des Sultans von Sókoto. Titel und Hofchargen. Täglicher Markt in Garo-n-Bautschi. Tracht der Bewohner. Arbeiten der Männer und Frauen. Klima. Der Islam als Haupthinderniss für das Vordringen ins Innere von Afrika. Nachrichten über die Niam-Niam-Kannibalen.

Zu Ende des vorigen Jahrhunderts ging Jacoba, der jüngere Sohn des Sultans von Trum, einem kleinen Negerreiche der Gerē im Joli-Gebirge, an den Hof von Sókoto, wo er den Islam annahm und mehrere Jahre mit Eifer dem Studium des Arabischen und der heiligen Bücher oblag. Kurz nachdem er in die Heimat zurückgekehrt war, starb sein Vater, und unterstützt durch Sultan Osman von Sókoto, der sich damals schon den Titel „Herrscher der Gläubigen“ beigelegt hatte, wusste er die ältern Brüder zu verdrängen und sich selbst des Thrones zu bemächtigen. Zugleich belehnte ihn sein Gönner mit dem ganzen Gebiete südlich von Kano bis an den Bénuē, das ausschliesslich von Heiden, meist von Haussa-, Bolo- und Bautschi-Negern, bewohnt war. In Mitte der letztern, deren Stamme auch er und seine Familie angehörten, erbaute Jacoba eine Stadt und nannte sie nach ihnen Garo-n-Bautschi (Garo heisst „ummauerter Ort“); sie wurde bald, begünstigt durch ihre vortheilhafte Lage einerseits zwischen Adamaua und Nyfe oder dem Bénuē und dem Niger, andererseits auf halbem

Wege zwischen Rhadames und dem grossen Handelsplatze Kano, der beliebteste Markt der rhadameser Kaufleute, da diese die Waaren von Nyfe und die Producte von Adamaua, namentlich Elfenbein, nirgends wohlfeiler zu kaufen fanden, überdies hier wie alle Fremden vollkommener Zoll- und Handelsfreiheit genossen. Von Garo-n-Bautschi aus erweiterte Jacoba die Grenzen seines neuen, nunmehr nach der Hauptstadt ebenfalls Bautschi genannten Reiches, indem er nach und nach alle heidnischen Stämme bis zum Bénuē und südwestlich bis Nyfe unter seine Botmässigkeit brachte. Es gelang ihm dies hauptsächlich dadurch, dass er klugerweise die annectirten Völker nicht zur Annahme des Islam nöthigte, vielmehr die Verordnung erliess, kein Unterthan von Bautschi, gleichviel ob Mohammedaner oder Heide, dürfe als Sklave behandelt oder verkauft werden; ausgenommen seien nur diejenigen, die sich gegen seine Herrschaft aufzulehnen versuchen sollten. War hiermit die Gleichheit der Bewohner Bautschis zwar im Princip verbürgt, so konnte es doch nicht fehlen, dass die mohammedanischen Pullo, die in Masse namentlich von Sókoto her ins Land kamen, mit Verachtung auf ihre heidnischen Mitinsassen herabsahen, sie bedrückten und von allen Stellen und Aemtern ausschlossen. Natürlich erzeugte dies auf Seiten der letztern Unzufriedenheit und Hass gegen die ihnen aufgedrungene Pullo-Regierung; eine Anzahl der zur Rache gereizten Heiden setzte sich in dem unzugänglichen Gebirgswinkel zwischen Segseg, Kano und Bautschi fest und beunruhigte von da aus durch Raub und Plünderung die in der Ebene gelegenen Ortschaften. Allgemeinere Aufstände verhinderte indess Jacoba mit kräftiger Hand, und auch einen Angriff, welchen der damalige Herrscher von Bornu, der Schich el-Kánemi, gegen das neu erstehende Reich unternahm, schlug er an der Grenze zurück, worauf Bornu seine Regierung förmlich anerkannte.

Jacoba hatte vierzig Jahre regiert, als er im Jahre 1263 der Hedjra (1847) starb. Es folgte ihm sein Sohn Brahíma, der gegenwärtige Lámedo, der von den Herrschertalenten seines Vorgängers, von dessen Klugheit und Energie, wenig geerbt zu haben scheint. Gleich bei seinem Regierungsantritt erbitterte er durch ungerechte Bevorzugung der Pullo die heidnischen Unterthanen in solchem Grade, dass diese sich zu offener Empörung gegen ihre Bedrücker zusammenscharten. Hauptsitz der Aufrührer war wieder das Gebirge und das am Fusse desselben gelegene, vom Stamme der Afaua oder Sonóma bewohnte Gebiet. Brahíma zog mit einem Heere zu ihrer Bekämpfung aus, wurde aber vor dem Orte Tébula, 8 Stunden nordwestlich von Rauta, in dem sich der Feind verschanzt hatte, sieben Jahre lang festgehalten; erst im achten Jahre der Belagerung, nachdem sein Heer 7000 Mann verloren, vermochte er den Platz einzunehmen und damit den Aufstand vorläufig zu dämpfen.

Vogel, der nicht Tébula, sondern „Tebala Sau zwei Bautschi" (vermuthlich „ssinssinni Bautschi", Lager der Bautschi) schreibt, begrüsste 1855 den Lámedo dort im Lager, machte von da noch einen Abstecher nach den Salz- und Antimon-Minen, dann südlich bis Láfia-Beré-Beré und Gandiko am Bénuē, und kehrte über Garo-n-Bautschi nach Kuka zurück. — Beurmann kam 1862 nach Bautschi, hielt sich 17 Tage in der Hauptstadt auf und ging dann gleichfalls, aber auf directem Wege, wieder nach Kuka, ohne den Lámedo, der an einem Beinschaden krank daniederlag, gesehen zu haben.

Zehn Jahre lang, von 1856—66, erfreute sich das Land ziemlicher Ruhe. Da brach, etwa ein Jahr vor meiner Ankunft, ein neuer sehr ernstlicher Aufstand aus. Im Rhamadan 1282 war ein mohammedanischer Mallem aus Kano, Namens Ssala, zu den heidnischen Gebirgsbewohnern gekommen, der sie gegen die Herrschaft der Pullo aufwiegelte, ihnen Schiessgewehre verschaffte und, nachdem er sie militärisch organisirt, an ihrer Spitze die Bewohner der Ebene überfiel. Die Männer, welche sie gefangen nahmen, wurden getödtet, Frauen und Kinder in die Sklaverei geschleppt. Keinen Widerstand findend, drangen die Rebellen immer weiter vor und bedrohten mit ihren Streifereien sogar die Hauptstadt. Nun endlich begab sich der Lámedo, um gegen sie ins Feld zu ziehen, nach Keffi-n-Rauta zum Heere; allein solange ich im Lande verweilte, hatten die militärischen Operationen noch nicht begonnen, während die Zahl des Feindes durch Zuzüge aus allen Theilen des Sókoto-Reiches von Tag zu Tage wuchs.

Bautschi ist kein unabhängiger Staat, es steht gleich den noch grössern Staaten Adamaua und Segseg unter der Oberhoheit des Sultans von Sókoto, dem es nicht nur tributpflichtig ist, sondern der auch nicht selten in die innern Angelegenheiten entscheidend eingreift. So erzählte man mir: vor mehrern Jahren hatte der Lámedo einem bornuer Mallem Namens Mohammed alle Regierungsgewalt in die Hände gegeben, und dieser misbrauchte seine Stellung zur Verübung willkürlichster Gewaltthätigkeiten; vergebens führten die Grossen bei dem charakterschwachen Brahíma Klage wider seinen allmächtigen Günstling, da wandten sie sich insgeheim an den Sultan von Sókoto, und auf dessen Befehl musste der Mallem sofort entlassen und aus dem Reiche verbannt werden. Der regelmässige jährliche Tribut, den Bautschi nach Sókoto zu entrichten hat, besteht in Sklaven, Muscheln, Antimon und Salz (1867 waren freilich die das Salz liefernden Sebcha im Besitz der Rebellen); aber auch ausser der Zeit lässt sich der Sultan, wenn er gerade Geld braucht, von seinen Vasallen beliebige Summen auszahlen. Diese Macht des Sultans von Sókoto beruht lediglich auf seinem geistlichen Ansehen als Beherrscher der Gläubigen, denn an materieller Macht wird die Provinz Sókoto von den Provinzen Adamaua, Segseg und Bautschi weit übertroffen. Hierin liegt aber, da die mohammedanischen Pullo überall in der Minderheit und die heidnischen Unterthanen stets zur Empörung gegen deren Herrschaft geneigt sind, ein gefährlicher Keim für den Zerfall des Pullo-Reichs. Schon Barth deutet darauf hin, indem er schreibt: „Ungeachtet dieser gänzlichen Auflösung umfasst das Reich selbst noch in jetziger Zeit die Provinzen wie in seiner blühendsten Periode, mit Ausnahme der Provinz Chadedja, deren Statthalter sich unabhängig gemacht hat; aber sowol die militärische Stärke dieser Provinzen, vorzüglich in Bezug auf die Reiterei, als auch die Zahlfähigkeit hinsichtlich des Betrages der Einkünfte sind in bedeutendem Masse gesunken.“ Was indess den Betrag der Einkünfte betrifft, die der Sultan von Sókoto gegenwärtig noch aus den Provinzen bezieht, so schätzt ihn Barth zu niedrig auf 100 Millionen Muscheln (etwa 65000 Thaler) baar und einen ungefähr gleichen Werth an Sklaven, Baumwolle und heimischen wie von Arabien und Europa eingeführten Waaren; sie sind nach den von mir eingezogenen Erkundigungen wesentlich höher, ja Barth selbst gibt an einer andern Stelle die Einkünfte aus der Provinz Kaus allein mit circa 100 Millionen Kurd (Muscheln) an. Abgesehen von der durch die innern Zerrüttungen drohenden Gefahr, würde übrigens das Sókoto-Reich auch einem kräftigen Angriff von Bornu, dessen Heer mit einer grossen Anzahl guter Gewehre bewaffnet ist, während die Pullo nur wenige Luntenflinten besitzen, wol nicht zu widerstehen im Stande sein.

Am Hofe von Bautschi wird vorwiegend die Haussa-Sprache gesprochen, auch fast alle Titel der Beamten und Würdenträger sind in diesem Idiom benannt. Der Thronfolger, derzeit des Regenten ältester Sohn, Namens Osman, heisst Tschiró-ma; der hohe Beamte, welcher den vom Lámedo abhängigen Sultanen die Befehle desselben zu übermitteln und ihre Streitigkeiten zu schlichten hat, Galadí-ma (ein in den Negerländern häufig vorkommender Titel, mit dem aber an den verschiedenen Höfen verschiedene Functionen verknüpft sind); der Schatzmeister Adía; der Obermeister der Schmiede Sserki-n-makéra (Fürst der Eisenarbeiter). Es ist sehr merkwürdig, dass die Schmiede, die bei den Tebu, wie wir gesehen haben, eine verachtete Pariaklasse bilden, bei den Pullo und Haussa im Gegentheil vorzüglichen Ansehens geniessen, dass ihr Obermeister sogar eine der höchsten Stellen am Hofe einnimmt; die Wohnung des Sserki-n-makéra in Garo-n-Bautschi stand der des Lámedo an Grösse und Ausstattung wenig nach. Weder Clapperton noch Barth haben dieses höchst auffallenden Verhältnisses Erwähnung gethan. Der Oberbefehlshaber des Heeres heisst Sserki-n-ñaki, der Scharfrichter Sserki-n-ara, der erste Minister, der allein zum innern Hause des Lámedo Zutritt hat, Beráya, der Intendant der Hofhaltung Uómbē, der Oberste der Verschnittenen Yinkona, der erste Vorreiter Madáki, der Inspector der Rüst- und Waffenkammer Bendóma, der Marktaufseher Sserki-n-kurmi, der Hofschlächter Sserki-n-faua, der Hofschneider Sserki-n-dumki. Eine besonders hervorragende Stellung haben der Sultan von Uóssē (Wase), dem alle Orte südlich von Láfia-Beré-Beré untergeben sind, und ein anderer, der speciell die Angelegenheiten der im Lande wohnenden Haussa- und Bolo-Neger sowie der eingewanderten Kanúri leitet. Ersterer führt den Titel Sserki-n-dutschi, letzterer den Titel Sennóa.

In Betreff der Rechtspflege verdient rühmend hervorgehoben zu werden, dass im Gegensatz zu den meisten mohammedanischen Negerhöfen, wo es dem Volke nie gestattet ist, sich dem Herrscher zu nahen, wo selbst seine

Vertrauten nur mit abgewandtem Gesicht, als vermöchten sie den Strahl aus dem Auge der Majestät nicht zu ertragen, vor ihm erscheinen dürfen, in allen Pullo-Staaten dem Niedrigsten aus dem Volke das Recht zusteht, bei den öffentlichen Audienzen frei vor den Sultan zu treten und ihm selbst seine Klage zu Gehör zu bringen.

Die Stadt Garo-n-Bautschi liegt nach meinen von Dr. Hann berechneten Messungen 2480 Fuss über dem Meere (Vogel fand, beinah genau übereinstimmend, 2500 Fuss) auf einer Hochebene, welche die Wasserscheide zwischen dem Quorra und dem Bénuē mit seinen Zuflüssen bildet. Gegen Nordosten, Osten und Südosten begrenzen schroffe, 4—500 Fuss hohe Granitwände, gegen Westen und Südwesten die bis zu relativer Höhe von 4500 Fuss, also bis zu absoluter von fast 7000 Fuss sich erhebenden Gebirgsstöcke des Djaránda und Boli den Horizont. In einem unregelmässigen Viereck gebaut, wird die Stadt nebst Feldern und Gärten, unbebauten steinigen Hügeln und zahlreichen Wasserlöchern, welche durch Ausgraben der Thonerde zum Häuserbau entstehen, im Umfange von 3½ Stunden durch hohe Mauern eingeschlossen. Sie hat ziemlich breite, aber krumme und winkelige Strassen. Alle Häuser sind aus Thon errichtet; die der Vornehmen, wozu meist grosse Höfe und Gärten gehören, haben flache Dächer, die Hütten des Volks spitze Strohbedachung.

Die Bevölkerung, der Mehrzahl nach Haussa-Neger, mag sich auf 150000 Seelen belaufen, doch war die frühere Lebhaftigkeit des Orts, seitdem die aufrührerischen Heiden das Land unsicher machten, von den Strassen und Plätzen verschwunden. Der Handelsverkehr mit Adamaua und Nupe stockte gänzlich, die Kaufleute aus Sária, Kano und andern fremden Städten hatten daher Bautschi verlassen, kaum drei oder vier Rhadameser blieben noch zurück, und mit dem Lámedo waren auch alle Grossen ins Lager nach Rauta gegangen. Auf dem täglichen Markte fand ich fast nur inländische Erzeugnisse aus der nächsten Umgegend. Sklaven wurden hier um die Hälfte des Preises feilgeboten, den man in Kuka dafür bezahlt; allerdings ist die Auswahl geringer, da im Sókoto-Reiche, wie ich oben berichtet, kein Pullo als Sklave verkauft werden darf. Ein Pferd kostet 2 bis 20 Thaler, eine Kuh 1 bis 3 Thaler, ein Schaf oder eine Ziege ¼ oder ½ Thaler. Die Pferde, sei es dass Klima und Futter ihnen nicht zusagen, oder infolge der schlechten Behandlung, sind elende Klepper und meist nicht grösser als Esel; was hier für ein schönes Reitpferd gilt, würden die Bornuer „kidar", d. h. Schindmähre nennen. Schafe und Ziegen sehen ebenfalls höchst erbärmlich aus, obgleich sie doch bei der hohen Lage und der gebirgigen Natur des Landes hier gerade besonders gut gedeihen sollten. Rinder scheinen etwas besser gepflegt zu sein, können jedoch an Grösse und Wohlgenährtheit mit denen in Kanem oder Bornu keinen Vergleich aushalten. Steht somit die Viehzucht im allgemeinen bei den Haussa auf sehr niedriger Stufe, so macht die Zucht der Hühner, auf welche sie grosse Sorgfalt verwenden, eine bemerkenswerthe Ausnahme. Vielleicht liegt der Grund hiervon in der unter den Landbewohnern herrschenden Sitte, wonach der Bräutigam die Aeltern der Braut mit einem Dutzend Hühner beschenkt, was dem Geldwerth von 12—1500 Muscheln gleichkommt. In den Städten ist das Heirathen etwas kostspieliger; dort hat der junge Mann seiner Braut oder deren Aeltern eine Summe von 20—25000 Muscheln (6—8 Thaler) zu schenken, welche der Frau, auch im Falle er sich wieder von ihr trennen sollte, als Eigenthum verbleibt.

Mit Feld- und Gartenfrüchten war der Markt hinreichend versehen; ich nenne: Getreide verschiedener Art, Reis, Ngangala und Koltsche, süsse Kartoffeln, Yamswurzeln, eine Lieblingsspeise der Eingeborenen, Karess oder Jatropha manihot, die herrliche Gunda-Frucht, die jungen Keime der Fächerpalme, die gekocht ein schmackhaftes Gemüse geben, Citronen und Tamarinden, denen sich in betreffender Jahreszeit noch Datteln, Granatäpfel und andere Früchte beigesellen. Die Preise waren durchgängig niedriger als in Kuka. An sonstigen Esswaaren gab es: Ochsenfleisch, getrocknete Fische aus dem Niger, Honig, Koltsche-Oel, Milch und Buttermilch, Butter vom Butterbaum und frische Kuhbutter, Küchelchen aus Mehl und zerstossenen Koltsche, in Arachis-Oel gebackene Brötchen aus Negerhirse oder Weizen. Durstige konnten sich für 1 Muschel einen Trunk Tamarindenwasser, mit Reismehl vermischt, kaufen, und aus den Garküchen drang der Duft von gebratenem Fleisch, der auch manchen gläubigen Moslem zur Uebertretung der Rhamadan-Fasten verlockte.

Neben den Producten des Landes bot der Markt auch eine Auswahl der gangbarsten heimischen Industrieartikel. Man liefert in Bautschi Kattun von anerkannter Güte und versteht sogar Lumpen wieder zu neuem Stoff zu verarbeiten, ihre Einsammlung wird daher als eigener Erwerbszweig betrieben; berühmt sind die hier gefertigten weissen Toben mit kunstvoller Stickerei. Aus den Fasern der Karess-Rinde dreht man Stricke und Taue, die an Haltbarkeit denen von Manilla-Hanf wenig nachstehen. Irdenes Geschirr, wie Schüsseln, Töpfe und Krüge, wozu sich das Material im nahen Djáranda-Gebirge findet, wird mit einer feinen Bronzeglasur überzogen. Ebenso zeichnen sich die Strohgeflechte, Matten, Tellerchen, Körbchen u. s. w., durch zierliche Arbeit aus. Für bemerkenswerth halte ich, dass Seife aus Natron und Oel oder Butter im Lande selbst bereitet wird und allgemein in Gebrauch ist. Liebig's Ausspruch, die Civilisation eines Volks lasse sich nach dem Verbrauch der Seife beurtheilen, findet aber in diesem Falle keine Bestätigung; denn obgleich man in Bornu die

Seifenbereitung nicht kennt und der Gebrauch von Seife dort, selbst bei den Vornehmen Kukas als Luxus gilt, stehen doch die Haussa-Pullo an Reinlichkeit wie in vieler anderer Hinsicht hinter den Kanúri zurück.

Europäische Waaren sah ich wenig, da die stattfindende Handelssperre sie selten und theuer gemacht hatte. Sonst ist Garo-n-Bautschi ein Stapelplatz der aus Europa importirten Waaren, als da sind: Gewebe, Glasperlen, besonders auch feine zu Stickereien, Nadeln, kleine Spiegel, Rasirmesser, ordinäres Schreibpapier, englische Silbermünzen, die eingeschmolzen und zu Arm- und Beinringen verarbeitet werden, unechte Schmucksteine, Kupfer und Pulver. Grosse Karavanen bringen sie theils von Tripolis über Kano, theils von Nyfe über Sária oder Láfia-Beré-Beré zum Verkauf hierher.

Auf dem Markte wird durch den Sserki-n-kurmi (Marktaufseher) und seine Gehülfen strenge Polizei geübt; man untersucht die Milch, ob sie nicht mit Wasser verfälscht ist, und hält darauf, dass aus dem feilgebotenen Fleische die Knochen entfernt werden. Ueberhaupt herrscht mehr Redlichkeit im Handel und Wandel als jenseit des Góngola-Flusses. Als Zahlmittel dienen ausschliesslich Muscheln, hier Uuri genannt, die sich von Kano aus immer weiter in die Pullo- und Kanúri-Reiche verbreiten.

Die Kleidung der männlichen Stadtbewohner besteht bei den Wohlhabenden aus weissen oder blaucarrirten sehr weiten Hosen, einem weissen Hemd mit langen Aermeln, beides aus schmalen Kattunstreifen zusammengenäht, und einer langen Tobe; vor dem Gesicht tragen sie einen schwarzen oder weissen Litham und an der Seite ein gerades Schwert (Spiesse wie bei den Teda, Kanúri und östlichen Negervölkern sieht man wenig, allgemeine Waffe ist der Pfeilbogen); die Aermern begnügen sich mit Hemd und Hosen, oder auch blos mit letztern. Haupt- und Barthaar werden sorgfältig abrasirt. Auf dem Lande gehen die Männer nackt, nur die Schamtheile mit einem Lederschurz, einem Baumwollfetzen oder einem grünen Blatte bedeckend; wenn sie zur Stadt kommen, winden indess die meisten ein Tuch um die Hüfte. Die Haussa-Neger lassen ihr krauses Haar frei wachsen; die heidnischen Pullo thürmen es nach Art der Uándala-Weiber zu einem hohen Wulste auf, was den jungen Burschen, die sich überdies mit Perlen, Korallen und sonstigem Schmuck zu behängen pflegen, ein weibisches Aussehen gibt. Die Frauentracht in Garo-n-Bautschi weicht dadurch von der in andern grossen Negerstädten ab, dass sie die Brüste völlig entblösst lässt. Bei den Mädchen wird der Kopf in einer Weise geschoren, wonach nur in der Mitte ein firstartiger Streif und ringsum ein schmaler Kranz von Haaren stehen bleibt; bei den verheiratheten Frauen werden die vollen, stark eingebutterten Haare auf dem Wirbel zusammengebunden. Die Landbewohnerinnen sind wie die Männer unbekleidet.

Schon öfter habe ich erwähnt, dass die Pullo-Mädchen durch regelmässige Gesichtszüge, schöne Körperformen und goldbronzene Hautfarbe sich auffallend von den hässlichen, grobknochigen Haussa- und andern Negerinnen unterscheiden. Freilich währt ihre Schönheit nicht lange, schon im Alter von 25 Jahren sind sie alt und ihre Reize dahingewelkt. Auch sollen sie minder fruchtbar sein als die Negerinnen, und wirklich gehören Pullo-Familien mit mehr als 3 bis 4 Kindern zu den seltenen Ausnahmen, wogegen in Negerfamilien häufig 6 bis 8, in manchen 10 bis 12 Kinder von Einer Mutter geboren werden. Ueber den Ursprung der Pullo-Rasse, die in so vielen Beziehungen von den eigentlichen Negern verschieden ist, andererseits wieder so vieles mit ihnen gemein hat, konnte ich auch hier nicht das Geringste ermitteln. Die zum Islam übergetretenen Pullo rühmen sich zwar, von den Beni-Israel oder Juden abzustammen, ähnlich wie die mohammedanischen Berber sich gern für Araber und Schürfa ausgeben; aber weder die alten Volkstraditionen noch die Fulfúlde-Sprache, in der sich keine Anklänge an die hebräische oder sonst eine semitische Sprache entdecken lassen, liefern für diese Aussage einen Beweis.

An den Arbeiten und gewerblichen Hantierungen nehmen Männer und Frauen gleichen Antheil. Letztere stampfen und reiben die Getreidekörner zu Mehl, kneten den Teig und bereiten aus den harzigen Blättern der Adansonie die Brühe dazu, die in Ermangelung des theuern Salzes stark mit Pfeffer und Ingwer gewürzt wird; sie spinnen die Baumwolle, drehen Stricke, beschäftigen sich auch vorzugsweise mit der Töpferei. Die Männer weben das gesponnene Garn, gewöhnlich zu vier oder fünf an einem freien Platze oder mitten in einer breiten Strasse ihren Webstuhl aufschlagend; andere geben durch anhaltendes Klopfen, das man den ganzen Tag über hört, dem rohen Gewebe Glanz und Appretur; wieder andere nähen die schmalen Streifen in breitere Stücke zusammen. Desgleichen wird das Matten- und Korbflechten, die Lederbereitung, das Schuhmacher- und andere Handwerke von den Männern betrieben. Die hier wachsende Baumwolle, von vorzüglicher Qualität, gibt einen ebenso feinen als haltbaren Faden, und da ein Theil der Abgaben in Kattunstreifen entrichtet werden muss, hat jeder, auch der kleinste Ort seine Weberei.

Das Klima der Hochebene von Bautschi hat Aehnlichkeit mit dem in den südlichen Gegenden Europas. Die intensive Hitze der Monate Mai und Juni wird durch die hohe Lage des Landes, durchschnittlich 3000 Fuss über dem Meere, bedeutend ermässigt, von Ende Juni bis Ende September kühlen Regen und Gewitter die Luft, und während der ganzen übrigen Zeit des Jahres, vom October bis

April, herrscht eine milde Frühlingswärme, indem das Thermometer in der Nacht nicht unter + 10° sinkt, in den Mittagsstunden nicht über + 30° im Schatten steigt. Citronen-, Dattel- und Granatbäume gedeihen hier fast ohne Pflege, und ebenso liessen sich viele andere Erzeugnisse der südlichen gemässigten neben denen der heissen Zone heimisch machen. Zu so günstigen Temperatur- und Vegetationsverhältnissen kommt noch hinzu, dass mittels leicht anzulegender Fahrstrassen der Bénuë sowol als der Niger in acht Tagen zu erreichen, folglich eine nahe Verbindung mit dem Weltmeer herzustellen wäre. Möchte doch irgendeine der christlichen Mächte, diese von der Natur gebotenen Vortheile nutzend, das Plateau von Bautschi in Besitz nehmen und unter ihrem bewaffneten Schutze mit Ansiedlern aus Europa colonisiren! Hier im Gebiete der Haussa- und Bolo-Neger, die in der grossen Mehrzahl noch Heiden sind und die Herrschaft der mohammedanischen Pullo verabscheuen, könnte der Weiterverbreitung des Islam ein kräftiger Damm entgegengesetzt werden. Der Islam erfüllt seine Bekenner mit herzloser Verachtung der ungläubigen Heiden, mit fanatischem Hass gegen die Christen. Er ist es, der die empörenden Menschenjagden unter den Negern veranstaltet, der den fluchwürdigen Sklavenhandel aufrecht erhält; er ist es, der europäischen Reisenden das Vordringen ins Innere auf jede Weise erschwert — ein so toleranter muselmännischer Herrscher wie Sultan Omar von Bornu dürfte als einzige Ausnahme dastehen —, ihnen nur gegen kostspielige Geschenke den Durchzug gestattet oder gar, wie Vogel's und Beurmann's unglückliches Ende bezeugt, sie ohne Scheu vor Vergeltung zu berauben und hinzumorden wagt. Nicht eher als bis europäische Waffen nicht blos an der Küste, sondern auch tiefer im Lande den mohammedanischen Gewalthabern Respect vor dem

11*

christlichen Namen einflössen, wird die vollständige Erforschung Innerafrikas möglich sein. —

Verlockt durch die angenehme Frühlingstemperatur und die herrliche Umgegend, machte ich, so oft mein geschwächter Gesundheitszustand es erlaubte, kleine Excursionen zu Pferde in die bewaldeten Vorberge des Tela-Gebirges, die im Südosten, Süden und Südwesten dicht an Garo-n-Bautschi herantreten und mit ihren immergrünen Bäumen, ihren krystallklaren Bächen, auf deren Grunde Plättchen von Marienglas wie Goldsand glitzern, mir eine wahrhafte Erquickung gewährten. Allzu weit von der Stadt durfte ich mich indess nicht entfernen, auch nicht versäumen, von Zeit zu Zeit meine Büchse knallen zu lassen, denn einzelne von den aufrührerischen Heiden streifeten im Gebirge umher und lauerten mit Bogen und Pfeil ihren Feinden, den Mohammedanern, auf, die ihre Väter und Brüder, Weiber und Kinder wegfangen und als Sklaven verkaufen.

Vogel berichtet aus Bautschi („Zeitschrift für Erdkunde", Bd. VI, Hft. 5): „Dabei habe ich auch die Kannibalen-Stämme des Innern kennen gelernt, mit denen selbst die mohammedanischen Eingeborenen sehr wenig Verkehr haben. Der Name «Njem-Njèm» ist ein Collectivname, ähnlich in der Bedeutung unserm «Menschenfresser», da «njem» in der Sprache der Moteny (drei Tagereisen südöstlich von Jacoba), welche die allgemeine der Heiden zwischen Jacoba und dem Bénuē ist, dasselbe bedeutet. Der wildeste und bedeutendste Stamm derselben sind die Tangale, die eine Bergkette am Ufer des Bénuē bewohnen, in welcher sich ein überaus prächtiger Pic gegen 3000 Fuss über die Ebene erhebt. Diese Leute haben sich bisjetzt noch unabhängig erhalten und werden nur hin und wieder durch Raubzüge des fünf Tage von ihrem Wohnplatze residirenden Sultans von Gombē beunruhigt. Sie kommen selten in die Ebene herab, um eiserne Werkzeuge zum Ackerbau für Korn einzuhandeln. Es kostete mir einige Mühe, Verkehr mit ihnen anzuknüpfen; sie liefen wie die Heiden auf den Bergen von Mándara davon, sowie sie meiner ansichtig wurden; einige Perlen und kleine Muscheln beschwichtigten endlich diese Flucht, und ich fand die Leute gutmüthig, gesprächig und äusserst dankbar für meine Geschenke. Dass sie die Kranken ihres Stammes essen, ist unwahr; ich habe zufällig zwei Leute in ihren Dörfern sterben sehen und gefunden, dass sie mit äusserster Sorgfalt gepflegt wurden; nach ihrem Tode brachen die Verwandten in das gewöhnliche Jammergeschrei aus, was die ganze Nacht durch erschallte. Dagegen essen sie alle im Kriege erlegten Feinde; die Brust gehört dem Sultan, der Kopf als der schlechteste Theil wird den Weibern übergeben; die zartern Theile werden an der Sonne getrocknet und als Pulver dem gewöhnlichen Mehlbrei beigemischt.“ Desgleichen erwähnt Clapperton, er habe vom Sultan von Sókoto gehört, dass die Bewohner des zu Jacoba gehörigen Bezirks Umburu Kannibalen seien, und R. Sander fügt hinzu: „Die Eingeborenen sagten mir, die früher erwähnten Berge erstreckten sich bis zur See hin und würden von den wilden «Yamyams» bewohnt, die hier sowol als überall, wo ich mich unterwegs nach ihnen erkundigte, für Kannibalen gehalten werden.“ Stimmen nun auch die drei Gewährsmänner in ihren Berichten ziemlich überein, so schöpfte doch keiner von ihnen aus eigener Anschauung, und die Aussagen der Eingeborenen Afrikas sind stets nur mit grosser Vorsicht aufzunehmen. Das Wort „niamniam“ hat allerdings den Nebenbegriff des Kannibalismus, es bezeichnet aber in seiner allgemeinen Bedeutung alles Schlechte und Verwerfliche überhaupt. Nach alledem hielt ich es meinerseits nicht für glaubhaft, dass einer von den Negerstämmen Centralafrikas, die unleugbar sich auf einer gewissen Stufe der Cultur befinden, noch gewohnheitsmässig der Menschenfresserei ergeben sein sollte, bis ganz neuerdings Schweinfurth's Besuch der Niam-Niam [1] die Existenz dieses Volks und dessen Kannibalismus allerdings ausser allen Zweifel gestellt hat.

Für mein Kamel und mein Zelt war in Garo-n-Bautschi noch weniger als in Rauta ein angemessenes Gebot zu erzielen. Ich musste endlich ersteres halb verschenken und letzteres, um wenigstens etwas daraus zu lösen, in die schmalen Streifen zerschneiden, aus denen es zusammengenäht war. An Stelle des Kamels kaufte ich zum Transport meiner Bagage ein drittes Pferd, nachdem ich den geringen Rest der mir verbliebenen Waaren gegen Muscheln verhandelt hatte. Dabei lernte ich den Inhaber eines Hanut (Verkaufsbude) kennen, der mich in seine Familie einführte. Er war ein Schellah-Berber aus Tuat und mit einer bronzefarbigen Pullo verheirathet. Aus dieser Ehe gingen ein Mädchen und zwei Knaben hervor, damals 12, 11 und 9 Jahre alt, von tadelloser Schönheit, mit vollendeten Körperformen und reizenden, intelligenten Gesichtszügen: eine neue thatsächliche Widerlegung derjenigen, welche die Ansicht vertreten, durch Kreuzung verschiedener Menschenrassen könne nur ein körperlich und geistig verwahrlostes Geschlecht erzeugt werden. Ich meinestheils bekenne mich auf Grund vielfältiger Beobachtungen zur entgegengesetzten Ansicht; jedenfalls, meine ich, darf man die Untersuchungen und Erfahrungen auf diesem Gebiete noch lange nicht als abgeschlossen betrachten.

Der Lámedo Brahíma hatte sich, seit ich ihm in

---

[1] *Schweinfurth*, „Im Herzen von Afrika. Reisen und Entdeckungen im centralen Aequatorial-Afrika während der Jahre 1868 bis 1871" (2 Thle., Leipzig und London 1874).

Rauta meine Aufwartung gemacht, in keiner Weise mehr um mich bekümmert und auch seine Zusage, mir einen Geleitsmann bis Láfia-Beré-Beré nebst Empfehlungsschreiben zu senden, unerfüllt gelassen. Ihn an das gegebene Versprechen zu erinnern, schien mir nicht rathsam; ich miethete gegen Bezahlung einen Führer zunächst bis Saránda und war nun zur Weiterreise fertig.

XI.

Uebersteigung des Gora-Gebirges.

Das Dorf Meri. Berg und Ort Saránda. Der Ort Djaúro. Ueber das Gebirge nach Goa. In Badíko. Feier zum Schluss des Ramadhan. Am Fusse des Gora und Uebergang über die Passhöhe.

Nach 20tägigem Aufenthalt verliess ich mit meiner kleinen Reisebegleitung die Hauptstadt Bautschis am 2. Februar nachmittags 2½ Uhr, direct gen Westen auf den Gebirgsstock des Saránda zugehend. Die Gegend hier im Rücken der Stadt schien vor Ueberfällen der Insurgenten gesichert zu sein, denn ich sah viele einzelne, von blühenden Feldern umgebene Gehöfte. Den Blick in die Ferne hinderte leider der schwarze Qualm von Grasbränden, der rings aus den Waldungen aufstieg und die Luft verfinsterte, sodass vom Saránda selbst nichts zu sehen war; nur die Umrisse des massigen Boli-Berges zu unserer Linken traten schwach aus der Umhüllung hervor. Wir gingen auf das rechte Ufer des vom Saránda herabkommenden und in die Káddera fliessenden Rerē-Flusses über und befanden uns nun in den zerklüfteten Felspartien der Vorberge. Beim Ueberschreiten einer Schlucht platzte meinem Lastpferde der lederne Gurt, mit dem die Bagage auf dem Rücken befestigt war. Dies nöthigte uns, in dem Dorfe Meri, nur 1½ Stunden von Garo-n-Bautschi entfernt, zu bleiben, wo wir übrigens leidliches Quartier und genügende Verpflegung fanden; unsere Pferde freilich mussten, da es keine Getreidekörner gab, mit gedörrtem Koltschekraut fürliebnehmen. Die Bewohner Meris, fast in gleicher Zahl Mohammedaner und Heiden, sprechen unter sich den Saránda-Dialekt, doch verstehen die meisten auch Haussa und Fulfúlde. Ihr Sultan residirt eine halbe Stunde weiter nach Westen in einem ummauerten, von Palmen beschatteten Orte.

Am nächsten Morgen brachen wir um 7 Uhr auf und verfolgten in westsüdwestlicher Richtung den Weg durch die Felsen weiter, die bald in gewaltigen Blöcken über- und durcheinander liegen, bald zu senkrechten Granitwänden aufsteigen. In dem dichtverwachsenen Buschwerk dazwischen sollen viele wilde Thiere ihre Schlupfwinkel haben. Um 9½ Uhr war der Fuss des Saránda-Berges erreicht. Mein Barometer zeigte zwar noch keine merkliche Erhebung des Bodens an, aus dem Laufe der zahlreichen, fast alle etwas Wasser haltenden Rinnsale aber sah ich, dass von hier das Terrain sich nach Südosten hin abdacht. An dieser Stelle begegnete uns ein grosser Trupp Kanúri, Männer und Weiber, welche Salz von Láfia-Beré-Beré nach Bautschi brachten. Sie trugen das zu grauem Staub zerstossene Salz in 1—1½ Centner schweren Bastsäcken auf dem Kopfe, und ausserdem waren die Weiber mit Kochgeschirr und sonstigem Geräth, die Männer mit ihrer Waffe, Bogen und Pfeilbündel, beladen. Pferde sind in dem schluchtigen, schroffen Felsgebirge nicht zu verwenden, es müssen vielmehr alle Lasten allein durch Menschenkräfte über dasselbe transportirt werden.

Der Saránda, bis zum Gipfel bewaldet und, soviel ich sehen konnte, ganz aus Granit bestehend, der jedoch stellenweis wie Schiefer in Tafeln geschichtet liegt, ist der Scheidepunkt für die Gewässer des Tschad und die des

Bénuë und Niger. Wir umgingen den Berg, indem wir ein Dorf, das dem Sserki-n-makéra von Bautschi gehört, durchzogen, und hatten, auf der andern Seite angekommen, ein zwar hügeliges und allmählich steigendes Terrain vor uns, aber keine höhern Berge mehr in Sicht. Von 11½ Uhr an in südwestlicher Richtung vorschreitend, passirten wir um 12½ Uhr das Dorf Mutanim-Bum und erreichten um 2 Uhr den ziemlich bedeutenden, von Pullo bewohnten Ort Saránda, in welchem das Nachtlager genommen wurde.

Als wir andern Morgens noch eine kurze Strecke auf dem grossgewellten, von Schluchten zerrissenen Plateau, das mit dem von Garo-n-Bautschi gleiche Höhe hat, in der Richtung von 285° zurückgelegt, sahen wir gerade vor uns am westlichen Horizont wieder eine Bergkette auftauchen. Wie der Lauf vieler wasserhaltiger Rinnsale zeigt, dacht sich auch dieses Plateau nach Südosten ab. 1¾ Stunden hinter Saránda blieb uns zur Rechten im Norden das Dorf Rugáni; wir passirten nach weitern 1½ Stunden ein von seinen Bewohnern verlassenes Dorf und langten 1 Stunde später in Djaúro an, einem ummauerten Orte von etwa 1500 Einwohnern. Hier sah ich auf dem Markte unter andern Esswaaren eine gallertartige Süssigkeit in kleinen Stücken feilbieten und erfuhr, dass sie aus der Frucht des Runa-Baumes (von den Kanúri ṅgálimi, von den Haussa ligña genannt) durch Einkochen des Saftes bereitet wird; sie schmeckt ganz ähnlich wie die zur Consistenz verdickten Honigstückchen, die man in den Städten Marokkos, namentlich in Fes, mit dem Rufe „Ja mulei Dris“ zum Verkauf ausbietet. Der Sultan von Djaúro beherrscht ein Gebiet, das sich bis über Goa hinaus erstreckt.

Zwei Söhne des Sultans begleiteten mich am folgenden Tage über das Gebirge nach Goa. Wir ritten früh 7½ Uhr aus, gerade westwärts der 2—3 Stunden entfernten Bergkette von Djim-Djim entgegen, die wir schon gleich hinter Saránda deutlich gesehen hatten, heute aber, da qualmiger Waldrauch die Luft verdunkelte, nicht eher wahrnahmen, als bis wir uns unmittelbar an ihrem Fusse befanden. Das Hinaufsteigen zum Kamm war äusserst mühsam und beschwerlich. Keine Spur von einem gangbaren Pfade. Unsere Pferde mussten an den steilen Abhängen, oft mehrere Fuss hoch schreitend, von Fels zu Fels klimmen, und stellenweis blieb zwischen den senkrechten Wänden und dem zur Seite gähnenden Abgrunde so wenig Raum, dass ein einziger Fehltritt genügt hätte, um Ross und Reiter in die jähe Tiefe zu stürzen. Auch eine Menge wasserhaltender Rinnsale mit hohen, steilen Ufern mussten durchritten werden; ihr Lauf geht nach Norden am Ssum-Berge vorbei durch Dilími, bis sie sich weiter abwärts zum Gabi-Flusse vereinigen. Unterhalb der Passhöhe, die noch von circa 1000 Fuss hohen Gipfeln überragt wird, treten die Berge weiter auseinander, und es eröffnet sich ein Plateau, auf welchem wir, ganz erschöpft von der mühsamen Tour, zu dem Orte Goa gelangten.

Dank unserer prinzlichen Begleitung beeiferte sich der Galadí-ma, ein Untergebener des Sultans von Djaúro, uns reichlich mit Speise und Trank zu erquicken und für gute Herberge zu sorgen. Er wohnt inmitten des weitläufigen Orts in einer kleinen ummauerten Burg. Die Bewohner von Goa sind grösstentheils Pullo, aber, wie ihre dunkle Hautfarbe zeigt, stark mit Negerblut vermischt. Ihre Weiber scheinen sehr putzsüchtig zu sein, denn sie tragen nicht blos einen Ring in den Ohren, sondern eine ganze Menge, oft zehn bis zwölf, und an der Stirn ein mit bunten Perlen gesticktes zollbreites Band; das gekräuselte, doch bis $1\frac{1}{2}$ Fuss lange Haar lassen sie in drei Flechten vom Hinterkopf und zu beiden Seiten herabhängen. Gegen Abend machte ich einen Spaziergang in die nahen Berge, die ganz aus grobem Granit bestehen. Ich fand dort Bäume mit essbaren Früchten und mehrere zuvor noch nicht gesehene Cactusarten.

Ehe wir am andern Morgen aufbrachen, verabschiedeten sich die beiden Prinzen, um nach Djaúro zurückzukehren. Leider hatte ich mich gar nicht mit ihnen unterhalten können, da keiner von uns Fulfúlde verstand. Um 7 Uhr setzten wir uns in Marsch, anfangs westsüdwestwärts, und hatten zunächst wieder einen steilen, mit Geröll bedeckten Felsenpass zu übersteigen. Dann zeigte sich gegen Norden in etwa 3 Stunden Entfernung der Schrau-Berg, während uns zur Linken ein ununterbrochener Gebirgszug in naher Distanz begleitete. Um 9 Uhr passirten wir den grossen Ort Uóno und gleich dahinter den Koki (Fluss) Uóno, der von Südsüdosten kommt und, nachdem er weiter abwärts noch einen von Süden kommenden Arm aufgenommen hat, in den Gabi fliesst. Wir mussten, nun gerade südwärts gehend, 1/2 Stunde später sein Bett nochmals durchschreiten, ritten darauf über eine sehr steinige, von Schluchten zerrissene Hochebene und kamen um 11 Uhr in Badíko an, einem Orte von gegen 20000 Einwohnern. Man hatte mir Badíko als bedeutenden Marktort genannt, und ich stellte mir demnach eine wirkliche Handelsstadt darunter vor. Nun überzeugte ich mich, dass dies ein Irrthum war. Der Ort hat nur einen, allerdings recht lebhaften Landmarkt, auf dem die Boden- und Industrieerzeugnisse aus der Umgegend zum Verkauf gestellt werden, von ausländischen Waaren aber höchstens Glasperlen und einige Stücke Baumwollenzeug zu haben sind.

An dem Tage, dem 6. Februar, ging das Ramadhan-Fest zu Ende. Sowie abends der Mond am Himmel erschien, wurde er aus diesem Anlass von den Einwohnern mit lautem Jubelgeschrei begrüsst, und die ganze Nacht hindurch vergnügte man sich mit Tanz und Spiel. Auch der heidnische Theil der Bevölkerung schloss sich nicht von den Lustbarkeiten aus, da ja bei den Negern dem Monde besondere Verehrung gewidmet und der Eintritt des Neumonds jedesmal von ihnen gefeiert wird. Ich schaute dem Tanze eine Zeit lang zu. Auf einem grossen freien Platze reihten sich an der einen Seite die Männer zusammen, meist nur mit blau und weiss gestreiften Schürzen oder schmalen Streifen von Ziegenfell bekleidet und mit bunten Federbüschen auf dem Kopfe, gegenüber die Weiber, ein Tuch um die Hüften gewunden, manche einen Säugling auf dem Rücken tragend, und in der Mitte die Knaben und Mädchen, letztere mit einem Fächer aus Stroh oder Palmblatt in der Hand. Nach dem Takte der Musik, die in Trommelschlägen und im Klirren von eisernen, an den Füssen der Tänzer befestigten Schellen bestand, schritten die Reihen bald gravitätisch wie im Polonaisen- oder Menuetschritt ihrem Vis-à-vis entgegen, bald lösten sie sich auf und alles sprang und hüpfte wild durcheinander. Dazwischen gab es auch pantomimische Einzeltänze. Eine Frau neigte sich plötzlich hinten über, als müsste sie umfallen, wurde aber in den Armen der hinter ihr Stehenden aufgefangen und nun immer von einer der andern zugeworfen. Oder ein junges Mädchen drehte sich wirbelnd im Kreise, bis sie erschöpft niedersank, worauf alle Männer an ihr vorbeitanzten und jeder einige Muscheln in ihren Schos warf.

Die Aufnahme, die wir beim Sultan von Badfko fanden, war keine so gastliche wie die beim alten Sultan von Djaúro; erst nach langen Umschweifen wurde uns eine leere Hütte eingeräumt, sie starrte aber so von Schmuz, dass ich lieber unter einem Baume im Freien campirte, was man hier, wo in der Nacht kein Thau fällt, ohne Gefahr für die Gesundheit thun darf. Sollte nicht die dicke Rauchmasse, die, von den täglichen, so ausgedehnten Grasbränden erzeugt, über der Erde lagert, den gänzlichen Mangel an Thau mit verursachen, indem sie etwaige in den obern Luftschichten sich bildende Feuchtigkeit nicht als Niederschlag hindurchdringen lässt? Ueberhaupt dürfte der Einfluss dieses centralafrikanischen Grasrauchs viel weiter reichen als man denkt. Ich halte es für wahrscheinlich, dass er sich nicht nur mit dem Staube der Wüste mischt, sondern auch darüber hinaus in die Berberei, ja unter Umständen bis über das Meer getragen wird und dort noch als vermeintlicher Nebel die Atmosphäre zu trüben vermag.

Wir entfernten uns am andern Morgen nordnordwestwärts von Badiko und betraten dicht hinter dem Orte einen Wald, in welchem Massen schwerer Granitstücke zwischen den Bäumen umherlagen. Hier sah ich an den Ufern zweier von Südwesten nach Nordosten laufenden Flüsschen die ersten Deleb-Palmen. Die Deleb-Palme, Borassus flabelliformis aethiopicus von *Martius* (in der Kanúri-Sprache kamelutu, in der Haussa-Sprache djidjinia), ist einer der schönsten Bäume Innerafrikas; ihr schlanker Stamm von durchschnittlich 50 Fuss Höhe hat ungefähr in der Mitte eine nur ihr eigenthümliche Ausbiegung. Nach Barth soll sie im Sonrhai-Gebiete nur in der Umgebung des Debu-Sees vorkommen. Ein dreistündiger Marsch brachte uns um 11 Uhr nach dem Orte Gora, wo wir indess nur kurze Rast hielten, um unsern Weg bis zu der am Fusse des eigentlichen Gora-Gebirges gelegenen Residenz des Sultans von Gora fortzusetzen. Auf mässig steigendem bewaldeten Terrain links und rechts an Gehöften vorbeipassirend, langten wir nach 2 Stunden daselbst an und wurden vom Sultan inmitten seines ganzen Hofstaats feierlich empfangen. Man liess es uns, nachdem wir in eine geräumige Wohnung geführt worden, an nichts fehlen, weder an Speisen, wie Hühner und Reis, noch an Korn zum Futter für die Pferde, und da letztere dringend einer längern

Ruhe bedurften, waren wir genöthigt, auch den folgenden Tag hier liegen zu bleiben.

Morgens 8 Uhr am 9. Februar wurde der Aufstieg auf den Gora begonnen: er kostete den Thieren, die wieder Schritt vor Schritt sich den Weg suchen mussten, Anstrengung genug, nahm aber weniger Zeit, als ich glaubte, in Anspruch, denn schon nach $1\frac{1}{2}$ Stunden war der Uebergangspunkt zwischen etwa 1500 Fuss höhern Bergen und damit zugleich die Grenze der beiden Länder Bautschi und Sária erreicht. Der Gora scheidet nicht nur die Gewässer, die einerseits dem Tschad-See, andererseits dem Niger zufliessen, auch für die Vegetation bildet er eine sehr merkbare Scheidewand. Aus dem Bereiche der Dattel- und Dum-Palme kommt man an seinem westlichen Abhange in den der Oel-, der Kokos- und Deleb-Palme; Adansonien gedeihen zwar noch, wo sie angepflanzt werden, entwickeln sich aber bei weitem nicht mehr zu der Höhe und dem Umfang ihrer Riesenschwestern auf dem Plateau von Gudjba, die Akazie erscheint nur noch sporadisch, die Tamarinde verschwindet ganz, ebenso der Korna und Hadjilidj, sie werden aber durch hohes Bambusrohr, den Butterbaum, an den sich Park's Name knüpft, und die Banane vollauf ersetzt. Ohne Zweifel findet auch in der Thierwelt, obwol sie leichter die von der Natur gezogenen Schranken überspringt, hier ein mannichfacher Wechsel der Arten statt; der künftigen zoologischen Durchforschung Centralafrikas bleibt es vorbehalten, diese Unterschiede im einzelnen nachzuweisen.

Wir waren um 11 Uhr an dem rechts über uns liegenden Orte Súkuba, zum District Lerē gehörig, vorbeigezogen und traten um 12 Uhr aus dem eigentlichen Gebirge heraus auf ein allerdings fast ebenso hohes Plateau, denn mein Aneroïd zeigte noch nicht mehr als 24″ 10‴. Eine Stunde später lag auf der Spitze eines schroffen Felskegels, der von keiner Seite zugänglich schien, das kleine Dorf Schimrē vor uns. Man wies uns aber einen verborgenen, für Pferde ersteigbaren Pfad, und oben angekommen fanden wir bei den Bewohnern, Heiden vom Stamme der Kado-Neger, die gastlichste Aufnahme, gastfreundlicher, als ich sie in vielen von Mohammedanern bewohnten Orten gefunden habe. Zwischen den Hütten des Dorfs stehen prächtige Bäume, und unten in der Ebene haben die Bewohner einige Felder, auf denen sie ihren Bedarf an Getreide bauen.

XII.

Nach und in Keffi Abd-es-Senga.

Die Orte Ungu-n-Bodo und Garo-n-Kado. Die Kado-Neger. Markt in Ja. Sango-Katab. Mokádo und Madákia. Abenteuer in Konúnkum. Der Marktort Kantang. Ein schwarzer Adam. Das Walddorf Amáro. Hádeli. Ankunft in Keffi. Dynastie, Einwohnerschaft und Handel von Keffi.

Nachdem wir am folgenden Tage, dem 10. Februar, morgens 7 Uhr von dem gastlichen Schimrē wieder herabgestiegen waren, folgten wir auf ebenem Terrain einem Arme der Kadúna, dessen Windungen mehrmals überschreitend, und zogen um 9 Uhr an dem $^1/_2$ Stunde links von uns auf Hügeln gelegenen Fellata-Orte Suru vorbei. Der Boden ist hier von vielen tiefen Rinnsalen durchschnitten, die mit ihrem nie ganz versiegenden Wasser eine üppige Waldvegetation erzeugt haben. Im Laub der Bäume nisten buntgefiederte Vögel, und auch grössern vierfüssigen Thieren mag der Wald zum Aufenthalt dienen; bisweilen eilte eine flüchtige Gazelle in der Ferne vorüber, sogar Elefantenspuren zeigten sich.

Mir fiel hier eine Erdspinne auf, die, etwa von der Grösse unserer Kreuzspinne, ihr dichtgewebtes Netz über den Boden breitet und in Löchern verborgen ihren Fang belauert; an den folgenden Tagen sah ich sie noch öfter, bis zur Hochebene von Sango-n-Katab, weiter südlich aber nicht mehr. Wie wenig Spinnen Afrika hat, wurde schon von mir hervorgehoben: in der Berberei fehlen sie fast ganz, in den Oasen der Grossen Wüste gibt es eine einzige Art, die Skorpionspinne, in Bornu und Uándala eine andere, ebenfalls sehr grosse, die ihr Netz von 1 Meter im Durchmesser zwischen den Zweigen hoher Bäume ausspannt. Bei meinen spätern Reisen nahm ich allerdings wahr, dass die Abwesenheit oder Seltenheit der Spinnen sich auf die westliche Hälfte Afrikas beschränkt, nach Osten zu werden sie wieder häufiger an Arten wie an Zahl, und im Nilthale sind oft ganze Büsche mit Spinnweben überzogen. Noch weniger als Spinnen scheinen Schlangen in Centralafrika heimisch zu sein, wenigstens kam mir, seit ich die kleinen Schlangen in der Tintümma gesehen, nicht eine wieder zu Gesicht; eine grosse Wasserschlange soll im Tschad-See leben, ich kann aber die Richtigkeit dieser Angabe nicht verbürgen.

Wir gelangten um 10 Uhr zu dem ziemlich bedeutenden, von heidnischen Kàdo-Negern bewohnten Orte Ungu-n-Bodo und hielten vor dem Hause des Sserki (Sultan), der uns bereitwillig mit Speisen versorgte. Fast alle Männer rauchten hier — was ich bis dahin nur von den Musgu und Tuburi, die als Sklaven in Kuka leben, gesehen hatte — aus langen Tabackpfeifen mit grossen Köpfen von Thon. Von 1½ Uhr ab auf der bewaldeten Hochebene südwestwärts weiterziehend, hatten wir mehrere Zuflüsse der Kadúna zu passiren, bis um 5½ Uhr der zum Nachtlager bestimmte Ort Garo-n-Kado (die Eingeborenen sprechen Garúnkadu) erreicht wurde.

Die Kado-Neger sind von dunkelschwarzer Hautfarbe, jedoch keineswegs hässlich. Männer wie Weiber gehen nackt, jene einen mit Muscheln oder Fransen behängten Lederschurz, diese nur Baumblätter vor die Scham bindend; um den linken Arm tragen sie einen schwarzen steinernen Ring, an den Fingern mehrere Ringe von Eisen, den grössten, der ein Amulet birgt, am rechten Daumen. Die jungen Bursche bis zu 20 Jahren flechten ihr Haar in mit Glasperlen besetzte Zöpfe und binden auch Schnüre von Glasperlen um den Hals: ein weibischer Putz, mit dem weder die kräftige Muskulatur des Körpers noch die Bewaffnung mit Bogen und Pfeilen harmonirt. Im Benehmen zeichnet sich der Stamm durch eine gewisse ceremonielle Höflichkeit aus; so wurde ich als Fremder von jedem Begegnenden umständlich gegrüsst, indem die Männer, das Haussa-Wort „ssünno, ssünno" mehrmals wiederholend, sich tief vor mir verneigten, die Weiber aber niederknieten und mit abgewandtem Gesicht in dieser Stellung verharrten, bis ich vorüber war. Dass die Frauen vor einem fremden Manne das Gesicht abwenden oder verhüllen, ist übrigens eine bei den meisten Negerstämmen Nord- und Centralafrikas herrschende Sitte, die ich später auch in der Libyschen Wüste, in den Ortschaften der Oase Dachel wiederfand; ich vermuthe indess, sie hat sich erst mit dem Islam in Afrika eingeführt. Die Wohnung einer Kado-Familie besteht gewöhnlich aus zwei Hütten, die, abweichend von andern Negerwohnungen, durch einen zugebauten Gang miteinander verbunden sind, wodurch drei zusammenhängende Wohnräume gewonnen werden. Auch sonst haben die Kado, wie es scheint, manche Eigenthümlichkeiten in Charakter und Lebensweise, und es wäre darum wol der Mühe werth gewesen, länger unter ihnen zu verweilen; aber mein Gesundheitszustand nöthigte zur Eile, denn ich durfte nicht ein zweites mal mich den Einflüssen der centralafrikanischen Regenzeit auszusetzen wagen.

Nachdem wir am folgenden Morgen 2 Stunden südlich gegangen waren, passirten wir den Ort Ungo-n-Kassa und erreichten eine Stunde darauf den am linken Ufer eines grössern Arms der Kadúna gelegenen Marktort Ja. Hier-

12*

her bringen nomadisirende Fellata ihre Viehproducte, um sie gegen Feldfrüchte der Umgegend auszutauschen. Bei unserer Ankunft war der Markt, der auf einem freien, von Wald umgebenen Platze gehalten wird, eben in vollem Gange. Hellfarbige Fellata-Mädchen, mit perlengestickten Bändern im Haar, die Ohren von oben bis unten mit Ringen behängt, boten Milch, Buttermilch, Butter, auch Küchelchen aus Negerhirse, Tekra genannt; Kado-Neger und Negerinnen dagegen Getreide und Wurzelgemüse zum Verkauf aus; in Garküchbuden waren einzelne Portionen gekochtes Fleisch und Yams sowie mit Koltsche-Oel gebackene Brötchen für 5 Muscheln das Stück zu haben. Der Sultan von Ungo-n-Kassa lud mich zum Dableiben ein; da ich aber an dem Tage noch bis Sango-Katab zu kommen gedachte, labten wir uns nur an einem Trunk frischer Buttermilch und setzten dann unverweilt unsern Weg fort, der immer südwärts durch einen langen Wald platanenartiger Bäume führte und von vielen nach Westen abfliessenden Rinnsalen durchkreuzt war. An den Rändern der letztern standen haushohe Bambus und dickästige Deleb-Palmen; auch andere Palmenarten, namentlich die Fächerpalme, traten jetzt häufiger auf, und einzelne wilde oder verwilderte Bananen liessen sich sehen. Der Boden des grosswelligen Terrains besteht aus röthlicher Thonerde, nur hier und da liegt Sandstein zu Tage. Erst nach 6 Stunden gelangten wir an den Ausgang des Waldes. Inzwischen war aber bereits die Nacht hereingebrochen, und so blieb nichts übrig als im Freien zu lagern. Auf das Versprechen des Führers vertrauend, er werde uns noch vor Abend nach Sango-Katab bringen, hatten wir gar keine Lebensmittel mitgenommen weder für uns noch für die Pferde; diese fanden in dem hier reichlich vorhandenen Grase genügenden Ersatz, wir aber mussten unsere hungerigen Magen mit der Aussicht auf den folgenden Tag beschwichtigen.

Morgens wurde ein breiter nach Westen fliessender Arm der Kadúna überschritten, der weiter unten den Namen Gurára erhält. Jenseit desselben war das Land zu beiden Seiten des Weges wohl angebaut. Wie man weiss, kennen die Eingeborenen Innerafrikas nirgends den Gebrauch des Pfluges, doch ist die Methode der Ackerbestellung bei den westlichen Negern eine andere als bei den östlichen. Die Kanúri hacken, nachdem sie die Felder in der trockenen Jahreszeit abgebrannt, an manchen Orten auch mit Dünger beworfen haben, Löcher in den Boden, in welche nach dem ersten Regenschauer der Same hineingelegt wird; die Haussa und Pullo aber graben schon während der trockenen Jahreszeit mittels eines eisernen Spatens, dessen Spitze zugleich als Bohrer dient, lange regelmässige Furchen in das harte Erdreich. Wir hatten noch 2 Stunden zwischen den Feldern zu reiten, bis wir in Sango-Katab eintrafen. Die Bevölkerung dieses weitläufig gebauten Ortes ist aus Fellata und aus Kado- und Kadjē-Negern gemischt; ein Theil derselben bekennt sich zum Islam, der übrige, die Mehrzahl bildende Theil hat gar keine Religion. Auf dem kleinen Marktplatze sah ich die drei verschiedenen Typen besonders in vielen weiblichen Repräsentanten beisammen: hier die Kadjē-Weiber, nackt bis auf einen 3—4 Finger breiten Ledergurt, an dem vorn und hinten ein paar Blätter herabhingen, mit kahl geschorenem Kopf, vorgestrecktem Bauch und hochgepolstertem Gesäss, dünnen, affenartigen Beinen und mit zwei in die Ober- und Unterlippe eingezwängten Stücken Holz oder Kürbisschale, die beim Sprechen geräuschvoll aufeinanderklappten; dort die gleichfalls nackten, doch proportionirter gebauten Kado-Negerinnen; und als Gegensatz zu beiden hübsche Fellata-Mädchen, schamhaft sich mit einem weissen oder gestreiften Tuch umhüllend. Uebrigens bot der Markt ausser Lebensmitteln: Fleisch, Milch, Butter, Getreide, Goranüssen, Yams, Koltsche, süssen Erdäpfeln, Ngángala und Reisbrötchen mit Honig, nur einheimische Gewebe und eine geringe Auswahl von Glasperlen.

Ich rastete den nächsten Tag in Sango-Katab, um den Pferden, die sich die Hufe ganz abgelaufen hatten, Ruhe zu gönnen, und um von den Einwohnern den besten Weg nach Rabba am Niger zu erkunden. Niemand wusste mir aber etwas darüber zu sagen, und es scheint, dass es in der That keinen directen Weg dahin gibt. Richard Lander, der Diener Clapperton's, berichtet in seinem Tagebuche: er habe, als sein Herr in Sókoto gestorben war, von Cuttup (Sango-Katab) aus nach Süden vordringen wollen, sei aber bald durch Soldaten des Sultans von Segseg am Weitergehen verhindert worden, sodass er sein Vorhaben aufgeben musste.

Nahe bei Sango-Katab ist der höchste Punkt der bis hierher führenden Hochebene, das nun folgende Gebirge steigt zu einer niedrigern Terrasse herab, die südlich zum Bénuē, südwestlich zum Niger sich abdacht. Gen Südosten streicht eine Bergkette, welche in der Entfernung von etwa 6 Stunden 1000 Fuss relativer Höhe erreichen mag. Wir durchzogen am 14. Februar das erstere Gebirge in südsüdwestlicher Richtung und kamen nach 2 Stunden zu dem rechts am Wege liegenden, an das nördliche Ende eines andern Bergzugs gelehnten Orte Mokádo. Aus den Quellen der beiden Gebirge, die durchweg aus Sandstein und Kalk bestehen, bildet sich hier der dem Bénuē zuströmende Ssungo-Fluss. Ungefähr 2 Stunden nordwestlich von Mokádo liegt der Ort Kadjē. Zwischen dem rechts nach Südosten hin zurückweichenden Gebirge und einer links im Halbbogen gekrümmten Hügelreihe brachte uns ein weiterer nach Südwesten gerichteter Marsch von 2 Stunden nach Madákia, wo wir über Nacht blieben. Der Ort, von Kadjē-Negern und einigen Fellata bewohnt, hat ein sonderbares, schiefes Aussehen. Es sind nämlich die irdenen Wände von je zwei Hütten durch ein gemeinsames Dach verbunden, dessen eine Seite steil, die andere flach abfällt, und um jedes Gehöft zieht sich eine Hecke von oft 20—30 Fuss hohen Cactus. Wie die Kado gehen auch die Kadjē unbekleidet; die Mädchen pflegen am Gürtel ausser den Blättern ein vorn herabhängendes Bündel kleiner Muscheln zu tragen, welche ihnen ihr Bräutigam als Geschenk verehrt.

Von Madákia an gingen wir, die vielen Krümmungen des Weges ungerechnet, immer südsüdwestwärts, eine Strecke weit am Ssungo-Flusse entlang, bis er seinen Lauf ganz nach Süden wendet. Die Gegend, bisher eine grosswellige Ebene, gestaltete sich nun wieder zu einer wild zerklüfteten Gebirgsregion, wenngleich die relative Höhe der Berge wol 5—600 Fuss nicht übersteigt. Nach einer Stunde sahen wir etwa $^3/_4$ Stunden westlich vom Wege den hochliegenden Ort Debúsa, nach einer weitern Marschstunde wurde der Ort Uontára passirt, und nachdem noch fünf Stunden Wegs zurückgelegt waren, ritten wir in den ausschliesslich von Kadjē bewohnten Ort Konúnkum ein.

Es liessen sich nur Weiber in dem Orte sehen, die auf unsere Frage nach der Wohnung des Sserki (Sultan) keinen Bescheid geben wollten. Wir hielten daher aufs gerathewohl vor einem der grössern Gehöfte und feuerten wie üblich einen Salutschuss ab. Erschreckt durch den Knall, liefen die Weiber schreiend und heulend davon. Etwa zehn Minuten vergingen, da kam plötzlich eine Horde mit Keulen, Bogen und Spiessen bewaffneter Männer auf uns losgestürzt. Sie waren offenbar betrunken und, wie aus ihrem drohenden Gebrüll zu entnehmen, der Meinung, wir hätten auf ihre Weiber geschossen. Unser Führer erklärte ihnen, wir seien harmlose Reisende, mit dem abgefeuerten Schuss hätten wir nur den Sserki des Orts begrüssen wollen. Allein sie hörten nicht auf ihn, sondern umringten Hammed, der abgestiegen war, und suchten ihm sein Gewehr zu entreissen. Als ich dies sah, gab ich meinem Pferde die Sporen, sprengte mitten in den dichtesten Haufen, drei oder vier der Angreifer zu Boden werfend, und liess den Hahn meines Revolvers knacken. Rasch hatte sich auch Hammed wieder aufs Pferd geschwungen, seine Doppelflinte zum Schuss erhoben. In diesem kritischen Augenblick erschien aber der Sserki, den ein schmuziges Gewand vor seinen nackten Unterthanen kenntlich machte. Nachdem ihn unser Führer über den Sachverhalt aufgeklärt, überreichte er mir als Zeichen des Friedens und der Freundschaft seinen Spiess und lud uns zum Absteigen ein. Wir folgten zwar der Einladung, doch befahl ich, die Pferde gesattelt zu lassen, denn es schien mir nicht rathsam, unter der trunkenen Bevölkerung die Nacht zuzubringen. Es war dies das einzige mal während der ganzen Reise, dass ich von seiten der Eingeborenen mit ernstlicher Lebensgefahr bedroht wurde. In ihrer Trunkenheit hatten die Neger — sie feierten auf einem freien Platze ausserhalb des Ortes ein Fest, wobei sie sich in Palmwein berauschten — uns für Pullo oder Araber gehalten, die auf einer Sklavenrasia begriffen wären.

Der Sserki bewirthete uns mit einem kleinen Mahl, nach dessen Beendigung wir wieder zu Pferde stiegen. Ein zweistündiger Ritt in gerader Südrichtung brachte uns an den Abhang des Gebirges. Nun ging es einen sehr schwierigen Pass circa 700 Fuss abwärts ins Ssungo-Thal hinunter. Wir überschritten den Fluss, der hier, nachdem er $^1/_2$ Stunde weiter östlich einen wasserreichen, von Darróro kommenden Zufluss aufgenommen, gerade nach Westen läuft, und trafen jenseit desselben auf ein paar einzeln stehende Hütten nomadisirender Fellata. Da es dunkel zu werden begann und wir bereits 10 Stunden an dem Tage marschirt waren, baten wir um Unterkunft für die Nacht, die uns von den Bewohnern bereitwilligst gewährt wurde. Korn für die Pferde musste freilich unser Führer erst von dem benachbarten Dorfe Rundji herbeiholen, denn die Nomaden besassen zwar eine Heerde von Rindern und Buckelochsen, aber keinen Vorrath an Getreide, das sie nach Bedarf auf den täglichen Märkten in der Umgegend eintauschen.

Morgens setzten wir abermals über den Ssungo-Fluss, der hier Koki Kantang genannt wird, gingen aber dann nur eine Stunde weit südlich bis zu dem wohlhabenden Orte Kantang. Derselbe verdankt seine Wohlhabenheit dem lebhaften Tauschhandel mit den zahlreichen, auf den Hügeln ringsum ihre grossen Viehheerden weidenden Nomaden. Fast alle Bewohner des Orts, theils Haussa- und Kadjē-Neger, theils sesshafte Fellata, gehen bekleidet. Aeltere Männer drehen ihren Bart unterm Kinn zu einem mit Stroh umflochtenen Zopfe zusammen; die jüngern scheren sich den Kopf zu beiden Seiten kahl und lassen das übrige Haar, ähnlich wie die Frauen der Tebu, vorn auf der Stirn in Gestalt einer spitzen Düte oder eines Horns emporstehen. Während die Weiber Milch, Butter, Brot und dünne Fleischschnitten, die über Kohlenfeuer geröstet werden, auf dem Marktplatze feil hielten, stand oder lag die männliche Bevölkerung in Gruppen umher, plaudernd oder ein Bretspiel spielend, eine Art Dame, wie es merkwürdigerweise auch in ihrer Sprache heisst, obwol es mehr unserm Tricktrack gleicht; das Bret hat statt der Felder sechzehn Vertiefungen, und als Spielsteine dienen kleine Kiesel. — Ich bemerkte hier wieder eine mir neue Gattung Ameisen, die mich durch ihre Länge von 1½ Centimeter in Erstaunen setzte; sie liefen in Scharen zwischen unsern Sachen umher, suchten aber nur nach Körnern, und keiner von uns wurde durch sie belästigt oder gebissen.

Wir hatten Kantang andern Tags bei Sonnenaufgang verlassen, waren, mit geringen Ausweichungen nach Ost oder West, immer südwärts marschirt und machten nun in dem Oertchen Kossum halt, das ganz zwischen hohen Bäumen versteckt liegt. Hier blieb unter dem Vorgeben, dass er nicht weiter zu gehen im Stande sei, unser Führer zurück, obgleich ich ihn in Gora für 6000 Muscheln bis nach Keffi gedungen. Damals war er ganz nackt, und weil er sich als guter Muselman dessen schämte, nahm er den Führerdienst bei mir an, um für die Muscheln sich dann ein Hemd kaufen zu können. An einem der ersten Marschtage beschenkte ich ihn mit einer Weste; da war es höchst komisch zu sehen, welche vergebliche Anstrengungen er machte, das ungewohnte Kleidungsstück auf seinen Körper zu bringen; endlich dank der Hülfe meines kleinen Noël damit zu Stande gekommen, sass er, mir den Rücken kehrend, zur Erde nieder, rieb sich das Gesicht mit Sand und rief unzählige mal „Etjau, etjau“ (Haussa-Wort für „danke schön“). Seitdem spottete er bei jeder Gelegenheit über die Heiden, auf die er mit dem ganzen Hochmuth eines zum Islam bekehrten Negers herabsah, dass sie so unanständig seien, unbekleidet zu gehen. Schwarz wie ein Rabe, hatte er seltsamerweise bei der Beschneidung den Namen unsers paradiesischen Aeltervaters Adam erhalten. Im ganzen war ich mit ihm zufrieden gewesen, er sorgte namentlich gut für die Pferde und hatte nur den einen Fehler, dass er in jedem Dorfe am Wege einkehren wollte und sich immer lange zum Wiederaufbruch antreiben liess.

Von nun an ohne Führer, setzten wir unsere Tour durch den Wald fort. Eine Stunde hinter Kossum trifft die grosse Strasse von Sária mit dem Waldpfade zusammen, und ½ Stunde weiterhin zweigt der Weg südsüdöstlich nach Ssinssínni ab. Wir hatten 3½ Stunde zurückgelegt, als wir in dem an einem südwärts fliessenden Bache malerisch in einer Lichtung gelegenen Dörfchen Amáro Einkehr hielten. Man räumte uns eine Hütte etwas abseits von den übrigen, die sich dicht an den Saum des dunkeln Waldes anlehnte, zum Uebernachten ein; an Lebensmitteln aber war nichts zu haben, und ich musste daher Hammed nach der ¾ Stunden entfernten Marktstadt Ssinssínni auf Fourragirung abschicken. Er kehrte abends mit allem, was wir nöthig hatten, zurück und berichtete mir, Ssinssínni sei eine durch hölzerne Mauern und durch Gräben befestigte Stadt von 10000 Einwohnern; auf dem dortigen Marktplatze wollte er über 100 Verkaufsbuden gezählt haben.

Am folgenden Morgen wurde um 7 Uhr aufgebrochen. Zwischen bewaldeten Hügeln führt der Weg 2 Stunden lang abwärts zu dem sehr ausgedehnten, aber wie es scheint wenig volkreichen Orte Alabaschi, an dessen Ostseite wir aussen vorbeizogen. Alabaschi war früher von Kanúri bewohnt, bis dieselben vor etlichen 80 Jahren durch Schua-Araber aus Bornu, welche sie gastlich bei sich aufnahmen, zum Dank dafür aus ihrem Wohnsitz vertrieben wurden; sie wanderten weiter nach Westen und erbauten dort, im Jahre 1215 der Hedjra, die Stadt Láfia-Beré-Beré. Wieder senkt sich der Weg, und zwar an dieser Stelle sehr steil, gegen 500 Fuss tief hinab in ein nach Südwesten ziehendes Thal. Unsere Pferde, deren Hufe von dem fortwährenden Gehen auf steinigem Gebirgsboden sehr laidirt waren, brachen hier vor Schmerz und Ermüdung fast zusammen; wir liessen sie daher, um 11 Uhr unten im Thale angekommen, auf einem schattigen, von fliessendem Wasser benetzten Grasplatze ein paar Stunden ausruhen. Nachmittags legten wir dann noch 3 Stunden südwestlich zurück. Dicker Qualm von Grasbränden lagerte über der, wie mir schien, immer noch recht gebirgigen Landschaft, sodass uns der Ort Hádeli nicht eher sichtbar ward, als bis wir dicht unter seinen Mauern standen. Wir ritten durch das Thor und begaben uns zunächst auf den Markt, um Lebensmittel für uns und Futter für die Pferde einzukaufen. Da wurden wir von einem Mallem, der mich für einen mohammedanischen Collegen hielt, angeredet und eingeladen, ihm in seine Wohnung zu folgen. Dankend nahm ich sein Erbieten an, und wir waren bei ihm, wie sich zeigte, ganz gut aufgehoben. Immer im Glauben, ich sei ein gelehrter Fakih, bat er mich, ein Amulet in arabischer Sprache für ihn zu schreiben, welches die Wirkung habe, dass alles sich zu seinem Vortheil wenden müsse. Solche arabisch geschriebene Amulete sind in Centralafrika ausserordentlich begehrt, fast überall, wo ich länger verweilte, ward ich um Niederschrift irgendeiner Wunschformel angegangen. Da ich nun wusste, dass die Empfänger nicht arabisch lesen können, die Schrift aber als einen kostbaren Besitz sorgfältigst aufbewahren, benutzte ich diese Zettel, um den Namen des Orts, den Tag meines Aufenthalts daselbst, den Barometerstand und andere von mir gemachte Beobachtungen darin niederzulegen. Es befremdete zwar unsern Wirth, dass er mich abends nicht die vorschriftsmässigen Gebete verrichten sah, doch erwiderte ihm Hammed, gegen den er seine Verwunderung darüber aussprach, als ein so grosser Mallem, der ich sei, hätte ich das nicht mehr nöthig; und als ich ihm beim Abschiede am andern Morgen 500 Muscheln und eine rothe Mütze im Werthe von 3000 Muscheln als Gastgeschenk einhändigte, schien vollends jeder Zweifel an meiner Heiligkeit und Gelehrsamkeit aus seinem Kopfe geschwunden zu sein.

Der achtzehntägige Ritt durch das Gebirge hatte mich, zumal meine Kräfte nicht mehr die anfängliche Spannkraft besassen und viele der früher genossenen Reisebequemlichkeiten nun entbehrt werden mussten, in hohem Grade angegriffen; ich begrüsste deshalb mit Freuden die Anzeichen von der Nähe eines grössern Orts, in der Aussicht, daselbst einige Tage der Ruhe und Erholung pflegen zu können. Von Hádeli ab, das wir am 19. Februar morgens 7 Uhr in westsüdwestlicher Richtung verliessen, reiht sich Weiler an Weiler und Feld an Feld bis an die Thore der 2 Stunden entfernten Stadt Keffi Abd-es-Senga. Um 9 Uhr zogen wir in dieselbe ein. Ich liess sogleich dem Sultan meine Ankunft melden und wurde bald darauf zur Audienz entboten. Man führte mich in eine einzeln stehende runde Hütte von erstaunlicher Grösse; ihr Inneres bildete einen einzigen, mindestens 100 Fuss im Durchmesser haltenden Raum, von 20 Fuss hohen Thonmauern umschlossen, über denen sich das zuckerhutförmige Dach, durch den Stamm einer Deleb-Palme gestützt, wol 60 Fuss hoch erhob; mehrere ovale Oeffnungen in der Wand gestatteten dem Lichte hinlänglichen Zutritt; der Boden war mosaikartig gepflastert. Dergleichen gesonderte Empfangshütten haben von hier an weiter nach Centralafrika hinein alle Negerfürsten, während in den nördlichern Ländern, Bornu, Kano, Sókoto u. s. w., der Audienzsaal mit der fürstlichen Wohnung verbunden ist. Der Sultan von Keffi, auf einer Ochsenhaut sitzend und ganz in Weiss gekleidet, empfing mich auf das huldvollste, doch beschränkte sich die Audienz, da er kein Arabisch spricht, wenn er auch etwas zu verstehen schien, auf die herkömmlichen Begrüssungen. Sodann befahl er dem Sünnoao, seinem ersten Minister, uns ein gutes Quartier anzuweisen.

Keffi ist im Jahre 1819 von Abd-es-Senga, einem Mallem aus Sária, gegründet worden. Derselbe regierte 9 Jahre und 4 Monate und hinterliess die Herrschaft seinem Bruder Maisábo, der sie 14 Jahre, bis zu seinem Tode, innehatte. Maisábo's Nachfolger war der älteste Sohn Abd-es-Senga's,

Djibrin mit dem Beinamen Baua (d. h. Kapuzenträger), dessen Regierung 25 Jahre währte. Er starb 6 Monate vor meiner Ankunft, und es folgte ihm sein Bruder Hámmedo, der jetzige Sultan, im Alter von etwa 40 Jahren. Das Sultanat Keffi umfasst ausser der Stadt Keffi Abd-es-Senga gegen 20 kleinere Ortschaften und steht unter der Oberhoheit des Sultans von Sária, dem es einen jährlichen Tribut an Sklaven und Muscheln zu entrichten hat. Dagegen bezieht der Sultan von Keffi nicht unbedeutende Einkünfte erstens aus dem Ertrage von Ländereien, welche die Unterthanen und seine Sklaven für ihn bebauen müssen, zweitens aus einigen directen Abgaben und drittens aus den häufigen Sklavenjagden, die er an den Grenzen seines Gebiets ausführen lässt. Sultan Hámmedo wird wegen seiner Freigebigkeit gerühmt.

Die Stadt liegt an der Ostseite eines Hügels, circa 900 Fuss über dem Meere, in äusserst fruchtbarer Gegend. Sie ist durch feste Mauern geschützt und von zwei Rinnsalen durchschnitten, die 2 Stunden weiter östlich in den Kogna-Fluss münden, in der trockenen Jahreszeit aber wenig oder gar kein Wasser haben. Da nun aller Unrath auf den Strassen liegen bleibt und Hunde, die ihn verzehren würden, aus religiösem Vorurtheil nicht geduldet werden, muss namentlich zu Beginn der Regenzeit der Aufenthalt in den engen Stadttheilen sehr lästig und ungesund sein. Neben den runden Hütten gibt es hier auch schon viereckige, eine Form, die eigentlich erst am untern Niger, am sogenannten Nun, und südlich vom Bénuē als die gebräuchliche vorkommt. Bei der Gelegenheit sei wieder daran erinnert, dass man sich unter einer Negerwohnung nicht eine einzelne Hütte, sondern einen Complex von Hütten denken muss, deren jede, etwa wie die verschiedenen Stuben unsers Wohnhauses, einem andern Zwecke dient. In den nördlichen, civilisirtern Ländern Afrikas umschliesst immer ein Zaun oder eine Thonmauer die von einer Familie bewohnten Räumlichkeiten, mehr nach Süden zu aber sieht man auch Hüttengruppen ohne Einfriedigung.

Die Bevölkerung, aus mohammedanischen Fellata, Haussa und Segseg und aus heidnischen Afo nebst andern Negerstämmen gemischt, war etwa 30000 Seelen stark, aber in rascher Zunahme begriffen, seitdem die Handelskaravanen ihren Weg über hier statt über Bautschi nehmen. Männer wie Frauen gehen bekleidet, nur an Markttagen sieht man nackte Neger beiderlei Geschlechts, die aus den umliegenden Dörfern zur Stadt kommen. Einen höchst sonderbaren Geschmack entwickeln die Bewohner dieses gesegneten Landstrichs, der so viele Nutz- und Nährpflanzen, wie die Oelpalme, den Butterbaum und zahlreiche andere, ohne alle Pflege darbietet, indem sie mit Vorliebe gekochte Lederstückchen kauen. Die Frau meines Hauswirths, eines Gerbers und Sandalenmachers, beiläufig die fetteste Negerin, die ich je gesehen, sammelte alle Abschnitzel von den ungegerbten Ochsenhäuten, sengte über einem Strohfeuer die Haare davon ab, kochte dann die Stücke so lange in Wasser, bis sie einigermassen weich geworden, und erwarb sich aus dem Verkauf dieses vom Volke als Leckerbissen begehrten Gerichts einen hübschen Nebenverdienst. Durch die thierischen Abfälle, welche rings um die Gerberei aufgehäuft lagen, wurden immer Hunderte von Aasgeiern herbeigelockt, deren gellendes Gekreisch mich nicht wenig belästigte; selbst als ich mit linsengrossen Sorghumkörnern unter sie schoss — mein Schrotvorrath war mir ausgegangen — und einige aus dem Haufen tödtete, liessen sie sich nicht vertreiben.

Gleich weit von Egga, dem afrikanischen Emporium der Engländer, wie von Kano, dem südwestlichsten Handelsplatze der Araber und Berber, entfernt, vereinigt Keffi auf seinem Markte die Waaren, die über den Atlantischen

Ocean kommen, mit denen, die über das Mittelländische Meer nach Centralafrika gebracht werden. Jene, obwol meist von weit besserer Qualität und verhältnissmässig auch billiger, finden indess nicht so guten Absatz wie die über Tripolis und Kairo eingeführten leichtern Fabrikate; so werden die in Solingen eigens für den afrikanischen Handel angefertigten sogenannten Tuareg-Schwerter den soliden englischen Klingen vorgezogen, desgleichen können die Korallen aus England nicht mit den geringern venetianischen concurriren. Hingegen ist englisches Pulver, grobes wie feines, ein Haupthandelsartikel, und auch bunte Kattune, Seidenzeuge, überhaupt feinere Stoffe, die von Egga oder Lokoja nach Keffi kommen, sind hier mit Vortheil umzusetzen. Silbermünzen, welche die Frauen als Platten ihrer Fingerringe tragen, sodass oft die ganze Hand von einem Bu-Thir bedeckt ist, liefern Deutschland und England: Schillinge und Halbe Kronen sind zu dem Zweck fast ebenso beliebt wie der Bu-Thir (Mariatheresienthaler), nördlich über Keffi hinaus aber sind englische Münzen noch nicht gedrungen. Europäischer Branntwein, hier Barássa genannt, wird gleichfalls vom Westen eingeführt; obgleich von der schlechtesten Sorte, ist er doch enorm theuer, weshalb ihn die Neger mit Palmwein, den man hier aus der Oelpalme gewinnt, vermischen. Selbstverständlich wird ein so grosser Markt, der an Bedeutung schon beinahe den von Kuka erreicht hat, von vielen fremden Kaufleuten besucht; es hielten sich zur zeit deren aus Egga, Ilori, Gondja, Kano, Sária, Jola in der Stadt auf.

Ich berieth mich mit mehrern Kaufleuten über die Fortsetzung meiner Reise und entnahm aus ihren verschiedenen Angaben, dass es am förderlichsten für mich sei, in einem Canoe den Bénuē hinabzufahren, und dass ich den Weg bis ans Ufer des Stromes ganz gut zu Fuss zurücklegen könne. Nun galt es, meine drei Pferde bestmöglich zu verkaufen. Das war aber keine leichte, jedenfalls keine rasch zu erledigende Aufgabe. Geduldig musste ich von Tag zu Tag auf ein annehmbares Gebot harren, um schliesslich doch nicht mehr als 190000 Muscheln (38 Thaler) für alle drei zu erzielen. Jetzt fragte es sich wieder: was mit den Muscheln anfangen? Da Keffi auch ein bedeutender Markt für Elfenbein ist, das von den Gegenden am Bénuē in Masse hierher gebracht wird, kam ich auf die Idee, dieses überall verwerthbare Product gegen dieselben einzutauschen. Das lästige und zeitraubende Feilschen ging also von neuem los, und es dauerte wieder mehrere Tage, bis der Handel abgeschlossen war. Für 220000 Muscheln (44 Thaler) erstand ich zwei Elefantenzähne von je 4 Ellen Länge und zusammen 140 Pfund Gewicht. Ein Händler würde 30, höchstens 35 Thaler dafür bezahlt haben, und in Europa wären sie, zum durchschnittlichen Marktpreise von 150 Thaler pro Centner gerechnet, 210 Thaler werth gewesen. Ich verkaufte sie später in Lokoja um 30 Pfd. Sterl. (200 Thaler). Fünf kleine Zähne wurden mir für nur 60000 Muscheln zugeschlagen.

Seitdem die Elefantenheerden im Tschadsee-Gebiet so stark decimirt worden sind, liefern unstreitig die Länder am Bénuē bei weitem den grössten Theil des über Tripolis nach Europa gehenden Elfenbeins. Baikie, Laird, Oldfield, Barth und andere Reisende heben übereinstimmend den grossen Reichthum jener Gegenden an Elefanten hervor, Dr. Hutchinson, ein Mitglied der Baikie'schen Expedition, berichtet, er habe in Gandiko am Bénuē an einem gewöhnlichen Markttage 620 Pfund Elefanten- und viele Hippopotamus-Zähne gekauft, und auch in Keffi machte sich der Sultan anheischig, mir binnen einigen Wochen 50 Centner der grössten Elefantenzähne zu verschaffen. Wäre es unter solchen Umständen nicht natürlicher und vortheilhafter, wenn alle Elfenbeintransporte, statt wie bisjetzt durch die Wüste ans Mittelländische Meer, künftig auf dem Bénuē und seinen zahlreichen tief ins Land gestreckten Armen an den Atlantischen Ocean gingen?

Während der ganzen Zeit waren ich und Hammed wieder arg vom Wechselfieber geplagt; nur der kleine Noël blieb frei davon, sodass er für uns beide sorgen und oft ganz allein den Dienst versehen musste. Dann und wann ein Schluck importirten Branntweins gab, so schlecht er war, meinen erschlafften Lebensgeistern einige Anregung; was mir aber vor allem frischen Muth verlieh, das war die Kunde von einer englischen Ansiedelung am Zusammenflusse des Bénuē und Niger, von der ich hier zum ersten mal hörte, denn erst als ich Europa eben verlassen, kam die Nachricht dorthin, dass Engländer an diesem Punkte Afrikas die Handelsfactorei Lokoja gegründet hatten. Von der Sehnsucht getrieben, wieder mit gebildeten Menschen zu verkehren, europäische Laute an mein Ohr schlagen zu lassen, war ich nun noch eifriger auf baldiges Weiterkommen bedacht. In sehr dankenswerther Weise unterstützte mich dabei ein Bruder des Sultans, Namens Ja-Mussa; er miethete mir Träger für die Elefantenzähne, versah mich mit zwei Sklaven zum Fortschaffen des Gepäcks und stellte einen seiner Hausbeamten als Begleiter durch das Gebiet der götzendienerischen Afo-Neger zu meiner Verfügung; von da bis an das Grosse Wasser, wie er sagte, sei die Gegend sicher und kein schützendes Geleit vonnöthen. So stand endlich meinem Aufbruch von Keffi nichts mehr im Wege.

XIII.

Von Keffi bis an den Bénuē.

Ausmarsch. Der Kogna-Fluss. Ssinssínni und Omaro. Dorf Ego im Ego-Gebirge. Götzenbilder und Götzendienst. Die Städte Atjaua und Udíni. Eine Kunststrasse. Sultan Auno von Akum. Ankunft am Bénuē.

Punkt 12 Uhr mittags schritt ich mit meinen Leuten zu Fuss durch das südöstliche Stadtthor von Keffi Abd-es-Senga. Das Thermometer zeigte + 42° im Schatten, doch ermässigte ein starker Südostwind, sobald wir ins Freie gelangt waren, die Schwüle der Atmosphäre. Auch auf dieser Seite der Stadt fehlte es nicht an einzeln liegenden, von Fruchtfeldern umgebenen Gehöften, ein Beweis, dass Leben und Eigenthum hier vollkommen geschützt sind. Der schwarze Humusboden unter unsern Füssen war infolge der andauernden Hitze während der trockenen Jahreszeit vielfach geborsten und zerspalten. Das Terrain, anfangs ganz eben, erhob sich nach einer Stunde zu niedrigen Hügeln, über welche hinaus etwa 5 Stunden gegen Nord zu Ost die Umrisse des Gúndoma-Berges, und etwas später auf 3—4 Stunden Entfernung im Süden die des Afo-Gebirges sichtbar wurden. Um $1\frac{1}{2}$ Uhr kamen wir zu dem Orte Akoki und um $3\frac{1}{4}$ Uhr an den Fluss Kogna, den ich dicht hinter Hádeli schon einmal überschritten hatte; sein Bett, von Norden nach Süden gerichtet, ist hier durch vortretende Felsen verengt, immerhin aber mochte der Strom

13*

noch jetzt, zur Zeit des niedrigsten Wasserstandes, bei 1½ Fuss Tiefe 200 Meter breit sein; er floss so ruhig und klar, dass man die Fische darin schwimmen und bis auf den kiesigen, viel Marienglas führenden Grund sehen konnte. Wir ruhten eine Weile an seinem kühlen, malerischen Ufer und gingen dann, immer südöstliche Richtung verfolgend, bis zu dem Oertchen Gando-n-Ja-Mussa, das dem Bruder des Sultans gehört, wo man uns daher aufs beste empfing und beherbergte. Gando ist nur 10 Minuten vom Kogna-Ufer entfernt; der Ort Kogna liegt 1 Stunde weiter nördlich.

Frühmorgens gen Südsüdosten weitergehend, während der Kogna seinen Lauf direct gen Süden wendet, hatten wir in hügeliger Gegend erst angebautes Land zur Seite, traten dann in einen Wald, berührten nach 2½ Stunden das Dorf Scharo und gelangten 10 Minuten hinter Scharo zu dem Orte Ssinssínni. Der Name „Ssinssínni" heisst wörtlich „Lagerstadt" und wird in der Regel solchen Orten beigelegt, die zeitweise, wie Keffi-n-Rauta, einer grössern Zahl Truppen zum Quartier dienen. Ja-Mussa hatte mir ein Empfehlungsschreiben an den Sultan von Ssinssínni mitgegeben, worin dieser ersucht wurde, uns durch einen sichern Mann nach der Stadt Akum unfern vom Bénuē, die unter seiner Botmässigkeit steht, geleiten zu lassen. Er schickte bereitwillig einen seiner Diener und beschenkte uns überdies mit Brotküchelchen aus Indischem Korn; andern Proviant kaufte ich auf dem Markte für uns ein. Ich visirte von hier aus in Ostsüdosten den Berg Tokóa, der nur etwa 1½ Stunden entfernt ist, und in Nordnordwesten den etwa 3½ Stunden entfernten Berg Kogna.

Der Weg nahm jetzt, wieder durch Wald führend, südsüdwestliche Richtung. Das Gehen fing doch bereits an mir schwer zu fallen, da mich meine alte Schusswunde im rechten Beine schmerzte, und kaum konnte ich den Elfenbeinträgern folgen, die, ihre schwere Bürde frei auf dem Kopfe balancirend, rasch als wären sie unbelastet voranschritten. Im Walde erlegten meine Leute eine Schlange von 5 Fuss Länge, die einzige, die ich in Innerafrika gesehen, und schnitten ihr den Kopf ab, um mit dem darin enthaltenen Gift ihre Pfeile zu bestreichen. Nach 2 Stunden 40 Minuten war unser Nachtquartier, der Ort Mallem Omaro, erreicht. Derselbe ist erst vor einigen Jahren von einem Mallem Namens Omaro gegründet worden und dürfte einer der am weitesten nach Süden vorgeschobenen Posten des Mohammedanismus sein.

Schon um 6½ Uhr traten wir am andern Morgen den Weitermarsch an. Zunächst war der Aueni-Fluss, der von Osten kommend bei Nessraua in den Kogna mündet, zu überschreiten; ein primitiver Steg für Fussgänger verband zwar die beiderseitigen Ufer, indem man einen abgehauenen Stamm von einem Baum zum andern gelegt hatte, doch zogen wir vor, das seichte Bett zu durchwaten. Der Lauf des Aueni bis hierher kann kaum mehr als eine Tagereise betragen, da weiter im Osten das Gebiet des Ssungo-Flusses anfängt; wenn er gleichwol zu Ende der trockenen Jahreszeit noch Wasser hatte, so müssen eine Menge kleiner Zuflüsse sich in ihm vereinigen. Von seinem jenseitigen Ufer an beginnt eine allmähliche Erhebung des sehr unebenen, von vielen Rinnsalen durchschnittenen Bodens. Nach einstündigem Marsche durch Wald in südsüdöstlicher Richtung gelangten wir auf eine baumlose Anhöhe, von der aus ich folgende Berge visiren konnte: in Nordnordosten etwa 3 Stunden entfernt den Tokóa, in gleicher Entfernung gen Osten den Jége, und etwa 2 Stunden südwestlich den Anágoda. Weitere 3 Marschstunden brachten uns an den Fuss des Ego-Gebirges, das sich in einem Bogen von etwa 6 Stunden Länge von Westen nach Süden und dann nach Südosten herumzieht. Wir brauchten ½ Stunde zum Erklimmen der bewaldeten steilen Bergwand und erreichten dann nach 1/4 Stunde auf einem kleinen Plateau das von hohen Granitblöcken und undurchdringlichem Gebüsch, durch welches nur ein einziger schmaler Fusspfad führt, wie mit einem natürlichen Wall umschlossene Dorf Ego. Dank der Empfehlung Ja-Mussa's wurden wir von dem Sultan des Orts in seine eigene Wohnung aufgenommen und reichlich mit Speisen versorgt.

Die Bewohner dieses einsamen Gebirgsdorfs, etwa 500 an Zahl, sind Afo-Neger von dunkelschwarzer Hautfarbe. Sie feilen sich die Oberzähne spitz und scheren ihr Kopfhaar stellenweise ab, sodass es dazwischen in verschiedenförmigen einzelnen Figuren stehen bleibt. Die Frauen hüllen den Körper in ein Stück Zeug, die Männer aber gehen unbekleidet, nur einen zwischen den Beinen hindurchgezogenen Schurz tragend. Bei den unverheiratheten Burschen sind beide Arme von oben bis unten mit messingenen Spangen, bei manchen auch die Füsse mit Messingkettchen geschmückt und die Hüften mit Perlenschnüren umwunden, ganz wie in Segseg und Bautschi bei den Frauen. Es ist überhaupt eigenthümlich, wie die Weibertracht der einen Gegend in der andern von den Männern getragen wird und ebenso umgekehrt. Ja, trotz der Einfachheit der Trachten ist auch bei den innerafrikanischen Negern keineswegs ein Wechsel in den Moden ausgeschlossen; so kommt es vor, dass dieselbe Sorte Glasperlen, die bei einem Stamme sehr beliebt war, nach einiger Zeit gar nicht mehr von ihm gekauft wird, weil der Geschmack sich inzwischen einer neuen Sorte zugewendet hat.

Wenn ich in den bis dahin von mir durchreisten Ländern Afrikas, in welche alle der Mohammedanismus mehr oder weniger eingedrungen, keinerlei heidnische Götzenbilder gesehen hatte, vielmehr die ganze Religion der dort wohnenden Heiden, ohne irgendwelchen äussern Cultus, blos in einigen abergläubischen Vorstellungen zu bestehen scheint, trat mir hier in Ego mit einemmal der Fetischdienst in seiner vollen Ausbildung entgegen. Am Eingange zur Wohnung des Sultans stand ein von Thon geformter Götze, und ebenso hatte jede Familie, meist auf einer Erhöhung vor der Hütte, ihren eigenen Hausgötzen, gewöhnlich eine Gruppe von mehrern Thongebilden, die mit bunten Lappen, mit Tellern, Schüsseln und allerhand sonstigem Geräth behängt oder auch ganz angekleidet und mit Bogen und Pfeilen versehen waren. Ausserdem gab es in besondern Hütten zur allgemeinen Verehrung aufgestellte Götzen. Die zwei vornehmsten derselben hiessen Dodo und Harna-Ja-Mussa. Dodo, wahrscheinlich das böse Princip repräsentirend, war eine thönerne Thiergestalt mit vier Antilopenhörnern auf dem Rücken und zwei menschlichen Gesichtern, eins nach vorn und eins nach rückwärts gekehrt, von denen das vordere weiss gefärbt war und einen Bart von Schafwolle hatte. Harna-Ja-Mussa stellte eine menschliche Figur ohne Arme in sitzender Stellung vor, mit herausgestreckter Zunge, starkem weissen Wollenbart und zwei Antilopenhörnern auf dem Kopfe. Die Gesichter an beiden Götzen wie an allen, die ich später sah, zeigten nicht den Negertypus, sondern mehr kaukasische, vermuthlich den Fellata-Physiognomien nachgebildete Formen. Uebrigens können diese zwei Götzen erst aus neuerer Zeit stammen, denn sie tragen die Namen zweier Anführer der Fellata, die sich bei der Invasion derselben, der eine im Haussa-Lande, der andere in Segseg, durch besondere Grausamkeit gegen die Eingeborenen hervorgethan hatten. So versetzen ja auch die mohammedanischen Araber die gefürchtetsten Scheusale, wie den Sultan Muley Ismael, unter ihre Heiligen. Verstorbene Afo werden in den Hütten der Götzen begraben, und sind es im Leben berühmte Krieger gewesen, so wird ihr Bild auf das Grab gesetzt und als neuer Fetisch verehrt. Man erfleht von den Götzen ein fruchtbares Jahr, Regen, Sieg über die Feinde, zahlreiche Nachkommenschaft u. s. w. und fürchtet dagegen, dass sie, wenn man ihren Dienst vernachlässigt, das heisst nicht zu gewissen Zeiten das Blut geschlachteter Thiere vor ihnen aussprengt oder sie damit beschmiert, Hungersnoth, Krankheiten, Krieg und sonstiges Unheil über den Stamm verhängen.

Wir verliessen Ego am andern Morgen 6½ Uhr, gingen in südsüdwestlicher Richtung auf dem Hochplateau weiter und befanden uns nach einer halben Stunde an dessen südlichem Abhange, den wir nun hinabstiegen. Auf dieser Seite hat das Gebirge weit grobkörnigern Granit, und ungeheuere Blöcke davon lagen an seinem Fusse zerstreut. Unten in der Ebene angekommen, die gewellt und gut bewaldet ist, passirten wir mehrere nach Osten laufende Flüsschen. Hier zeigten sich schon zahlreiche Elefantenspuren. Auch Zibethkatzen muss es hier in Menge geben. Ich bekam zwar, da sie ausserordentlich scheu sind, keine zu Gesicht, aber meine Neger fanden überall am Wege dürre Grashalme, die mit dem stark riechenden Zibethfett beklebt waren. Das Thier hat nämlich das Bedürfniss, seine Fettdrüse von Zeit zu Zeit zu entleeren, und presst dieselbe dann gegen steife Stengel oder Halme, bis die klebrige Substanz herausfliesst. In der Gefangenschaft wird der Zibethkatze, wie ich an einer frühern Stelle beschrieben habe, behufs Gewinnung des kostbaren Moschus die Drüse alle acht Tage gewaltsam ausgedrückt.

Um 10½ Uhr vormittags rasteten wir vor der rings mit tiefen Gräben umzogenen Stadt Atjaua, die gegen 5000 Einwohner, alle dem Stamme der Afo angehörig, zählen soll. Von da wandte sich der Weg südlich, er führte, von mehrern gegen Osten oder Südosten fliessenden Rinnsalen gekreuzt, in einer grossgewellten Ebene hin, links und rechts an zerstörten Ortschaften vorbei, den traurigen Zeugen verheerender Kriege, zu der ebenfalls von 5000 götzendienerischen Afo bewohnten Stadt Udéni, welche wir nach 3 Stunden erreichten. Wie Atjaua ist auch Udéni durch Wallgräben befestigt, doch gelangt man, statt wie dort über einen schmalen Balken, hier über einen etwas breitern hölzernen Steg in die Stadt. Angestaunt von den herbeilaufenden Bewohnern — ich mochte wol der erste weisse Mann sein, den sie zu sehen bekamen —, liessen wir uns gleich zum Sultan führen und wurden bestens von ihm aufgenommen. Der Ort liegt in einem Walde von Oelpalmen, die nicht nur gutes, rothfarbiges Oel liefern, sondern auch Früchte mit einem schmackhaften mandelartigen Kern. In der weitern Umgebung von Udéni wird viel Baumwolle gebaut. Auf dem Markte der Stadt sah ich Fische aus dem Bénuē feilbieten.

Am folgenden Tage legten wir erst 1 Stunde in südlicher, darauf 4 Stunden in südsüdwestlicher Richtung zurück. Die Gegend ist einförmig: grossgewellter Sand- oder Thonboden, sehr dichter, aber niedriger und verkrüppelter Wald. Aus der Thonerde ragen hier wieder viele der merkwürdigen Ameisenbauten in Form von Thürmen und Pyramiden hervor; es waren solche, an denen äusserlich nirgends eine Oeffnung wahrzunehmen ist, deren Inneres aber mit seinem Labyrinth von Gängen und Kammern einem grossporigen Schwamme gleicht. Ungefähr in der Mitte des Wegs befinden sich die Ruinen der von den Fellata zerstörten Stadt A'kora, die einen sehr bedeutenden Umfang gehabt haben muss. Bei dieser Trümmerstätte beginnt eine 8 Fuss breite, in schnurgerader Richtung bis zur Stadt Akum führende Kunststrasse; ich erblickte in ihr ein bemerkenswerthes Zeichen fortgeschrittener Civilisation, wie es mir noch in keinem Negerlande begegnet war, um so mehr, als man behufs ihrer Anlage auf der ganzen

Strecke das dichtverwachsene, knorrige Gehölz hatte aushauen und entwurzeln müssen.

In Akum suchte ich zuerst den Toraki (Steuererheber) des Sultans von Segseg auf, an den ich empfohlen war, den einzigen in dieser Heidenstadt zeitweise wohnenden Mohammedaner. Sodann liess mich der Sultan des Orts, Namens Auno, durch seinen Kaiga-ma begrüssen und zu einem Besuche einladen. Den Eingang zu dessen sehr weitläufiger Wohnung bildete eine mit doppeltem, kirchthurmähnlichen Dache bedeckte und an den äussern Thonwänden mit Arabesken verzierte Hütte. Durch sie hindurch und über mehrere Höfe, wo Sklaven und Sklavinnen, aus langen Pfeifen rauchend, müssig auf dem mosaikartig gepflasterten Fussboden lagen, führte man mich zu einem kleinen innern Raum. Hier hockte Seine schwarze Majestät völlig nackt am Boden; ein blaues Sudanhemd, das über seinen Schos gebreitet war, sollte mir wol blos zeigen, dass er im Besitz von Kleidern sei, wenn er auch nicht für nöthig finde, sie anzulegen. Er sprach und verstand keine andere Sprache als Afo, und ich brauchte daher, um mich mit ihm zu verständigen, zwei Dolmetscher, einen, der das Afo ins Haussa, und einen, der mir das Haussa ins Kanúri übersetzte. Die Unterhaltung betraf zumeist meine Reise. Von verschiedenen Seiten war mir abgerathen worden, an den Bénuē zu gehen, weil die an seinen Ufern wohnenden Stämme, namentlich die Bassa, sehr raublustig seien und ich als Weisser unfehlbar dort ausgeplündert, wol gar umgebracht werden würde. Der Sultan, den ich darüber befragte, versicherte mich aber, das sei unwahr, ich könne ohne Gefahr die Reise zum Bénuē fortsetzen. Nach beendigter Audienz wieder über die verschiedenen Höfe geführt, sah ich eine grosse Anzahl nackter Kinder in denselben herumlaufen, schwarze wie bronzegelbe, letztere von Fellata-Müttern stammend, alle durch

Arm- und Beinringe gezeichnet und mit Glasperlen behängt. Es waren die Sprösslinge Sultan Auno's, der sich, wie man mir sagte, einen Harem von gegen 300 Weibern hielt. Sonst leben die Afo-Neger nicht in Polygamie, nur ihre Sultane haben sich das Vorrecht beigelegt, es den mohammedanischen Grossen hierin gleichzuthun.

Als ich am folgenden Tage wieder zum Sultan ging, um mich von ihm zu verabschieden, ward ich Zeuge der Opferungen, welche den zahlreichen Götzen längs dem Hauptgange im Innern des Palastes, wo jeder in einer besondern kleinen Hütte steht, von den Dienern und Hofbeamten dargebracht wurden. Dem vornehmsten Götzen, Boka, schlachtete man ein Schaf, den andern Hühner. Die Opferthiere wurden nach mohammedanischem Brauch durch einen Querschnitt getödtet, ihr dampfendes Blut alsdann vor den Fetischen ausgesprengt oder nebst den Hühnerfedern denselben angeklebt, das Fleisch aber sofort gekocht und von den Opferern verspeist. Zum Schluss zog man paarweis in Procession an den Götzen vorüber, doch ohne sich vor ihnen zu verneigen. Betäubende Musik von Pauken, Trommeln, Becken und Pfeifen begleitete natürlich die Ceremonie.

Wie die Städte der alten Griechen einen Ueberfluss an schönen Marmorstatuen hatten, so ist Akum voll thönerner Götzenbilder, die freilich auf nichts weniger als auf Schönheit Anspruch machen können. Viele sind mit vier bis fünf Fuss hohen Hüttchen überbaut, andere, und dies sind die Kriegsgötter, stehen frei, mit Spiessen, Bogen und Pfeilen versehen, auf thönernen Postamenten. An den Wänden der Tempelhüttchen werden die Weihgeschenke aufgehängt, Früchte, Kleider, Waffen und dergleichen, welche Bittende oder Dankende ihrem Idole widmen. Auch die Hausgötzen haben die mannichfachsten Formen; in der Eingangshütte des Hauses z. B., das der Toraki bewohnte, war an der Wand eine Schlange mit einem gehörnten Weiberkopf dargestellt.

Nach dem Umfang der Gräben und wohlunterhaltenen Mauern zu schliessen, muss die Stadt früher weit bevölkerter gewesen sein. In der That hat die Einwohnerzahl abgenommen, seitdem das Gebiet unter die Oberhoheit des Sultans von Segseg kam und dieser hohe Kopfsteuern im Lande erheben lässt; sie mochte sich 1867 auf etwa 10000 belaufen. Vom Bénuē, der hier einen weiten Halbbogen nach Süden zu beschreibt, liegt Akum noch 5 Stunden entfernt. Da es auf dem Wege dahin keine Brunnen gibt, beschloss ich, die Strecke nicht während der Tageshitze, sondern bei Nacht zurückzulegen, sodass wir erst abends um 10 Uhr 20 Minuten ausmarschirten.

Wir hielten südwestliche Richtung ein und befanden uns nach kurzer Zeit in einem hochstämmigen Walde, in dem wir schweigend einer hinter dem andern herschritten. Dann folgte wieder freies Feld mit einem jener beim Einfall der Fellata in Trümmer gelegten Orte, zuletzt aber ein schmaler Waldstreifen von so dichtbelaubten Bäumen, dass kein Mondstrahl hindurchdringen konnte, und wir einander, um uns in der völligen Dunkelheit nicht zu verlieren, an die Hand fassen und so Schritt vor Schritt vorwärts tappen mussten. Plötzlich erglänzte zu unsern Füssen die breite silberne Wasserfläche des in majestätischer Ruhe dahinziehenden Stroms, der die Gewässer aus dem Herzen Afrikas dem Niger und durch diesen dem Grossen Ocean zuführt. Kein Laut unterbrach die nächtliche Stille, und geräuschlos streckten auch wir uns, das Erscheinen der Morgenröthe erwartend, in den weichen Ufersand zum Schlafe nieder.

XIV.

Die Sókoto-Länder.

Gestaltung des Terrains. Höchste Erhebungen. Gestein. Sebcha-Salz. Zinn, Eisen und Antimon. Das Flusssystem. Die Flora und Fauna. Negerstämme. Fellata oder Pullo. Religion.

Indem ich hier meinen Reisebericht unterbreche, um eine gedrängte geographische Skizze jenes Theils von Innerafrika zu entwerfen, der von Bornu südwestlich bis zum linken Ufer des Niger unterhalb Xauri reicht, sei ausdrücklich bemerkt, dass dieselbe nur die von mir selbst angestellten Beobachtungen zusammenfasst, auf Vollständigkeit daher keinen Anspruch macht.

Das ganze grosse Gebiet des Sókoto-Reiches nebst den ihm tributpflichtigen Ländern ist eine einzige gebirgige Hochebene, die sich nach allen vier Weltgegenden abdacht und Tausende von Rinnsalen dem Sókoto-Flusse, den in den Tschad-See fliessenden Gewässern von Kano, dem Góngola, dem Bénuē und dem Niger hinuntersendet. Von den Eingeborenen werden als höchste Erhebungen dieses Plateaus die Berge bei Saránda oder Tela bezeichnet, nach meinem Dafürhalten aber muss das Gebirge zwischen Goro und Ringim und einige Meilen weiter nach Nordwesten, also zwischen 8° und 9° östl. L. von Greenwich, 8° 30′ und 9° 30′ nördl. Br., noch höhere Gipfel aufzuweisen haben. Leider konnte ich Ringim, das nur 5 Stunden nordwestlich von Rauta liegt, nicht besuchen, weil sich die Umgegend in den Händen der Rebellen befand. Einzelne bedeutendere Erhebungen kommen auch noch etwas unterhalb der Gebirgsspitzen auf den ziemlich gleichmässigen Abdachungen vor: so der Saránda-Berg, der Boli, der etwa 6 Stunden südlich von Garo-n-Bautschi entfernte Gungli und der Dulbu, der höchste Punkt im Tela-Gebirge, gleichfalls etwa 6 Stunden südlich von Garo-n-Bautschi.

Ich selbst habe folgende Berge visirt: vom Orte Saránda aus gen Ostnordosten in 65° den Saránda, etwa 8 Stunden gen Südsüdosten den Dutsche, in 80° den Boli, etwa 8 Stunden gen Westsüdwesten den Dsim, etwa 10 Stunden gen Südsüdosten den Dass und 1 Stunde gen Südsüdosten den Tato; vom Orte Djáuro aus gen Ostnordosten in 70° den Saránda, etwa 2 Stunden gen Ostnordost zu Ost den Ssimm, etwa 2 Stunden gen Ostnordosten den Uenge, etwa 3 Stunden gen Nordnordosten den Bellssu, etwa 3½ Stunden gen Norden den Dsankora, etwa 3 Stunden gen Nordwesten den Laro, etwa 3 Stunden gen Westnordwest zu West den Djim, etwa 2½ Stunden gen Westen den Goa, endlich etwa 7 Stunden gen Südsüdwesten den Sótomē. Wohl möglich, dass es noch andere Höhen von gleicher, vielleicht sogar grösserer relativer Erhebung gibt — so wurde mir z. B. der Kagóro, der nördlich zwischen Dangóma und Daróro liegt, als ein mächtiger Berg genannt —, doch gehören die eben angeführten jedenfalls zu den bedeutendsten, da sie sich auf den höchsten Plateaux erheben und die meisten von ihnen Scheidepunkte für die Gewässer bilden.

Das Gestein, aus welchem die Gebirge bestehen, ist der Hauptmasse nach Granit in verschiedenster Färbung und Zusammensetzung, aber auch Sandstein, Kalk, Marmor, Marienglas und Gneist scheinen daneben häufig zu sein.

Steinsalz fehlt in der westlichen Hälfte von Innerafrika gänzlich und muss durch das aus den Sebcha gewonnene Salz ersetzt werden. Die ergiebigsten Salz-Sebcha sind die von Láfia-Beré-Beré und in dessen näherer und weiterer Umgebung: bei Keána, bei Alléro, bei Kandjē und Ribi, eine Tagereise westlich von Láfia, und besonders die bei Auē, zwei Tagereisen südlich davon, und bei Asára am Ssungo-Flusse. In der Regenzeit füllen sich diese Sebcha mit Wasser, dasselbe verdunstet bis zum Ende der trockenen Jahreszeit, und es bleibt eine dünne Salzkruste am Boden zurück, die einfach abgeharkt wird, ohne dass man die unreinen, erdigen Bestandtheile daraus entfernt. Ob die Sebcha von Jahr zu Jahr geringere Ausbeute oder immer das gleiche Quantum liefern, konnte ich nicht ermitteln; wäre letzteres der Fall, so dürfte man annehmen, dass in den darunter liegenden Erdschichten Steinsalz lagert, welches sich mittels tiefer Bohrungen unmittelbar zu Tage fördern liesse.

Ohne Zweifel bergen die Sókoto-Gebirge auch vielerlei Erze in ihrem Schose, man gräbt aber nur die zwei, die an manchen Stellen offen an die Oberfläche treten: Zinn und Eisen. Ein sehr ergiebiges Zinnbergwerk ist bei Ríruē in Betrieb, von wo das geförderte Metall nach Wúkari und Adamáua sowie nach Kano und Sókoto verführt wird. Eisenminen finden sich bei Schiri, von Garo-n-Bautschi eine Tagereise nördlich, bei Fagam, zwei Tagereisen nordnordwestlich, bei der Stadt Kirfi, circa 11 Stunden östlich auf dem rechten Ufer des Gombē gelegen, ferner 6—8 Stunden östlich von Kirfi bei Belē und Fali, und etwa 4 Stunden südlich davon bei Baura. Auch bei den Orten Gelda, Muta, Kagalám, Mia Biri, Kautána, deren Lage mir indess nicht bekannt geworden ist, soll Eisenstein gefördert werden. Ein drittes Metall, das zwar nicht auf der eigentlichen Hochebene von Sókoto, aber noch im politischen

Bereich dieses Landes gefunden und deshalb hier mit erwähnt wird, ist Antimon. Man gräbt es am linken Ufer des Bénuē bei Gandíko und etwa 4 Stunden weiter östlich bei den Orten Fiáyi und Arfu.

Die unzähligen Bäche und Flüsschen, die von den Bergen herabrinnen, gehen nach Osten in den Góngola, nach Süden in den Bénuē, nach Westen in den Niger. Von den Zuflüssen des Góngola sind die zwei bedeutendsten der Gabi und die Káddera. Ersterer entspringt im Gora-Gebirge, nimmt seinen Lauf durch Dilimi nördlich am Saránda-Berge vorbei und vereinigt sich etwas südlich von Burri-Burri mit dem Gombē. Die Káddera hat ihre Quelle im Goa-Gebirge bei Bunúnu, eine Tagereise westlich von dem etwa 8 Stunden gen Südosten von Garo-n-Bautschi entfernten Orte Káddera; durch viele Rinnsale vom Saránda, Boli, Sótomē und Tela verstärkt, bildet sie den Gombē, der, in einem weiten Bogen erst nach Nordosten, dann von dem Orte Gombē an nach Süden fliessend, mit seinem Wasser das Bett des Góngola füllt und mit diesem vereint südwärts dem Bénuē zuströmt. In den Bénuē gehen ferner: erstens ein die Provinz Hamárua durchziehender Fluss, dessen Quelle man mir nicht zu nennen wusste; zweitens der Ssungo, der etwas südlich von Sango-Katab entspringt, einen starken östlich von Daróro kommenden Arm aufnimmt, von dem Orte Ssungo ab, welcher in gleicher Höhe wie Keffi Abd-es-Senga liegt, sich nach Südosten wendet, an Riri vorbeifliesst und, nachdem er Láfia-Beré-Beré östlich gelassen, bei Egga den Bénuē erreicht; drittens der Kogna, der ungefähr 20 Stunden nördlich von Keffi Abd-es-Senga entspringt, in der Entfernung von 3 Stunden östlich daran vorbei und von da etwa 6 Stunden südwärts läuft, hierauf südwestlich nach Nesráua umbiegt, dort mit dem von Norden kommenden Kotéschi sich vereinigt und nun unter dem Namen Uēta die Richtung auf Funda nimmt, doch schon einige Stunden östlich von Imáha in den Bénuē einmündet. Direct in den Niger fliessen: erstens ein in der Nähe von Agaia entspringender und gegenüber von Egga in den Hauptstrom mündender Fluss; zweitens die Kaduna, deren einer Arm, der Saï, von Sária kommt, gleich oberhalb Sária den Kóbeni von Norden und den Schika von Osten aufnehmend, deren anderer bedeutendster Arm, der Gurara, in der Nähe von Daróro entspringt, und welche, nachdem sie in ihrem Laufe durch viele Zuflüsse aus dem Gora-Gebirge vergrössert worden, zwischen dem ersten und zweiten Drittel des Weges von Egga nach Rabba sich in den Niger ergiesst; drittens der Eku, der, aus Nordosten von dem vier Tagereisen entfernten Orte Molo herkommend, circa 7 Stunden oberhalb Rabba sein Wasser mit dem Nigerstrom vereint.

Selbstverständlich hat ein so terrassirtes Tafelland sich der mannichfaltigsten Vegetation zu erfreuen. Andere Gewächse erzeugen die Hochplateaux und Gebirgsregionen, andere die Niederungen und Flussthäler, und ebenso ist der Pflanzenwuchs an den westlichen und südlichen Abhängen anders geartet als an den östlichen und nördlichen. An jenen fehlt die Tamarinde, an diesen der Bambus und die Djidjinia- oder Delebpalme. Das Verbreitungsgebiet der letztern scheint sich in einem schmalen Gürtel von Westen nach Osten zu ziehen. Ihre Frucht fand ich ebenso wenig geniessbar wie die der Dumpalme; von den Eingeborenen wird aber das grobe faserige Fleisch derselben, das einen dicken, steinharten Kern umschliesst, theils roh gegessen, theils andern Speisen als Würze beigemischt. Jenseit des Gora-Gebirges verschwinden die Mimosen sowie der Hadjilidj und die Korna, während hier der Runo, die Banane und besonders massenhaft der Butterbaum an die Stelle treten. Die Shea-Butter, welche von dem Butterbaum (nach dem englischen Reisenden Park *Bassia Parkii* benannt) gewonnen wird, enthält eine beträchtliche Menge Stearin, weshalb sie uns als ein schlechtes Surrogat für animalische Butter erscheinen würde; dagegen könnte sie in der europäischen Industrie vielfach Verwendung finden und dabei ähnlich dem Palmöl ein wichtiger Ausfuhrartikel werden. Alle afrikanischen Getreidearten, mit Ausnahme von Weizen, den man nur im Osten und Norden baut, gedeihen auf beiden Seiten des Gebirges; desgleichen Reis, Koltsche oder Arachis, Ngangala-Nuss, Bohnen, Wasser- und andere Melonen, Manihot, Taback, Baumwolle und Indigo. Yams wird zwar auch auf der Nordseite gezogen, doch in geringer Menge; der Anbau im grossen kann nur auf der Südseite stattfinden. Es sei hierbei bemerkt, dass es von der echten Yams-Staude blos zwei Arten gibt, die beide epheuartige Blätter haben und sowol wild wachsen als auch gepflanzt und an Stäben aufgerankt werden, dass man also irrthümlich verschiedene Wurzelfrüchte, wie einige Arten süsser Kartoffeln, gleichfalls Yams zu nennen pflegt. Zu den bisher genannten Erzeugnissen kommt nun in den Thälern am Bénuē und Niger Zuckerrohr, schwarzer Pfeffer von der feinsten Sorte, Ingwer, Gewürznelke, und auch für Muskatnuss wie für andere Gewürzpflanzen Indiens würden Klima und Boden sich eignen.

Angesichts der reichen Productionsfähigkeit dieser Länder bin ich überzeugt, dass der Handel Europas sich dereinst in ausgedehntem Masse Centralafrika zuwenden wird. Für Dampfschiffe mit einem Tiefgang von 10 Fuss ist der Niger bis oberhalb Rabba und der Bénuē bis Hamárua zu jeder Jahreszeit zu befahren, bei Hochwasser können sogar Schiffe von 24 Fuss Tiefgang ohne Schwierigkeit den Niger hinaufgehen, und wenn die „Plejade", mit der Baikie den Bénuē befuhr, bei nur 6—7 Fuss Tiefgang zum öftern festsass, so lag dies lediglich an der noch ungenügenden

Kenntniss des Fahrwassers. Durch Errichtung befestigter Factoreien längs des Niger und am linken Ufer des Bénuē wären die räuberischen Stämme der Eingeborenen leicht in Schach zu halten, und die civilisirende Macht eines geregelten Handelsverkehrs würde nicht verfehlen, auch an ihnen sich bald auf das vortheilhafteste zu bewähren.

Die Fauna des in Rede stehenden Gebiets entspricht seinem Pflanzenreichthum an Menge der Arten. Löwen, Panther, Leoparden, Hyänen und Luchse hausen in den Wäldern und Schluchten, doch nicht eben in übermässiger Zahl, und fast nie habe ich eins dieser grössern Raubthiere bei Tage gesehen, ebenso wenig, obwol sie sehr häufig sein sollen, Zibethkatzen und Ameisenfresser, dagegen Wildschweine in Masse. Unter den Affenarten sind die Meerkatze und der Pavian gemein; eine mir unbekannte Art von der Grösse eines Pudels, mit weissem Kopfe, fand ich am Niger. Das Ichneumon scheint nur auf der östlichen Abdachung des Plateaus vorzukommen. Feldmäuse und Ratten gibt es viele diesseit wie jenseit der Berge. Grosse Elefantenheerden durchstreifen die Niederungen am Góngola, Bénuē und Niger, und noch zahlreichere Haufen von Flusspferden wälzen ihre plumpen Leiber in diesen Flüssen selbst. Sehr reich ist das Land an Singvögeln. Von Raubvögeln bemerkte ich nur den Habicht und den Falken, wenn man nicht auch weissbrüstige Raben und Aasgeier, die sich in Scharen sammeln, mit dazu rechnen will. Das Unterholz der Wälder wird von Perl- und Rebhühnern belebt. Strausse hören schon am rechten Ufer des Góngola auf, und Papagaien beginnen erst südlich vom Bénuē. In dem Uferschilf des Bénuē und Niger nisten wilde Enten und Gänse nebst verschiedenen andern Arten von Wasservögeln. Unzählige Arten von Insekten, geflügelten wie ungeflügelten, unter letztern auch viele Tausendfüsser, sind in und kurz nach der Regenzeit

14*

die Plage der Menschen, während sie in der trockenen Jahreszeit fast ganz verschwinden. Skorpione sind selten, noch seltener Spinnen und Schlangen. Als Hausthiere werden gehalten ausser Rindvieh: Pferde, Esel, Schafe, Ziegen, die aber durchgängig hier klein bleiben, verkrüppeln und ausarten, Schweine nur im Niger- und Bénuē-Thale; ferner ein kleiner gelber Hund, wahrscheinlich eine Abart vom arabischen Windhunde; endlich Hühner und Tauben, und am Bénuē und Niger auch Truthühner. Ochsen und Kühe haben ebenfalls geringere Qualität als in Bornu. Für Einhufer bildet der Bénuē die südlichste Grenze der Verbreitung.

Die Völkerstämme, welche gegenwärtig das Land zwischen dem Tschad-See, dem Schari und Waube, dem Bénuē und Niger bewohnen, sind unstreitig die körperlich wie geistig am meisten entwickelten von Centralafrika, und sicher hat die Vielgestaltung des Bodens, der Wechsel von Berg und Thal, von Land und Wasser sowie die Mannichfaltigkeit der sie umgebenden Thier- und Pflanzenwelt günstig auf ihre Entwickelung eingewirkt. Fast die ganze nördliche Hälfte haben die Haussa-Neger inne, derjenige Stamm, in dessen Körperformen und Gesichtszügen der eigentliche Negertypus sich am reinsten erhielt; selbst wo Vermischung mit Berbern oder mit hellfarbigen Pullo stattgefunden, hat das schwarze Element als das stärkere den Sieg behauptet. In intellectueller Beziehung stehen die Haussa allen andern voran; sie brachten es zur Bildung geschlossener Staaten, die zum Theil schon eine Geschichte haben, wie Bornu, Sókoto, Bautschi, Sária, Kano, Gando, und ihre Sprache ist bis zum Niger hinab die herrschende geworden. Wenn sie in manchen technischen Künsten, in der Anfertigung von Zeugen, Kleidern, Matten und Geräthen, Stickereien und Glasarbeiten, von den Nyfe, auch wol von den Afo- und Bassa-Negern übertroffen werden, so ist zu berücksichtigen, dass diese Stämme ihre Cultur von der Küste her durch die Jóruba empfingen, die Haussa aber sich fast ganz selbständig gebildet haben.

Südlich von den Haussa wohnen eine Menge verschiedener, wenn auch mehr oder weniger miteinander verwandter Negerstämme: im Norden von Garo-n-Bautschi die Gerē, die Bolo und Bara, im Osten bis an den Góngola die Fali und Belē, in den übrigen Bezirken des Bautschi-Reichs die Kirfi, Djeráua, Ningel, die Germáua, Bankaláua, Kubáua, Kunáua und Adjáua; im Norden von Sango-Katab die Káddera, darüber hinaus die Kado und Kadjē; in Keffi die Djaba, Toni und Jescoa; am Bénuē die Afo, Bassa und Koto; endlich im südwestlichsten Theil, am Niger, die Nyfe oder, wie sie in ihrer eigenen Sprache heissen, Nupē.

Seit ungefähr einem Jahrhundert haben sich zwischen allen den Negern die hellfarbigen Fellata (Fulan, Pullo) festgesetzt und die Herrschaft über die Schwarzen usurpirt. Sie drangen von zwei Seiten zugleich, aus ihren ursprünglichen Wohnsitzen und von den Hochgebirgen im Westen von Adamáua kommend, in das Land ein, woraus man schliessen darf, dass sie damals in zwei besondere Stämme getheilt waren. Ausdrücklich heisst es auch in der Geschichte der Beherrscher von Sária: Mallem Mussa mit den Mellē-Fellata und Ja-Mussa mit den Bornu-Fellata hätten zu jener Zeit gemeinschaftlich Sária eingenommen und die gegenwärtige Dynastie daselbst gegründet. Die Eindringlinge waren ein rohes Nomadenvolk, und zum Theil sind sie der ausschliesslichen Beschäftigung mit der Viehzucht treu geblieben; andere aber lernten von den sesshaften Negern Ackerbau, häusliche Einrichtungen und Handarbeiten, ja sie haben, mit guten Anlagen und einem gewissen Schönheitssinne begabt, in vielen Stücken ihre Lehrmeister bereits überholt. Dagegen büssen sie infolge der starken Vermischung mit den Schwarzen immer mehr von den körperlichen Unterscheidungsmerkmalen ihrer Rasse ein, und es ist anzunehmen, dass die Fellata vielleicht schon nach drei oder vier Generationen ganz in der Negerrasse aufgehen werden.

Etwa ein Drittel der Bevölkerung ist für den Islam gewonnen, im Norden sind fast alle Bewohner der Städte Mohammedaner, während hier das Landvolk, wie es scheint, gar keinen religiösen Cultus kennt. Die Heiden am südlichen Abhange des Gebirges und bis an den Bénuē, die Afo-, Koto- und Bassa-Neger, huldigen dem Götzendienste, nirgends aber fand ich Menschenopfer oder Kannibalismus, und schon seit langer Zeit dürfte dieser Theil Afrikas von so abscheulichen Gebräuchen verschont geblieben sein.

XV.

Fahrt auf dem Bénuē.

Nichtexistenz des Ortes Dagbo. Ueber geographische Namen. Die Insel Loko bei Udjē. Die Bassa-Neger. Gewinnung des Palmöls. Abfahrt. Die Flussufer. Dorf Amára. Fischfang. Die Stadt Imáha (Um-Aischa). Landung in Lokója.

An der Stelle, wo wir den Bénuē erreicht hatten, steht auf den Karten der Ort Dagbo verzeichnet, allein es war weit und breit am rechten Ufer entlang überhaupt kein Ort zu sehen, und meine spätern eifrigen Nachforschungen ergaben nicht die geringste Spur, dass ein Ort Dagbo existire oder jemals existirt habe. Den Eingeborenen ist der Name völlig unbekannt. Wie mögen Allen und Oldfield, die vor einem Menschenalter zuerst den Bénuē hinauffuhren, dazu gekommen sein, von einer am rechten Ufer des Bénuē gelegenen Stadt Dagbo zu berichten? Ich kann mir nur denken, dass sie durch einen Führer, welcher sich den Namen ersann, getäuscht worden sind. Auf Grund ihrer falschen Angabe hat dann der Irrthum allgemeine Verbreitung gefunden. So spricht auch Baikie von einem Orte Dagbo, und in Crowther's „Journal of an Expedition up the Niger and Tshadda rivers" heisst es: „Es scheint, dass die alte Stadt Dagbo verlassen wurde, und dass deren Einwohner sich mehr nach dem Flusse hingezogen haben."

Selbst der englische Gouverneur in Lokója wollte nicht eher an die Nichtexistenz von Dagbo glauben, als bis ich in seiner Gegenwart mehrere Anwohner des Bénuē befragte und dieselben einstimmig erklärten, nie etwas von einem Orte dieses Namens gehört zu haben.

Aehnliche Irrthümer entstehen durch den Gebrauch doppelter oder selbsterfundener geographischer Namen. Der Bénuē z. B. wurde von den Gebrüdern Lander und nach ihnen von Allen, Oldfield, Trotter und andern englischen Reisenden Tshadda benannt, eine Benennung, die in Afrika niemand versteht. Hierüber lässt sich Barth folgendermassen aus: „Ich bezweifle, dass dieser Fluss überhaupt irgendwo wirklich Tshadda oder Tsadda genannt wird, und ich wundere mich, dass die Verfasser der «Plejade» nicht ein Wort darüber gesagt haben. Ich nehme an, dass Tshadda oder vielmehr Tsadda ein blosses Versehen der Gebrüder Lander ist, hervorgerufen durch ihre vorgefasste Meinung, derselbe sei ein Ausfluss des Tsad. Denn «tsad», wahrscheinlich eine andere Form für «ssarhe», gehört dem Kótoko- oder Mákari-Idiom an, aber soviel ich weiss keiner der Sprachen am untern Bénuē." Aus dem angeführten Grunde finde ich es auch sehr unzweckmässig, wenn man dem Niger, wie es jetzt häufig geschieht, den Namen Quorra beilegen will. Quorra nennen ihn die Eingeborenen, die für den Strom in seinem ganzen Laufe keinen Gesammtnamen haben, nur von Xauri bis zum Zusammenfluss mit dem Bénuē; von da an bis zur Mündung heisst er bei ihnen Nun, von Xauri aufwärts bis Timbuktu Mayo (Fluss), und oberhalb Timbuktu Yoliba. Die Alten, wie Herodot, Strabo und Ptolemäus, hatten allerdings sehr verworrene Vorstellungen vom Laufe des Niger, es ist sogar wahrscheinlich, dass sie einen andern, weit nördlichern Fluss, den Ger oder den Irharhar, darunter verstanden, aber der classische Name ist einmal bei uns eingebürgert, und es empfiehlt sich durchaus, ihn für Bezeichnung des ganzen Flusses beizubehalten.

Sobald es Tag geworden — es war der 19. März —, erhoben wir uns von unserm Lager im Ufersande. Gerade gegenüber, ungefähr 800 Meter vom Ufer entfernt, lag die Flussinsel Loko, die auf den englischen Karten fehlt, obgleich sie als die frequenteste Uebergangsstation über den Bénuē selbst in Keffi und noch weiter nach Norden bekannt ist. Die Fährleute auf derselben hatten uns schon bemerkt und kamen nun mit ein paar Canoes, das heisst ausgehöhlten, wenig mehr als 1 Fuss breiten und nicht ganz so tiefen Baumstämmen, herübergefahren, um uns abzuholen. Sie verlangten für die kurze Fahrt auf den primitiven Fahrzeugen ein unverhältnissmässig hohes Fährgeld, 3200 Muscheln, indess blieb nichts übrig, als ihre Forderung zu bewilligen. Drüben am Landungsplatze wartete eine neugierige Menge Volks, die uns bei der Ankunft sogleich mit Zurufen und Fragen bestürmte. Es dauerte lange, ehe sie sich bedeuten liessen, dass wir ihre Sprache nicht verstünden. Endlich führten sie uns einen Kanúri aus Láfia-Beré-Beré und einen Mann aus Benghasi zu, und nachdem ihnen diese verdolmetscht hatten, dass ich kein Araber oder Pullo, also kein Kinderräuber, sondern ein Bruder der weissen Männer in Lokója sei, wurden wir in eine Hütte geleitet und zur Genüge mit Speisen versehen.

Loko gehört zu der am linken Ufer liegenden grossen Stadt Udjē, der Hauptstadt der Bassa-Neger, die lebhaften Handelsverkehr mit Wúkari und Kontja unterhält. Der schmale Flussarm dazwischen dient als Hafen für die einlaufenden Schiffe. 4 Kilometer lang und ½ Kilometer breit, erhebt sich die Insel, wenn der Bénuē am niedrigsten steht, 15 Fuss über den Wasserspiegel, bei seinem höchsten Stande aber wird sie mehrere Fuss hoch überflutet. Die Bewohner, etwa 1000 an Zahl, brechen dann ihre Hütten ab, die zeltartig blos aus Binsen und Matten zusammengesetzt sind, und begeben sich ans Land; nur einige Fährleute bleiben in einer auf Pfählen errichteten Hütte zurück. Ein einziges Gebäude besteht aus Thon, es enthält eine Bank mit sieben Steinen, auf welcher die Weiber das Korn zu Mehl zerreiben.

Meine erste Sorge war nun, ein Canoe zur Weiterfahrt auf dem Flusse zu miethen. Man verlangte für ein schmales Boot von Loko bis Imáha — oder wie die Araber und nach ihnen auch die Haussa und Fellata den Ort nennen, Um-Aischa — 10000 Muscheln, und ging sogar, da ich Vorausbezahlung zusagte, bis 8000 herab, ein Preis, der mir im Vergleich mit dem theuern Fährgelde sehr mässig erschien. Der Contract wurde geschlossen und die Abfahrt auf den folgenden Morgen festgesetzt. Nur eine Schwierigkeit blieb noch zu lösen: mein ganzer Geldvorrath betrug kaum 3000 Muscheln, Elfenbein war hier nicht verkäuflich, und an Waaren besass ich nichts mehr als einen letzten Tuchburnus; ich half mir indessen damit, dass ich das Entbehrlichste von unsern Kleidungsstücken zum Kauf ausbot und von dem Ertrage die Summe berichtigte.

Nachmittags machte mir der Galadi-ma, der Gouverneur von Loko, einen Besuch in unserer Hütte. Er warf dabei ein begehrliches Auge auf meinen Revolver und liess es nicht an zarten Andeutungen fehlen, wie gern er ihn zu haben wünsche, gab sich jedoch schliesslich zufrieden, als ich ihm in Ermangelung anderer Gegenstände ein Handtuch schenkte, das ich in Keffi Abd-es-Senga gekauft hatte, um es als eine Probe von dem Gewerbfleiss der Eingeborenen mit nach Europa zu nehmen. Uebrigens wusste ich, dass der Eigenthümer des von mir gemietheten Boots nur die Hälfte der empfangenen 8000 Muscheln für sich behalten, die andere Hälfte aber dem Galadi-ma hatte abgeben müssen.

Den ganzen Tag über war es furchtbar heiss gewesen, am Nachmittag stieg das Thermometer auf + 40° im Schatten, und die Feuchtigkeit der Luft liess die Schwüle um so drückender erscheinen. In der Nacht entlud sich nun ein Donnerwetter von so elementarer Gewalt, wie ich es auch in der heissen Zone kaum jemals erlebt habe. Die Insel schien in ihren Grundfesten zu beben. Dicke Staubmassen, vom Lande herübergefegt, mischten sich mit dem vom Sturm gepeitschten Regen. Ein Windstoss entführte das schwache Binsendach von unserer Hütte; andere wurden noch ärger beschädigt oder ganz umgerissen. So tobte das Wetter mehrere Stunden lang mit gleichem Ungestüm, ein grauses Vorspiel zu der nahenden Regenzeit. Als endlich die Nacht vorüber war, beleuchtete die Morgensonne ein Bild der Zerstörung, und alle Hände hatten zu thun, um die niedergeworfenen Hütten wieder aufzurichten. Dadurch verzögerte sich auch unsere Abfahrt von Stunde zu Stunde.

Das Oberhaupt der Bassa führt den Titel Madáki und residirt in der Hauptstadt Udjē. Ich hätte Zeit gehabt, nach Udjē überzusetzen und den Madáki zu begrüssen, musste aber davon Abstand nehmen, weil ich ihm nicht die üblichen Geschenke überreichen konnte. Religion des Landes ist der Fetischdienst. Bisjetzt haben dem Bekehrungseifer und der Eroberungssucht der Fellata die Wellen des Bénuē Schranken gesetzt; indess kommen schon einzelne Apostel des Islam bis Udjē und Wúkari, und in nicht ferner Zeit dürfte auch hier der Koran seinen siegreichen Einzug halten. Der Sprache nach scheinen die Bassa mit den Nupē verwandt zu sein. Die Männer sind meist gut gebaut, muskulös und auch der Waden nicht entbehrend. Auf dem kurzen, dicken Halse sitzt der breite Kopf mit fast viereckigem Gesicht und, wie es mir vorkam, etwas höherer Stirn, als sonst die Neger zu haben pflegen. Sie feilen sich die Zähne spitz und tätowiren ihre Wangen mit zwei Einschnitten, die in gewundener Linie von den Schläfen nach dem Kinn zu verlaufen. Bis zum Alter von 15 Jahren geht die Jugend beiderlei Geschlechts ganz nackt, nicht einmal die Scham wird mit einem Blatte bedeckt.

Unter den Getreidearten cultivirt man hier vorzugsweise Mais, in der Landessprache „mas" genannt, woraus ich schliessen möchte, dass die Pflanze, die zwischen Bornu und dem Bénuē fast unbekannt ist, direct von Amerika, nicht, wie Barth meint, über Aegypten hier eingeführt wurde; auf letzterm Wege mag der Mais den östlichen und nördlichen Ländern, wie Bornu, Bágirmi u. s. w., wo er „massara" heisst, zugekommen sein. Der wichtigste Baum für die Bassa-Neger ist die Oelpalme, Elais Guineensis, aus deren Früchten man das essbare rothe oder braune Oel bereitet. Vom Westen hierher verpflanzt, erreicht sie in Loko ihre östlichste Grenze; Baikie behauptet zwar, sie noch weiter stromaufwärts gefunden zu haben, doch fügt er hinzu, Dagbo sei der östlichste Punkt, an dem Palmöl bereitet werde. Der Wuchs der Oelpalme gleicht dem der Dattelpalme; sie wird gegen 80 Fuss hoch und hat nur eine Krone, von welcher die Früchte, bräunliche pflaumengrosse Nüsse, in Traubenbündeln herabhängen. Bei den Bassa geschieht die Bereitung des Oels auf sehr primitive Art. Nachdem der Kern aus der reifen Frucht entfernt worden, häuft man das faserige Fleisch derselben in Gruben zusammen und überlässt es darin einem Fäulungsprocess, der durch Zugiessen von warmem Wasser befördert wird; die nun an die Oberfläche tretende Schicht Oel wird abgeschöpft und ohne weitere Reinigung verspeist. Ein sorgfältigeres und complicirteres Verfahren kommt in Jóruba zur Anwendung. Dort wird das Fleisch der Früchte, wenn es die Maceration lange genug durchgemacht, in grossen Kesseln mit Wasser gekocht, bis alle Fasern,

Schalen und sonstigen unreinen Bestandtheile zu Boden gesunken sind, und dann auch das abgeschöpfte Oel noch durch wiederholtes Kochen mit Wasser immer mehr raffinirt und geklärt. Weder in Loko noch in Jóruba und Nyfē werden die Kerne der Palmnüsse, wie Baikie gesehen haben will, mit zur Oelgewinnung benutzt; sie gehen nach Europa, um in der Stearinfabrikation Verwendung zu finden. Auch das Oel enthält Stearin, es schmeckt widerlich süss, hat einen veilchenähnlichen Geruch, ist dickflüssig, gerinnt aber leicht und dient bei uns hauptsächlich als Eisenbahnwagen- und Maschinenschmiere. Der Export von Palmöl und Palmnüssen ist zwar bedeutend, doch könnten die ausgedehnten, dichten Oelpalmenwälder zwischen dem Niger und der Küste in weit grösserm Masse, als es bisjetzt geschieht, ausgebeutet werden.

Erst um 3 Uhr Nachmittag kamen die Leute mit dem gemietheten Canoe. Kurz vorher hatte mir der Galadi-ma noch ein Huhn, zwei grosse getrocknete Fische und 20 Madidi, in Bananenblätter gewickelte Portionen Mehlbrei, geschickt, und beim Abschiede bat er mich, ich möchte die Christen in Lokója veranlassen, den Bénuē heraufzufahren, um Handelsverbindungen mit Loko und Udjē anzuknüpfen. Am Ufer waren wieder viele Neugierige versammelt, die unserer Abfahrt beiwohnen wollten und mit den Worten „A la cheir Thoraua — l'afia Thoraua — Ssünno ssünno nasara“ (Geh im Guten, weisser Mann! — in Frieden, weisser Mann! — Gruss, o Christ!) mir ein Lebewohl nachriefen. Das Fahrzeug, dem wir uns anvertrauen mussten, war wie die am vorigen Tage benutzte Fähre nichts weiter als ein ausgehöhlter Baumstamm, nur von etwas grössern Dimensionen: es mass 30 Fuss in der Länge, 1³/₄ Fuss in der Breite, hatte 1 Fuss Tiefe und kaum 3 Zoll dicke Wände; seine Tragfähigkeit ward von dem Eigenthümer auf 10 Mann nebst Gepäck angegeben. Mein Elfenbein und die Reiseeffecten wurden in die Mitte niedergelegt, wir selbst vertheilten uns zu beiden Seiten; vorn hisste ich die bremer Flagge auf, hinten stand der Steuermann mit seiner Schaufel. Ich hätte allerdings ein breiteres Boot haben können, aber der Preis, den man dafür verlangte, war mit den mir verbliebenen Baarmitteln unerschwinglich.

Anfangs trug uns der Wind reissend schnell von dannen; als wir die Insel aus dem Gesicht verloren hatten, ging es langsamer vorwärts, ja bisweilen hemmten Gegenströmung und conträrer Wind dermassen die Fahrt, dass wir uns nicht von der Stelle zu bewegen schienen. Hier und da gerieth das Canoe auch auf eine Sandbank, und wir mussten dann alle aussteigen und helfen, es wieder flott zu machen. Die Ufer, mit hochstämmigen, dicht belaubten Bäumen bewachsen, sind durchschnittlich 3—4 Kilometer voneinander entfernt, doch wird das Fahrwasser häufig durch Inseln eingeengt, von denen mehrere mit Oelpalmen, Mangroven und Adansonien bestanden waren. Die Nacht campirten wir auf einer ziemlich hoch über dem Wasser herausragenden Sandbank. Unsere Fahrtrichtung war im ganzen gerade westlich geblieben.

Vor Sonnenaufgang um 5½ Uhr fuhren wir am folgenden Tage wieder ab. Unbedeutende Krümmungen abgerechnet, nimmt der Fluss auch auf dieser Strecke einen geraden Lauf, immer westlich einige Grad zu Nord. Am linken Ufer guckten überall zwischen dem grünen Laubwalde die spitzen, zuckerhutförmigen Dächer von Negerhütten hervor. Das rechte Ufer scheint weniger stark bewohnt zu sein; hier sprangen Affen von Ast zu Ast, und Tausende von bunten Singvögeln erfreuten Auge und Ohr. Auf dem Flusse selbst gab es Wasservögel verschiedener Art, wenn auch nicht in solcher Menge wie auf dem Tschad-See und den Hinterwassern des Waube; nicht selten streckten Flusspferde ihre dicken Köpfe schnaubend und prustend aus der Flut. Leider befand ich mich nicht in der Verfassung, die reizende Scenerie dieses jungfräulichen Stroms in vollen Zügen zu geniessen, denn gleich nach der Abfahrt von Loko hatte ich einen heftigen Fieberanfall, der meine Lebensgeister zu völliger Kraftlosigkeit und Apathie herabdrückte.

Mehrmals sahen wir ein 8—10 Fuss langes Krokodil auf einer Sandbank sich sonnen und bei unserer Annäherung ins Wasser untertauchen. Man erzählte mir von der höchst verwegenen Weise, in welcher die Eingeborenen auf das Krokodil Jagd machen, so verwegen und gefahrvoll, dass es mir unglaublich scheinen würde, wenn nicht auch andere Reisende, wie Laird und Oldfield, davon berichteten. Sie beschleichen nämlich zu drei oder vier den ruhenden Saurier, einer ersieht sich den richtigen Moment und stösst seinen Speer mit aller Kraft durch den Schwanz des Thieres hindurch in den Boden; wüthend kreist das festgenagelte Ungethüm um sich selbst, bis die Gefährten des kühnen Angreifers herzueilen und es mit Keulen- und Axtschlägen tödten. Das Fleisch, obwol stark nach Moschus riechend, wird von den Negern gegessen, und auch die Eier des Krokodils, die ungefähr die Grösse eines Gänseeis haben, gelten ihnen als Leckerbissen.

Es begegneten uns an dem Tage viele Canoes, beladene und unbeladene, die nach einem Uferdorf zu Markte fuhren oder von dort herkamen. In den meisten unterhielten die Leute ein kleines Feuer, blos zu dem Zweck, um ihre Tabackspfeifen mit grossem messingenen Kopf, aus denen sie fast beständig rauchen, immer neu in Brand zu setzen, und in keinem fehlte ein Topf mit Bum (im Norden Busa oder Merissa), dem berauschenden Lieblingsgetränk der Neger. Unser Bootsmann liess kaum ein Canoe vorüber, ohne eine Weile zu halten und mit seinen schwarzen Kameraden zu rauchen und zu schwatzen. Nachmittag um 4 Uhr traf er einen Freund, einen Koto-Neger aus dem in der Nähe am linken Ufer liegenden Orte Amára. Mit ihm hatte er besonders viel zu verhandeln, und ich musste es geschehen lassen, dass bei Amára angelegt und unsere Tagesfahrt geendet wurde. Der Sultan des Orts lud mich ein, in seiner Wohnung das Abendessen einzunehmen, aber ich war so kraftlos und fieberkrank, dass ich nicht ans Land gehen konnte; er schickte mir darauf Madidi und getrocknete Fische, für welches Geschenk ich mich durch ein Packet Zündhölzchen revanchirte, einen von den tabackrauchenden Negern sehr hoch geschätzten Artikel. Um vor der zudringlichen Neugier der Bewohner Ruhe zu haben, liess ich abends unser Boot zum Uebernachten an das rechte Ufer hinüberrudern.

Das Wasser des Bénuē hat meist, im Widerschein der bewaldeten Ufer, einen grünlichen Schimmer, ist jedoch in Wirklichkeit farblos, klar und ohne Beigeschmack. Ich fand die Temperatur an der Oberfläche morgens vor Sonnenaufgang bei + 25° Luftwärme und ebenso vormittags 9 Uhr bei + 33° Luftwärme + 32°, nachmittags 2 Uhr bei + 36° und abends nach Sonnenuntergang bei + 35° atmosphärischer Wärme + 33°; in einiger Tiefe nehmen natürlich die Wärmegrade ab. An Fischen, die fast alle wohlschmeckend sind und wenig Gräten haben, ist der Fluss ausserordentlich reich. Da sie die Hauptnahrung nicht blos der Ufer- und Inselbewohner, sondern der gesammten Bevölkerung bis weit ins Land hinein ausmachen, wird ihr Fang sehr eifrig und auf mannichfache Art betrieben: mittels strohgeflochtener, mit einer Fallthür versehener Körbe, die an geeigneten Stellen unfern vom Ufer ins Wasser gesetzt werden, mit Trichter-, mit Sack- und mit langen Strand-Netzen, mit der Angel, oder durch Anspiessen der Grundfische. Krebse gibt es auch, doch sah ich sie nirgends feilbieten.

Wir waren morgens 6 Uhr von Amára wieder abgefahren und bekamen um 10 Uhr den etwa 5 Kilometer vom linken Ufer entfernten Gebirgszug Akólogo in Sicht, der, bis zu relativer Höhe von circa 500 Fuss aufsteigend, von Westnordwest nach Ostsüdost streicht und wahrscheinlich die drei schmalen Flüsschen, die hier in den Bénuē einmünden, herabsendet. Um 3 Uhr nachmittags langten wir bei der Station Imáha (Um-Aischa) an, bis zu der ich das Canoe von Loko gedungen hatte. Quer vor der Stadt streckt sich eine lange Insel im Flusse hin, mit schönem Laubwald bewachsen, der Heerden von Pavianen, Meerkatzen und andern Affenarten zum Aufenthalt dient. Sobald man dem Sultan von Imáha, Namens Schimmegē, unsere Ankunft gemeldet, schickte er uns einige von seinen Leuten zum Ausladen und Tragen des Gepäcks. Die Hütte, in die wir geführt wurden, starrte jedoch von Schmuz; zudem herrschte ein unerträglicher Leichengeruch darin, denn es war erst vor kurzem ein Todter unter dem Boden verscharrt worden. Als Willkommgeschenk liess uns der Sultan eine junge Ziege zustellen.

Imáha stand früher wahrscheinlich zwei Stunden westnordwestlich von der Stelle, die es jetzt einnimmt, auf dem vereinzelten steilen Berge Takórakóra. Noch Oldfield und Baird schreiben: „*Yimmahah is beautifully situated on the top of nearly a perpendicular rock*“; seitdem mag es von den Fellata auf einem ihrer Raubzüge zerstört, und als diese wieder abgezogen waren, ein neuer Ort dieses Namens unten am Flusse erbaut worden sein. Gegen etwaige fernere feindliche Angriffe ist die Stadt nach der Landseite zu durch Mauern und Gräben geschützt; übrigens dürften auch die Fellata jetzt nicht mehr wagen, ihre Räubereien bis so nahe an Lokója hin auszudehnen. Ungefähr drei Stunden östlich, wo der Fluss Kantang, von Funda kommend, in den Bénuē mündet, liegen die beiden Orte

Baténdja und Ligi. Die Bergkette Akólogo ist von Imáha aus nicht sichtbar, weil hier hoher Wald die Aussicht verdeckt.

Die 10000 Einwohner der Stadt gehören zum Stamme der Koto-Neger, welcher die Gara-Sprache spricht; gegenüber, am rechten Ufer hat der Stamm der Akoto (nicht Akpoto, wie auf einigen Karten steht) seine Wohnsitze. Alle ohne Ausnahme gehen bekleidet, und seltsamerweise liebt es das weibliche Geschlecht, mittels einer feinen Thonerde Gesicht, Brust, Arme, Beine, kurz den ganzen Körper ziegelroth anzustreichen; doch muss die Schminke rar und theuer sein, denn nur die reichen Frauen können, von den ärmern natürlich aufs höchste beneidet, sich diesen Luxus gestatten.

Am Vormittag des andern Tags begab ich mich zur Audienz nach der Wohnung des Sultans. Dieselbe umfasst einen sehr weiten quadratischen Raum, in dessen Innerm mehrere länglich viereckige Hütten stehen, während alle übrigen Hütten der Stadt die gewöhnliche runde Form haben. In der grössten empfing mich Sultan Schimmegē, ein etwa sechzigjähriger Mann von untersetzter, robuster Gestalt, der vollkommen unabhängige Herrscher über Imáha und die dazu gehörigen Dörfer. Von Lokója aus genügend mit Feuergewehren und Pulver versorgt und durch die Protection der Engländer zu Ansehen erhoben, gelingt es ihm, den eroberungssüchtigen Pullo gegenüber die Unabhängigkeit seines kleinen Gebiets zu behaupten. Dabei ist er ein thätiger und speculativer Geschäftsmann; er liefert das Elfenbein aus der ganzen Umgegend nach Lokója, während er seinen Unterthanen aufs strengste verbietet, Elefantenzähne, namentlich grössere, zu kaufen oder zu verkaufen, und bezieht für den Erlös europäische Waaren von da, die er weiter nach dem Innern vertreibt. Bis von Rhadames kommen Kaufleute nach Imáha, um mit ihm

Geschäfte zu machen. Er war zur zeit noch Heide, hat sich aber wahrscheinlich inzwischen durch einen Imam, der in der Stadt lebte und bereits grossen Einfluss auf ihn zu haben schien, für den Mohammedanismus gewinnen lassen. Ich überreichte ihm das Letzte, was ich zu verschenken hatte, den bis hierher aufbewahrten Tuchburnus, und erhielt als Gegengeschenk eine Flasche Branntwein. Unter den Elefantenzähnen, die er mir zeigte, sah ich die zehn grössten, die mir je vorgekommen; der kleinste war mindestens so gross wie der grösste von denen, die im pariser Jardin des plantes zu sehen sind. Gerade den folgenden Tag sollte eine Schiffsladung abgehen, und gern nahm ich sein Anerbieten an, ich möge diese Gelegenheit zur Fahrt nach Lokója benutzen. Als ich nach beendigter Audienz aus der Empfangshütte wieder heraustrat, standen im Hofe gegen zwanzig junge Weiber, die sich den weissen Mann in der Nähe betrachten wollten, vermuthlich des Sultans Frauen oder Töchter, denn alle waren mit der kostbaren Schminke roth gefärbt.

Um Mittag den 27. März bestiegen wir das Transportschiff Schimmegē's. Es war ein wirkliches aus Planken zusammengefügtes Boot, in dem wol 30 Menschen Platz finden konnten, schien aber an Altersschwäche zu leiden und machte keinen besonders vertrauenerweckenden Eindruck. Ausser einer bedeutenden Partie Elfenbein hatte es auch andere Producte geladen. Die Schiffsgesellschaft bestand aus 15 Personen, einschliesslich von 5 Ruderern, oder vielmehr Schauflern, denn statt der Ruder haben die Neger breite Schaufeln, die nicht zwischen Pflöcken auf dem Rande des Fahrzeugs ruhen, sondern aus freier Hand regiert werden. Vom Strome in westsüdwestlicher Richtung getrieben, fuhr das Boot mindestens doppelt so geschwind als unser Canoe von Loko. Die Ufer unterhalb Imáha sind weniger dicht bewaldet und auch spärlicher

15*

bewohnt; nur selten sah ich einen von den Fischkörben, die bis dahin so häufig waren, im Wasser stehen. Dagegen zeigten sich hier mehr Flusspferde und Krokodile, sowie Scharen von Tummlerfischen, die schuhhoch aus dem Wasser springend oft ganze Strecken weit unser Boot umkreisten. Abends 7½ Uhr wurde an einer Insel zum Uebernachten angelegt. Dabei bemerkte ich erst, dass sich auch zwei Sklaven, eine bejahrte Frau und ein halberwachsener Knabe, auf dem Schiffe befanden; man band die Unglücklichen an einem Baume fest, aus Furcht, sie möchten in der Dunkelheit ihren Eigenthümern entwischen.

Vor Sonnenaufgang stiess das Boot wieder von der Insel ab, in derselben Richtung und mit gleicher Geschwindigkeit wie am vorigen Tage die Fahrt fortsetzend. Jetzt wurden die Dörfer und Hütten an beiden Ufern wieder zahlreicher, und mehrmals stiegen die Händler aus unserm Schiffe ans Land, um mit den Bewohnern, friedlichen Bassa-, Afo-, Koto-, Akoto- oder Igbira-Negern, Geschäfte abzumachen. Auch auf dem Flusse selbst herrschte reges Leben; stromauf und stromab fuhren viele grössere und kleinere Boote, die meisten mit bunten Wimpeln beflaggt; fast von jedem wirbelte der Rauch eines offenen Feuers in die Luft, an dem sich die Insassen ihre Pfeifen anzünden oder das Essen kochen oder die gefangenen Fische auf Stangen zum Räuchern aufhängen.

Gerade um 12 Uhr mittags erreichten wir die Stelle, wo der Bénuë mit südwestlichem Laufe in den Niger mündet. Schrägüber am rechten Ufer des Niger, dessen Strom hier sehr eingeengt und nur halb so breit wie der Bénuë ist, ungefähr eine Stunde oberhalb des Zusammenflusses, liegt Lokója. Ich musste indess meine Ungeduld, dort anzukommen, noch zügeln, da wir erst an einem in dem Winkel zwischen den beiden Flüssen gelegenen Orte längere Zeit hielten. Die Lage dieses Orts — sein Name ist mir entfallen, es ist nicht die auf den Karten verzeichnete Stadt Igbegbe — scheint mir besonders günstig zur Anlage einer europäischen Factorei, günstiger, auch in strategischer Hinsicht, als die von Lokója; denn während letzteres bisweilen monatelang durch die angeschwollenen reissenden Fluten des Niger vom jenseitigen Ufer abgeschnitten ist, würde hier der Verkehr mit den productionsreichen Gebieten Centralafrikas nie eine Unterbrechung erleiden.

Endlich fuhren wir in den Hafen von Lokója ein. Der Anblick zweier in Europa gebauten Schiffe gab mir meine ganze Kraft und Elasticität wieder. Bisher hatte ich mich mit Mühe aus der liegenden Stellung aufzurichten vermocht, jetzt sprang ich, als kaum die Spitze unsers Boots das Ufer berührte, mit Einem Satze ans Land.

XVI.

Die englische Factorei Lokója.

Empfang. Geschichte der Gründung. Elfenbeinhandel. Die christliche Gemeinde und ihr Gottesdienst. Klima. Mr. Fell und Mr. Robins. Neue Reisedisposition. Ausrüstung und Begleitung. Abschied.

Auf halbem Wege zum Gouvernementshause kam mir ein schwarzer Diener in europäischer Kleidung entgegen, der mich auf Englisch grüsste, und wenige Schritte hinter ihm der Gouverneur Mr. Fell selbst, begleitet von seinem hier ansässigen Landsmann Mr. Robins. Die Herren reichten mir die Hand zum Willkomm und schüttelten die meinige, als wären wir schon viele Jahre miteinander befreundet; hatten doch auch sie schon seit Jahresfrist keinen Europäer gesehen, und waren sie doch durch meine Ankunft vollständig überrascht worden. Wie sehr wuchs aber erst ihr Erstaunen, als ich auf die Frage, in welcher Zeit ich den Weg von der Küste des Atlantischen Oceans bis Lokója zurückgelegt habe, ihnen berichtete, dass ich nicht von Westen, sondern vom Mittelländischen Meer durch die Wüste über Bornu an den Niger vorgedrungen sei. Sie führten mich zum Gouvernementsgebäude, das aus zwei langen, einstöckigen, durch ein gemeinsames Strohdach verbundenen Häusern bestand. Zwischen dem Dache und den Wänden war ein fusshoher Raum gelassen, um dem kühlenden Winde freien Durchzug zu eröffnen. Vor der Fronte wehte von einer hohen Stange herab die britische Flagge, und in einer Lunette mit offener Kehle standen zwei sechspfündige Kanonen, von schwarzen Soldaten bewacht, die zu einem aus Westindien hierher commandirten kleinen Detachement gehören. Das eine der beiden Häuser wurde mir und meinen Leuten als Gastwohnung eingeräumt.

Schon die ersten Niger-Expeditionen unter Trotter, Allen, Oldfield, Laird u. s. w. hatten an der Stelle, wo das heutige Lokója steht, eine sogenannte *model farm* (Musterwirthschaft) angelegt, die aber, angeblich wegen Ungesundheit des Klimas, bald wieder verlassen wurde. Hierauf geschah es, dass der König von Nyfe, Mássaban, das Land am obern Niger mit Krieg überzog und bis an den Berg Pattē, an dessen östlichen Abhang Lokója sich anlehnt, seiner Herrschaft unterwarf. Später hat Dr. Baikie nach Beendigung der von ihm ausgeführten Bénuē-Expedition fast sieben Jahre hier gelebt, doch ohne dass er eine Niederlassung gründete. Auf wiederholte Anregung der Westafrikanischen Compagnie, welche die Wichtigkeit dieses Punktes für den Handel nach Innerafrika erkannt hatte, beschloss nun die englische Regierung im Jahre 1865, eine permanente Niger-Mission in Lokója zu etabliren. Sie erkaufte vom König von Nyfe die Erlaubniss, eine Handelsfactorei errichten und zum Schutze derselben eine Garnison von 50 Negersoldaten halten zu dürfen. Herr des Gebiets blieb jedoch der König. Neben dem englischen Gouverneur residirt in Lokója ein Sserki aus Nyfe, und die Engländer müssen durch häufige Geschenke an König Mássaban sich die fortdauernde Gunst des Landesherrn sichern.

Ich habe bereits angeführt, dass der Export von afrikanischem Elfenbein die Richtung nach der Westküste zu nehmen beginnt. Für diese Richtung gewährt nun die Handelsfactorei Lokója den wesentlichsten Stützpunkt. Von Keffi Abd-es-Senga gehen jetzt Elfenbeintransporte nach Egga, dort wird die Waare von Agenten der Engländer in Empfang genommen und dann zu Wasser in das Hauptdepôt befördert. Einen bedeutend grössern Umfang aber könnten die Transporte nach Südwesten erreichen, wenn der Bénuē in seinem obern Laufe von Adamaua an der freien, ungehinderten Schiffahrt offen stände. Der Centner Elfenbein kostet bis Lokója nominell 200000 Muscheln (50 Mariatheresienthaler), allein da die Engländer meist importirte Waaren als Zahlung geben, so kommt ihnen in Wirklichkeit der Centner nicht höher als auf 100000 Muscheln zu stehen. Die gangbarsten der als Tauschmittel verwendeten Waaren sind: deutscher, holländischer und amerikanischer Branntwein, Pulver, Schiessgewehre, Glasperlen, Korallen und verschiedene Sorten von Geweben. Ausser Elfenbein hat man in jüngster Zeit auch angefangen in Nyfe erbaute Baumwolle zu exportiren, bisjetzt allerdings nur geringe Quantitäten, doch unterliegt es bei der ausserordentlichen Ergiebigkeit des Bodens keinem Zweifel, dass nicht nur Baumwolle, sondern auch Getreide, Indigo und Taback in grosser Menge und vorzüglicher Güte für den Export gebaut werden könnte. Um die Production und den Handel zu beleben, müsste vor allen Dingen eine directe, rasche und sichere Verbindung mit der Küste hergestellt werden. Das Einfachste wäre regelmässige Befahrung des untern Niger mit Dampfschiffen; lässt sich aber eine solche zur zeit noch nicht ermöglichen, so ist wenigstens für einen sichern Landweg durch die Jóruba-Länder zu sorgen, was bei dem friedlichen Charakter der dort wohnenden Negerstämme, vorausgesetzt dass der Gouverneur von Lagos mit richtiger Einsicht in die Verhältnisse zu Werke geht, nicht allzu grosse Schwierigkeiten bieten würde.

Binnen der zwei Jahre von 1865—67 war die Bevölkerung des Orts durch Zuzug von Eingeborenen von einigen hundert auf 2000 Seelen angewachsen. Gleichzeitig mit der Factorei hatte der Bischof der englischen Hochkirche Crowther eine Mission zur Einführung des Christenthums unter den Negern gegründet, und schon zählte die Christengemeinde gegen 150 Mitglieder. Ich wohnte dem sonntäglichen Gottesdienste bei, der, nach englischem Ritus abgehalten, einen recht erbaulichen Eindruck machte und nur zu lange, nämlich volle vier Stunden, währte, weil der Missionar, ein in Sierra Leone ordinirter Neger Namens Jonston, erst in englischer und dann in der Haussa-Sprache predigte. Vortrefflich hörte sich der Choralgesang der schwarzen Gemeinde an, wie ja bekanntlich die Neger viel Sinn für Musik haben und eine vorgespielte Melodie leicht mit dem Gehör erfassen. Nach beendigtem Gottesdienste empfing mein Negerknabe Noël durch den Missionsprediger die christliche Taufe, wobei Mr. Fell und die Frau des Schulmeisters, eine getaufte Negerin, Pathenstelle vertraten.

Der in jeder Jahreszeit rasch fliessende Strom mit seinen hohen Ufern, die Nähe mässig erhobener Berge, das Nichtvorhandensein von Urwäldern und von fauligen Sümpfen, alles dies lässt darauf schliessen, dass für Europäer das Klima von Lokója nicht unzuträglich sei; jedenfalls ist der Aufenthalt hier gesünder als an der westlichen Meeresküste. Dr. Baikie vermochte ohne Nachtheil für seine Gesundheit sieben Jahre in Lokója auszudauern, und auch Mr. Fell und Mr. Robins versicherten mich, sie seien, obwol letzterer keineswegs von starker Constitution war, während ihrer zweijährigen Anwesenheit niemals ernstlich krank gewesen, leichte Fieberanfälle wichen stets einer kleinen Dosis Chinin.

Meine beiden Gastfreunde waren um die Wette bemüht, mir die Tage, die ich bei ihnen verlebte, so angenehm als möglich zu machen. Den Abend brachten wir gewöhnlich unter der offenen Veranda des Robins'schen Hauses zu, das ganz aus Eisen erbaut und comfortabler eingerichtet war als die Gouverneurswohnung. Dort fanden sich auch der Missionar und der Schulmeister ein. Mr. Jonston, ein äusserst gemüthlicher und für seinen Beruf tüchtig gebildeter Mann, hatte die sonderbare Gewohnheit, bei der ernsthaftesten Unterhaltung in helles Lachen auszubrechen, was er in Gesellschaft von Weissen für eine Pflicht des Anstands hielt. Er klagte mir, dass seinem christlich apostolischen Werke das immer weitere Vordringen des Islam vielfach Abbruch thue, und dass leider die englische Regierung, auch wo es ganz in ihrer Macht stehe, dem Mohammedanismus nicht hindernd entgegentrete, seinen Fortschritten vielmehr eher noch Vorschub leiste. Von vielen wolle er mir nur einen, besonders eclatanten Fall mittheilen. Ein beim Gouvernement mit einem Monatsgehalt von 3 Pfd. St. als Dolmetscher angestellter Neger, der als Knabe von Dr. Baikie erzogen, im Christenthum unterrichtet und dann in England getauft worden war, trat kürzlich, aus keinem andern Grunde als weil er sich nicht mit Einer Frau begnügen mochte, zum Islam über; trotzdem wurde er von der Regierung nicht entlassen, obgleich mehrere gute Christen von mindestens gleicher Fähigkeit sich um das Amt bewarben. Solche Beispiele seien hier natürlich von schädlichster Wirkung auf den Erfolg der christlichen Mission. Aeusserlich gewandter und mehr mit europäischer Sitte vertraut war der Schulmeister, zwar ebenfalls ein Neger, der aber einige Jahre in den Küstenstädten unter Europäern gelebt hatte. Die Pausen zwischen dem Gespräch wurden durch Musik ausgefüllt, indem die Herren abwechselnd auf einem in der Veranda stehenden Harmonium spielten oder den Gesang deutscher, englischer und französischer Lieder begleiteten. Wenn dann ab und zu ein Blitzstrahl die Dunkelheit draussen erhellte, sah man auf dem freien Platz vor dem Hause die Diener mit andern von der Musik angelockten Schwarzen sich im Tanze drehen und in der Ferne den Niger und Bénuē ihre vereinigten Fluten dahinwälzen.

Ein Hauptthema unserer Unterredungen bildete von Anfang an die Berathschlagung über den Weg, den ich nehmen müsse, um an die Küste zu gelangen. Mein Plan war gewesen, mit einem Boot von Lokója den Niger bis zur Einmündung des Nun hinabzufahren, wo nach den Kartenangaben die englische Station Palm-Port liegen soll; von da, meinte ich, würden mir die dort ansässigen Europäer zur Weiterfahrt behülflich sein. Mr. Fell belehrte mich aber, dass es eine Niederlassung Palm-Port an der Nun-Mündung nicht gebe, und dass ich mit meinem Boot unfehlbar einem der wilden, raub- und mordsüchtigen Negerstämme, die in den Gegenden am untern Niger hausen, in die Hände fallen würde; ebenso gefahrvoll und ungangbar sei der Landweg über den Berg Pattē direct nach Westen, seit mehrern Monaten schon hätte selbst von den in seinem Dienst stehenden Botenläufern keiner sich zur Küste durchschlagen können. Wiederholt redete er mir daher zu, ich möchte bei ihm bleiben, bis nach beendeter Hochwasserzeit, also in 5—6 Monaten, das Dampfschiff von Lagos heraufkäme. Da ich indess auf meinem Entschluss, die Reise fortzusetzen, beharrte, machte er mir den Vorschlag, mit Geschenken für den König von Nyfe den Niger stromauf nach Rabba zu fahren und von da südwestlich durch das Jóruba-Gebiet gehend die Küste zu gewinnen. Die bezeichnete Route war freilich ein bedeutender Umweg, doch schien einerseits in der That eine directere Linie weder zu Wasser noch zu Lande passirbar, andererseits gereichte es mir auch zur Befriedigung, dem gastfreundlichen Gouverneur einen Dienst erweisen zu können; er hätte sonst nämlich selbst die Reise nach Rabba unternehmen und die Geschenke an König Mássaban in Person überbringen müssen. So ging ich denn ohne langes Besinnen auf den Vorschlag ein.

Jetzt beschäftigten sich die Herren aufs angelegentlichste mit der Sorge für meine Ausrüstung zur Reise. Sie mietheten das Boot, auf dem ich von Imáha gekommen war, für die Nigerfahrt bis Egga, liessen es ausbessern und mit 6 Ruderern bemannen. Den für Mássaban bestimmten Waaren, rother Sammt, seidene Tücher, Korallen, Glasperlen u. s. w., fügten sie eine Menge anderer bei, damit ich mir durch Geschenke an die Häuptlinge .in den noch zu durchreisenden Gebieten deren Freundschaft und gute Aufnahme erkaufen könne. Desgleichen verproviantirte man mich reichlich mit Lebensmitteln und ergänzte auch meinen zu Ende gehenden Vorrath an Chinin. Zwei beim Gouvernement angestellte Dolmetscher wurden mir beigegeben, einer für Nyfe und einer für die Jóruba-Länder. Ersterer war der aus Barth's Reisen bekannte Negerknabe Durugu (Dyrregu schreibt Barth), der sich inzwischen, durch Rev. Schön in England erzogen, zum tüchtigen Manne gebildet hatte. Der andere war eben jener Akkra-Neger, über dessen Abfall vom Christenthum zum Islam der Missionar Jonston sich so bitter bei mir beklagte. Meine beiden Diener Hammed und Noël erhielten an einem getauften, etwas Englisch redenden jungen Neger Namens Tom einen neuen Kameraden.

Bis zum 2. April waren alle die fürsorglichen Reisevorkehrungen beendet. Am Morgen dieses Tages versammelten wir uns noch einmal in Mr. Robins' Veranda zum gemeinsamen Frühstück; dann begleitete man mich ans Ufer, wo das Boot zur Abfahrt bereit lag und die halbe Einwohnerschaft von Lokója sich als Zuschauer eingefunden hatte. Als ich das Boot bestieg, wurde die englische Flagge aufgehisst, und gleichzeitig donnerten neun Salutschüsse aus den Kanonen vor dem Gouvernementsgebäude. Ich tauschte mit den zurückbleibenden Freunden die letzten Scheidegrüsse. Es sollte leider ein Abschied auf Nimmerwiedersehen sein; bald nach meiner Ankunft in Europa ging mir die betrübende Nachricht zu, dass Mr. Fell bei der Abwehr eines Angriffs feindlicher Neger seinen Tod gefunden, und dass um dieselbe Zeit Mr. Robin infolge der geringen Widerstandsfähigheit seiner Körperconstitution einer klimatischen Krankheit erlegen war.

XVII.

Im Königreich Nyfe (Nupe).

Das Steigen und Fallen des Niger. Stromauffahrt. Station Egga. Des Königs Kriegsflotte. Die Stadt Rabba. Ritt ins Heerlager am Eku. König Mássaban. Ein Zug durchs Lager. Titel und Würden. Misverständnisse. Die Dynastie. Sprache und Rasse des Volks. Producte.

Das schönste Wetter begünstigte unsere Abfahrt. Am Tage vorher gefallener Regen und ein frischer Seewind hatten die Atmosphäre gereinigt, nur einzelne weisse Haufenwolken schwammen in dem klaren Himmelsblau. Taktmässig und eigenthümlich mit der Zunge dazu schnalzend stiessen die sechs Ruderer ihre Schaufeln in den Strom, und zwar absichtlich so, dass bei jedem Stosse ihr nackter Körper von oben bis unten mit dem kühlenden Nass bespritzt wurde.

Der Wasserstand des Niger war um fast 1½ Fuss höher, als zur Zeit da ich in Lokója ankam; es fand also eine jener unregelmässigen Anschwellungen statt, die sich wol am besten dadurch erklären lassen, dass durch starke Regengüsse im Gebirge die vielen von da herabkommenden Rinnsale plötzlich gefüllt werden und ihr Wasser dem Hauptstrom zuführen. Barth's Ansicht, der die unregelmässigen Anschwellungen dem zeitweiligen Entleeren der Hinterwässer zuschreiben will, erscheint mir in keiner Weise stichhaltig. Von Crowther und Baikie ist eine Anschwellung im Januar und Februar bemerkt worden. Ueber das regelmässige periodische Steigen und Fallen des Niger liegen noch zu wenig Beobachtungen vor, um die mittlern Zeiten genau zu constatiren. Mr. Robins („Zeitschrift für Erdkunde", Jahrg. 1866) gibt an, bei Lokója falle der Niger von Anfang October bis Ende Mai und steige von Anfang Juni bis Ende September. Nach den Beobachtungen, die er im Jahre 1865 anstellte, war das Wasser am 14. April um 38 Fuss zurückgetreten, am 10. September auf 41 Fuss 6 Zoll und am 28. September auf nahezu 50 Fuss gestiegen, wobei indess zu berücksichtigen ist, dass der Wasserstand in diesem Jahre ein ungewöhnlich hoher gewesen. Im ganzen dauerte das Sinken 243 Tage, das Steigen 122 Tage. Natürlich muss bei der so bedeutenden Länge des Nigerlaufes weit oberhalb und weit unterhalb seines Zusammenflusses mit dem Bénuē das Verhältniss wesentlich verschieden sein, je nachdem in den betreffenden Gebieten die Regenzeit früher oder später einzutreten pflegt.

Gegen 6 Uhr abends legten wir in der Nähe eines kleinen Uferdorfes bei. Hier wurde zum Nachtmahl aus dem mitgenommenen Proviant eine Ziege geschlachtet und das Fleisch über Kohlenfeuer geröstet. Aber noch waren die Stücke nicht gar, da begann dichter Regen herabzuströmen, der die Flamme unsers unbedeckten Kochherdes auslöschte. Doch genug — ich will die Leser nicht mit den täglichen Vorkommnissen einer volle 14 Tage währenden langsamen Flussfahrt ermüden, zumal in Bezug auf Scenerie und Staffage dieser Theil des Niger von der Strecke, die ich auf dem Bénuē befuhr, sich im ganzen wenig unterscheidet. Nur fand ich die Fahrt selbst um vieles unangenehmer. Mit Sonnenaufgang stellte sich stets eine Gattung mikroskopischer Fliegen ein, von den Engländern *sandfly* genannt, deren Stich eine schmerzhafte Geschwulst verursacht; gegen 11 Uhr vormittags zogen sich diese fast unsichtbaren Plagegeister zurück, aber dann quälte uns die drückende Hitze, da wir, um der starken Gegenströmung in der Mitte des Flusses auszuweichen, immer dicht am Ufer hinrudern mussten, wo kein Luftzug uns Kühlung zuwehte. Sobald die Hitze etwas nachliess, waren auch die giftigen kleinen Fliegen wieder da, und wenn sie nach Sonnenuntergang endlich verschwanden, übernahmen es Myriaden von Mosquitos, die Menschen nicht zur Ruhe kommen zu lassen.

Nach fünf Tagen erreichte das Boot die Stadt Egga am rechten Nigerufer. Ich begab mich sogleich zu dem Vorsteher der dortigen englischen Filial-Factorei, an den ich Briefe von Mr. Fell zu überbringen hatte. Es war ein noch ziemlich junger Mann, ein aus Sierra Leone gebürtiger Neger Namens James, der einzige Christ in Egga. Durch ihn ward ich dem Ṣserki des Districts vorgestellt, und dieser verschaffte mir nicht nur ein Regierungsboot bis Rabba, sondern schiffte sich auch selbst mit ein, um mich persönlich zum Könige zu führen. Er theilte mir mit, der König residire gegenwärtig nicht in Rabba, auch nicht in seiner eigentlichen, im südlichen Theile des Reichs gelegenen Hauptstadt Bidda, er sei im Kriege gegen eine Rebellenschar begriffen und verweile im Heerlager, etwa 6 Stunden von Rabba, am Flusse Eku.

Je näher wir Rabba kamen, desto mehr durch den Krieg zerstörte Dörfer zeigten sich zu beiden Seiten des Flusses. Am 16. April abends 7 Uhr passirten wir eine Gruppe von Inseln, die jetzt als Hafen für die Kriegsflotte und als Lagerplatz für die Mannschaft derselben diente. Wol an 500 Canoes lagen hier beisammen, von denen die kleinsten für etwa 30, die grössten für 100 Mann Raum bieten mochten. Die Canoes der verschiedenen Stämme hatten verschiedene Formen; die der Kakánda z. B., eines an der rechten Seite des Niger nordwestlich von Lokója wohnenden Stammes, zeichneten sich durch ihre Breite aus, wogegen die der Schaba, eines Inselvolks, besonders lang und schmal gebaut waren. So hat auch jeder Stamm, wie man mir sagte, seine eigene Kampfweise. Die Kakánda, die mit Flinten bewaffnet sind, lassen ihre Kinder die Ruderschaufeln führen und schiessen, im Mittelraum des Boots postirt, über deren Köpfe hinweg; die Schaba handhaben selbst abwechselnd das Ruder und ihre Waffe, den Wurfspiess. Die vom aufgehenden Monde beleuchteten Inseln mit den Tausenden zwischen Bäumen, Zelthütten, Waffenpyramiden, Lagerfeuern umherlaufender schwarzer Gestalten boten ein höchst phantastisches Bild.

Noch eine halbe Stunde, und wir landeten am linken Ufer im Hafen von Rabba. Statt einer grossen volkreichen Stadt, wie ich erwartet hatte, fand ich jedoch nur durch Brand geschwärzte, dachlose, meist von ihren Bewohnern verlassene Hütten. Kaum 500 Menschen waren darin zurückgeblieben. Wir wurden in einer halbzerstörten Hütte aufs kümmerlichste untergebracht, und da hier unsers Bleibens nicht lange sein konnte, schickte ich sofort einen Boten an König Mássaban, durch den ich ihm meine Ankunft in Rabba melden und ihn ersuchen liess, mir schleunigst ein Pferd zum Ritt ins Lager zu senden. Trotzdem vergingen vier volle Tage, vergebens harrte ich von Stunde zu Stunde auf die Rückkehr des Boten.

Rabba liegt am letzten Ausläufer der Admiralitätsberge, auf dem südlichen Abhange eines Felsrückens, der unmittelbar ans Ufer des Flusses herantritt. Etwas südlich davon mündet der Gingi, von dem einen Tagemarsch nach Nordosten entfernten Gebirge kommend, in den Niger. Zur Zeit als der Sklavenhandel an der afrikanischen Westküste noch schwunghaft betrieben wurde und die Karavanen aus dem Innern hier durchzogen, gehörte Rabba zu den bedeutendsten Städten im Westen. Die Gebrüder

Landers geben die Einwohnerzahl noch auf 40000 an. Jetzt zeugen nur die stehen gebliebenen Umfassungsmauern von der ehemaligen Grösse der Stadt, und auch das früher meilenweit angebaute Land ist bis auf ein paar Getreidefelder zu beiden Seiten des Gingi wieder verödet und mit wildwucherndem Unterholz bewachsen.

Am vierten Tage mittags kam endlich der ersehnte Bote zurück. Ohne sich wegen der langen Verzögerung entschuldigen zu lassen, sandte mir König Mássaban ein Pferd und einen Korb mit Kola- (Goro-) Nüssen. Nachmittags um 5 Uhr machte ich mich mit meiner ganzen Begleitung auf, um noch in der Nacht das Lager zu erreichen; ich allein war zu Pferde, alle andern, auch der Sserki, mussten zu Fusse folgen. Es dauerte über eine halbe Stunde, ehe wir das alte Stadtgebiet in nordwestlicher Richtung durchmessen und die Mauern hinter uns hatten. Dann führte der Weg 3 Stunden lang durch einen hochstämmigen Butterbaumwald zu dem malerisch gelegenen Orte Moo; von da marschirten wir noch 3 Stunden bei Mondschein über grosswelliges Terrain, das von dem Flüsschen Edda, $1/2$ Stunde hinter Moo, und vielen kleinern Rinnsalen durchschnitten ist, und langten erst kurz vor Mitternacht am linken Ufer des Eku an, wo eine Abtheilung des königlichen Heeres, meist aus Reiterei bestehend, gelagert war.

Morgens brachte uns ein Fährboot hinüber ans rechte Ufer, und nach einigen hundert Schritten betrat ich das Lager der grossen Armee. Im Laufe des Vormittags fand die Empfangsaudienz beim König statt. Er sass unter einer von allen Seiten offenen, nur vorn durch seidene Vorhänge verschliessbaren Hütte, etwas erhöht auf einer Giraffenhaut; ihm gegenüber kauerte auf dem blossen Sandboden in fünf Reihen hintereinander eine Versammlung von etwa hundert Männern, alle sowie er selbst dürftig und unsauber gekleidet. Mich hiess er auf einer zierlich geflochtenen Matte dicht zu seinen Füssen Platz nehmen. König Mássaban schätzte sein Alter, wie man mir gesagt, auf 50 Jahre; ich hätte ihn dem Aussehen nach für jünger gehalten, obgleich er schon Vater von 60 Söhnen und einer gleichen Anzahl Töchter war. Von dunkelschwarzer Hautfarbe, verrieth er doch in der regelmässigen Gesichtsbildung seine Abstammung aus Fellata-Geblüt. Sobald die üblichen Begrüssungsformeln gewechselt waren, theilte er eine Kola-Nuss mit mir, was als Friedens- und Freundschaftszeichen gilt und aus der Hand eines Fürsten als besonderer Gunstbeweis angesehen wird. Hierauf brachten die Diener eine Schüssel Milch, Lammfleisch und einen Topf voll Honig. Unsere Unterhaltung bezog sich meist auf meine bisherige Reisetour, namentlich schien den König alles, was ich von Bornu erzählte, zu interessiren. Von der Factorei in Lokója sprach er mit freundlichen Worten, doch dürfte seine Freundschaft wol eine erheuchelte sein und lediglich auf Eigennutz beruhen, indem er sich durch Vermittelung der Engländer Flinten und Pulver zur Bekämpfung seiner rebellischen Unterthanen verschafft; dass er als Muselman die Ausbreitung einer christlichen Gemeinde auf die Länge gleichgültig betrachten werde, möchte ich wenigstens stark in Zweifel ziehen.

Als ich mich wieder empfahl, wurde mir die Matte, auf der ich gesessen, eine wirklich vorzügliche einheimische Arbeit, nachgetragen, ferner ein Topf Palmöl, ein Gefäss mit Shea-Butter und ein Gebund Zwiebeln. Auch 20000 Muscheln liess mir der König einhändigen; sie reichten freilich kaum hin, um die nöthigen Trinkgelder an seine Diener davon zu bestreiten. Die enge, dumpfe und feuchte, keinen Schutz gegen die häufigen Gewitterregen bietende Strohhütte, welche man uns zur Wohnung anwies, entsprach, selbst in Berücksichtigung dass wir uns im Lager befanden, nicht meinen bescheidensten Erwartungen. Dabei stand sie mitten im ärgsten Getümmel, wo das Trommeln und Pfeifen, das Ausschreien von Lebensmitteln, das Toben der oft in Barassa berauschten Soldaten bis tief in die Nacht hinein währte und mich keinen Augenblick Ruhe finden liess.

Andern Tags stieg ich zu Pferde, um das Lager in seiner ganzen Ausdehnung zu durchreiten. Es hatte in der That einen imposanten Umfang, denn ich taxirte die Zahl der Hütten auf annähernd 20000 und glaube, dass mit Einschluss der Weiber, Kinder und Sklaven nicht weniger als 100000 Menschen hier beisammen waren. Ueberall aber lagen Cadaver gefallener Thiere oder Haufen die Luft verpestenden Unraths, von ekelhaften Insekten umschwärmt. Bei der Rückkehr begegnete mir der König in militärischem Paradezug. Voran schritt das Musikcorps, mit grossen und kleinen Trommeln, hölzernen Trompeten, dudelsackähnlichen Pfeifen und eisernen Klappern; hinter ihm marschirte eine Colonne von 2—300 mit Flinten bewaffneter Fusssoldaten; dann kamen der königliche Vorreiter, der königliche Schwertträger, und nach letzterm König Mássaban selbst zu Pferde, diesmal in reicher Kleidung: sie bestand aus einem im Lande gefertigten blauen Hemd, einem weissen, mit Gold und bunter Seide gestickten tripolitaner Tuchburnus, roth und weiss gestreiften seidenen Hosen, rothen Saffianstiefeln und einem tuniser Fes. Unmittelbar hinter ihm ritten zwei Leibgardisten, mit einem Schilde aus Hippopotamosleder, so gross dass er Mann und Ross deckte, und an sie schloss sich in gemessener Entfernung die Suite der Generale an, jeder von einer Anzahl Sklaven gefolgt.

Nachmittags um 3 Uhr überreichte ich in feierlicher Audienz die aus Lokója mitgebrachten Geschenke, zusammen im Werthe von etwa 500 Frs., welche Sr. Majestät allerhöchsten Beifall fanden. Als Gegengeschenk erhielt ich zwei kunstvoll gestickte Toben[1] und jeder von meinen Dienern 20000 Muscheln. Dieser Audienz wohnte der gesammte Hofstaat des Königs bei. Nächst dem designirten Thronfolger Omare-Elima, einem Neffen Mássaban's, wurden mir folgende Titel und Würden genannt: der Bargo-n-gioa (d. h. Elefantenspiegel; welche Beziehung das Wort zu den Functionen des so Betitelten hat, habe ich nicht ergründen können), Sklavenoberst und damals zugleich Admiral der königlichen Kriegsflotte; der Maiáki, Höchstcommandirender des Landheers; der Bendoáki, General der Cavalerie; der Sserki-n-karma, General der Infanterie; der Sserki-n-fada, Ober-Ceremonienmeister, welcher die Fremden beim König einführt; der Damaráki, erster Rathgeber des Königs; der Sserki-n-dogáli, Polizeidirector und Oberscharfrichter; der Siggi, Obervorreiter; der Sserrónia, Oberkoch; der Imam (arabisch), Geheimsecretär. Die übrigen Räthe und Hofleute, in Bornu Kogna genannt, heissen einfach Sserki (Plural Sseráki). Fast alle diese Titel sind der Haussa-Sprache entnommen.

Am dritten Tage begab ich mich, Durugu als Dolmetscher mitnehmend, unangemeldet zum König, der mich auch sogleich empfing und seine Dolmetscher rufen liess. Jetzt verhehlte ich ihm nicht, dass ich als Fremder, als Christ und als Beauftragter der Engländer in Lokója, von denen er so grossen Vortheil ziehe, eine bessere und achtungsvollere Aufnahme erwartet hätte, indem ich namentlich seine Rücksichtslosigkeit, mich vier Tage in Rabba ohne Bescheid auf meine Botschaft zu lassen, und das elende Quartier im Lager, wo ich viele geräumigere und wohnlichere Hütten gesehen, mit scharfen Worten hervor-

[1] Eine davon habe ich als Probe von der Kunstfertigkeit der Nyfe-Neger mit nach Europa gebracht; sie befindet sich jetzt nebst einer ebendaselbst gefertigten Hose, die ich später eingeliefert, in der ethnologischen Abtheilung des königlichen Museums in Berlin.

hob. Schliesslich zeigte ich ihm an, ich sei entschlossen, den nächsten Tag abzureisen. Seine Antwort lautete nach Durugu's Uebersetzung, wenn ich abreisen wolle, werde er mir ein Pferd, einen Führer und einen Gepäckträger bis Ilori mitgeben.

Somit schien mir alles in bester Ordnung und meine Abreise durch nichts behindert zu sein. Nachdem die Sachen gepackt waren, brachen wir auf und gelangten gegen 4 Uhr Nachmittag ans Ufer des Eku. Hier aber weigerten sich die Fährleute, uns überzusetzen, und während ich noch mit ihnen verhandelte, kam ein Bote des Königs mit der Aufforderung, ich solle ins Lager zurückkehren. Ich erwiderte, dazu hätte ich keinen Grund, und wenn man mir nicht binnen einer Stunde die Fähre zur Verfügung stelle, würde ich mit meinem Schwimmgürtel über den Fluss schwimmen. Darauf kam der Sserki, der mich von Egga aus begleitet hatte, gefolgt von Durugu und zwei königlichen Dienern, und meldete mir: sein Herr sei höchst ungehalten, dass ich mich heimlich entfernt habe; er wolle mich zwar nicht länger halten, breche aber alle Freundschaft mit mir ab und sende zum Zeichen dessen meine Geschenke zurück. Nun klärte sich das Misverständniss auf. Durugu hatte aus Furcht vor dem Zorne des Despoten demselben weder meine vorwurfsvolle Rede noch die Anzeige von meiner nahen Abreise verdolmetscht. Als nun dem König hinterbracht wurde, dass ich das Lager ohne Abschied zu verlassen im Begriff stehe, gab er in seinem ersten Aerger Befehl, mir die Ueberfahrt über den Fluss nicht zu gestatten. Unter so bewandten Umständen und eingedenk meiner von den englischen Freunden in Lokója übernommenen Mission, hielt ich es doch nicht für schicklich, in Unfrieden von Mássaban zu scheiden. Ich kehrte daher mit dem Sserki zurück und liess den König um Wiederannahme der Geschenke bitten, der mir denn auch noch abends als Pfand der Versöhnung und des wiederhergestellten Friedens einen grossen Napf Milch in meine Wohnung schickte.

Am 26. April verabschiedete ich mich in öffentlicher Versammlung. Der König erwähnte des Zwischenfalls mit keiner Silbe; er wünschte mir Glück zur Reise und liess uns einen Vorrath von Kola-Nüssen, getrocknetem Fleisch und mit Honig vermengten Reisküchelchen zustellen. Ohne Störung wurde nun der Rückweg nach Rabba angetreten, wo wir denselben Abend wohlbehalten wieder eintrafen.

Das Königreich Nyfe steht zu dem Sultanat Gando in gleichem Verhältniss wie Bautschi zu Sókoto, denn die Oberherrschaft des Sultans von Gando beruht ebenfalls auf seiner geistlichen Würde als Beherrscher der Gläubigen. Wie bedeutend der Tribut ist, den er von Nyfe empfängt, erhellt daraus, dass während meiner Anwesenheit im Lager König Mássaban's eine Sklaven-Karavane von 400 Köpfen nach Gando abging. Uebrigens sind die Regentenfamilien von Sókoto und Gando, beide mohammedanische Fellata, blutsverwandt miteinander, und es scheint als ob in den letzten Jahren Gando seinerseits in eine Art Abhängigkeit von dem grossen Sókoto-Reiche gekommen wäre.

Bis ins zweite Viertel dieses Jahrhunderts wurde Nyfe von eingeborenen heidnischen Fürsten regiert. Da bemächtigte sich ein Mallem Dodo (in englischen Werken Dendo genannt) mit Hülfe des Sultans von Gando des Landes, indem er den König Mádjia vertrieb. Dodo starb 1832, zur Zeit der Laird-Oldfield'schen Expedition, in Rabba, und es folgte ihm sein ältester Sohn Audo, der aber schon nach dreijähriger Regierung in einem Kriege den Tod fand. Hierauf folgte Dodo's zweiter Sohn Smasáki. Dieser wurde, nachdem er 12 Jahre regiert, durch den dritten Sohn Mássaban (Baikie und Crowther schreiben irrthümlich Dassaba) vom Throne gestossen und lebte

14 Jahre in der Verbannung. Nach Verlauf dieser Zeit brachte der Sultan von Gando eine Aussöhnung zwischen den beiden Brüdern zu Stande. Smasáki übernahm wieder die Regierung; er starb jedoch 1853, und nun folgte Mássaban als rechtmässiger Herrscher.

Ob das Volk von Nyfe ursprünglich seinen Wohnsitz in dem Lande hatte oder aus andern Gegenden eingewandert ist, dürfte schwer nachzuweisen sein. Seine Sprache, das Uon-Nupe, deutet auf Verwandtschaft mit den Bewohnern von Jóruba hin und zeichnet sich durch einen merkwürdig reichen Wortschatz aus, den sie wol der so höchst mannichfaltigen Natur des Landes verdankt. So ist z. B. das Zahlensystem in ihr so ausgebildet wie kaum in der Sprache irgendeines andern Volks: 1 heisst nini, 5 gutzu, 6 gutzucin (5 + 1), 10 guo, 15 godji, 20 cschi, 30 bano, 40 schiba, 50 arata, 60 schita, 24 cschi be guni, jedes Hundert hat seine eigene Benennung, und sogar für Million gibt es ein Wort: babapotzu. Ungeachtet ihres Reichthums vermochte indess die Sprache nicht über die Grenzen Nyfes hinauszudringen, ja im Lande selbst hat sich, seit die Fellata zur herrschenden Klasse geworden, die Haussa-Sprache ihr gleichberechtigt zur Seite gestellt. Alle Vornehmen verstehen und sprechen Fulfúlde.

Im Verhältniss zur Gesammtzahl der Bewohner leben bisjetzt wenig Fellata in Nyfe, viel weniger als in den Sókoto-Ländern, und nomadisirende Fellata wie dort gibt es hier gar nicht. Bei den Eingeborenen blieb daher der Rassentypus noch fast ganz unvermischt, sie sind echte Neger an Hautfarbe und Gesichtsbildung, und zwar unstreitig einer der wohlgebildetsten Negerstämme Afrikas. Die Männer tätowiren sich im Gesicht und an vielen andern Stellen des Körpers durch eine Menge feiner Einschnitte, scheren den Kopf kahl und lassen auch vom Barthaar nur einen schmalen Streif um Kinn und Wange stehen.

Am Oberarm tragen sie einen dicken Ring von blauem oder weissem Glase, meist aus eingeschmolzenen Glasscherben im Lande selbst geformt. Dagegen sah ich bei den Frauen, welchen die Haare aufgelöst um den Kopf hängen, zwar Schmuck von Korallen, Glasperlen und bunten Steinen, aber weder Arm- noch Beinringe. Den Knaben wird, bis sie das Alter der Mannbarkeit erreicht haben, das Kopfhaar nur theilweise abgeschoren, sodass entweder in der Mitte ein 2 Zoll breiter Streifen Haare stehen bleibt, oder bewachsene Kreise, Halbkreise und andere Figuren über den Schädel vertheilt sind. Niemand, auch die heidnische Bevölkerung nicht ausgenommen, erscheint vor den Leuten ohne alle Kleidung.

An dem Nigerstrome, der Hauptverkehrsader zwischen der Meeresküste und dem Innern des afrikanischen Continents wohnend, musste das Volk frühzeitig mit fremden Völkerschaften in Berührung kommen, die ihm vielfachen Bildungsstoff zuführten. Schon als die Portugiesen und Spanier Handelsniederlassungen an der Küste gegründet hatten, drang manches von den Künsten europäischer Industrie nach Jóruba und Nyfe und regte die Bewohner zu nachahmender Thätigkeit an. Der civilisirende Einfluss von daher hätte aber ein bedeutenderer sein können, wenn nicht gleichzeitig der Sklavenhandel nach der Westküste in Schwung gekommen wäre. Durch den Sklavenhandel wurden die Insassen jener Länder von der Beschäftigung mit gewerblichen Arbeiten und von der Bebauung des Bodens abgezogen; in Nyfe waren es besonders die Kakánda, welche Sklaven und Elfenbein den Niger bis zur Einmündung des Nun hinunterschifften, hier von den Europäern Salz, Kleiderstoffe, Schmucksachen, Geräthe, Flinten, Pulver und Branntwein dafür eintauschten und weiter ins Innere, nach Bautschi, Kano, ja bis Rhadames hin vertrieben. Seit Abschaffung der Sklaverei in den Vereinigten Staaten von

Amerika hat zwar der Menschenhandel an der afrikanischen Westküste aufgehört, nun hindern aber wieder die beständigen Kriege zwischen den Fellata und Negern das Aufblühen der Landescultur. Indess ist sicher die Zeit nicht fern, wo Nyfe eine Menge kostbarer Bodenerzeugnisse zur Ausfuhr produciren wird. Mit Baumwolle hat man, wie ich erwähnte, bereits den Anfang gemacht. Für den Anbau im grossen sind ferner geeignet: Taback in vorzüglichen Sorten, Indigo, verschiedene Getreidearten, Arachis, Reis. Letzterer, der im ganzen Nigerthale wild wächst, scheint hier seine ursprüngliche Heimat zu haben, denn das Wort dafür: schinkáffa, ist aus der Nyfe- in die Haussa-Sprache übergegangen und selbst in Bornu gebräuchlicher als das Kanúri-Wort férgami oder pérgami. Oelpalmen, wenn auch nicht so häufig wie auf dem rechten Ufer des Niger, namentlich aber die ausgedehnten Butterbaumwälder würden reiche Erträgnisse liefern. Schwarzer Pfeffer, den ich sonst in Centralafrika nirgends gesehen, gedeiht hier ebenso gut wie in Indien, und auch andere Gewürzstauden, desgleichen der Kaffeebaum liessen sich gewiss mit bestem Erfolge auf den Boden von Nyfe verpflanzen.

XVIII.

Eintritt in die Jóruba-Länder.

Im Lager zu Fánago. Verlassene Orte. Ankunft in Saráki. Rasse der Jorubaner. Bauart ihrer Häuser. Schweinezucht. Ueber die Flüsse Oschi und Assa. Die Handelsstadt Ilori. Bei König Djebéro. Die Bevölkerung von Ilori. Abreise ohne Erlaubniss.

In Rabba erhandelte ich ein Pferd zur Weiterreise um den Preis von 80000 Muscheln, der mir für die dortige Gegend und in Anbetracht des derzeitigen Kriegsbedarfs nicht zu hoch erschien. Am 2. Mai brachen wir auf. Die Ueberfahrt über den Niger nahm eine gute halbe Stunde in Anspruch, da die Fährleute das Boot erst eine Strecke weit am linken Ufer hinaufrudern mussten, um es dann durch die starke Strömung zu bugsiren. Anderthalb Stunden südlich vom jenseitigen Ufer gelangten wir an todte Hinterwässer des Niger, welche sich hier zur Zeit des Hochwassers zwei deutsche Meilen ins Land hinein verbreiten. Nahe bei denselben auf einem weiten, Fánago genannten Platze lagerte eine kleinere Abtheilung des königlichen Heeres, etwa 6000 Mann; mit Inbegriff der Weiber, Kinder und Sklaven mochten aber wol 20000 Menschen daselbst versammelt sein. Kurz vor uns war der Damráki, der erste Rathgeber oder Minister am Hofe Mássaban's, zu Fánago eingetroffen, welcher dem Sultan von Ilori, der mit dem König verbündet war, einen prächtigen Rappenhengst als Geschenk von diesem zu überbringen hatte und gleich mir im Lager über Nacht blieb. Ich wurde in eine Hütte zwischen der seinigen und der des Oberbefehlshabers einquartiert. Frühmorgens weckte mich ein betäubender Lärm aus dem Schlafe; 50 Trommler brachten dem Damráki ein Ständchen, und kaum damit fertig, rückten sie auch vor meine Thür, den Spectakel von neuem beginnend. Rasch schickte ich ihnen einige hundert Muscheln heraus, mit dem Bedeuten, aufzuhören oder weiterzuziehen; allein sie schlugen nur um so unbarmherziger auf ihre Pauken los, und nichts von dem Ohrenzwange sollte mir erspart bleiben.

Um 9 Uhr unsern Marsch fortsetzend, passirten wir nach anderthalb Stunden den Ort Para-Para, an dem von Westen kommenden Flusse gleiches Namens gelegen. Von da steigt das Terrain sanft an, doch so allmählich, dass die Steigung nur mittels des Aneroïds zu bemerken war. Der Boden, abwechselnd aus schwarzem Humus oder rother Thonerde bestehend, stellenweis auch sumpfig, ist dicht bewaldet, und zwar tritt neben dem Butterbaum der Runo, der eben reife Früchte trug, am häufigsten auf. Bereits machte die Regenzeit ihren Einfluss auf die Vegetation geltend; die Erde kleidete sich in frisches Grün und Tausende von Crocus und andern Zwiebelgewächsen begannen hervorzusprossen. Nach wieder 1³/₄ Stunden berührten wir den von Osten nach Westen fliessenden Kulufu und das gleichnamige Dorf, das aber infolge des Krieges von sämmtlichen Einwohnern verlassen war, und von da brachte uns ein dreistündiger Marsch zur Nachtstation, dem Orte Parádji. Auch hier standen alle Hütten leer; doch zog glücklicherweise ein Trupp Leute vorüber, die mir Yams zum Abendessen verkauften, und sogar an Fleisch fehlte es der Mahlzeit nicht, denn unverhofft kamen uns zwei Perlhühner zum Schuss.

Andern Tags hatten wir nur noch einen Weg von

2 Stunden südwärts zurückgelegt und hielten dann vor dem Thore der Stadt Saráki. Man verlangte einen Zoll von uns, der von den Karavanen aus Haussa hier erhoben wird; da aber mein Dolmetscher erklärte, wir kämen aus dem Lager des Königs Mássaban und gingen nach Ilori, liess man uns zollfrei einpassiren. Wir zogen durch eine Anzahl Strassen zum Hause des Ortsvorstehers, der mich freundlich empfing und für unsere Unterkunft sorgte.

Saráki, eine Stadt von etwa 40000 Einwohnern, ist auf mehrern Hügeln erbaut, auch die hohen Ringmauern, von denen sie umschlossen ist, folgen auf und ab dem Zuge der Hügel. Nach Crowther ward der Ort früher bei den Sklaven-Rasien gewissermassen als neutrales Gebiet zwischen Nyfe und Jóruba betrachtet, und den Charakter einer Grenzstadt trägt er heute noch, denn die Bevölkerung besteht theils aus Nyfe-, theils aus Jóruba-Negern; letztere sind jedoch in der Mehrzahl. Die Eingeborenen Jórubas unterscheiden sich von denen Nyfes durch hellere Hautfarbe und regelmässigere, mehr der kaukasischen sich nähernde Gesichtsbildung. Abgesehen von andern, nicht bekannten Ursachen, mag wol zur Zeit, als die Portugiesen lebhaften Handel am Golf von Guinea betrieben, Vermischung von Europäern, die bis ins Jóruba-Gebiet vordrangen, mit den Negerinnen stattgefunden haben. Auch Clapperton bemerkt: „Die Jorubaner haben, wie mich dünkt, im allgemeinen weniger von den charakteristischen Zügen der Neger als andere Stämme. Ihre Lippen sind nicht so dick, und ihre Nase nähert sich mehr der Adlernase als bei den andern Negern. Die Männer sind wohlgebaut und haben etwas Unabhängiges in der Haltung...“ Was indess die unabhängige Haltung der Jorubaner betrifft, so habe ich nichts davon wahrgenommen; im Gegentheil bezeigt das Volk mehr sklavische Unterwürfigkeit gegen seine Fürsten und Grossen als die meisten Völker jenseit des Niger, und es stimmt gewiss nicht mit der eben citirten Bemerkung, wenn derselbe Reisende weiter erzählt, dass beim Tode des Königs vier seiner Frauen, einige Würdenträger und eine grosse Zahl Sklaven aus den Händen der Fetischpriester in einem Papagaien-Ei tödtendes Gift bekommen oder sich selbst an einem Strick erhängen müssen, oder wenn die Gebrüder Landers mittheilen, es sei gebräuchlich, dass die vornehmste Frau des gestorbenen Königs, sein ältester Sohn und die obersten Hauptleute bei seiner Beerdigung Gift nehmen und mit ihm begraben werden.

Clapperton besuchte das Land im Jahre 1825. Damals war Eyo, von andern Katúnga genannt, dessen Lage er mit 8° 59′ nördl. Breite und 6° 12′ östl. Länge angibt, die Hauptstadt des unabhängigen Königreichs Jóruba. Seitdem ist der Ort von den Fellata zerstört und die herrschende Dynastie vertrieben oder getödtet worden. Ich fand einen von dem grossen Pullo-Reiche abhängigen Vasallenstaat vor, in dem der König jedesmal unter den Vornehmen gewählt wird. Residenz war die Stadt Oyo, südlicher als die frühere gelegen, die aber an Einwohnerzahl den Städten Saráki, Ilori und namentlich Ibádan, der grössten und wichtigsten Stadt des Landes, weit nachstand. In Sierra Leone wird Jóruba Aku, in Nyfe Ayáji und in den Haussa-Staaten Yariba genannt.

Wie in den Rassenmerkmalen die Bewohner Jórubas Abweichungen von den entfernter von der Küste wohnenden Stämmen erkennen lassen, so zeigen sich auch wesentliche Unterschiede in der Tracht und in der Bauart der Wohnungen. Die Kleidung der Männer besteht in einem kurzen engen Hemd ohne Aermel und in anschliessenden, nur bis an die Knie reichenden Hosen — eine zum Arbeiten sowie zum Gehen durch verwachsenen Urwald sehr zweckmässige Tracht. Die Häuser sind nicht runde, nur von einer Familie bewohnte Hütten, sondern bilden ein langgestrecktes Oblongum, in dem viele Familien, allerdings meist untereinander verwandt, wie in Kasernen unter Einem Dache beisammen wohnen. Sie umschliessen in der Regel einen viereckigen Hof, und auch in diesem stehen, wenn er gross genug ist, noch lange schmale Gebäude. An der Vorderseite des Hauses sind die aus Lehm errichteten Wände geschlossen, an der Rückseite laufen sie in eine offene Galerie aus. Zwischen den Wänden und dem Strohdach bleibt freier Raum für den Durchzug der Luft.

In den Strassen Sarákis stösst man überall auf Pfützen und Rinnen voll fauligen Wassers, und dass die Eingeborenen diese ekelhafte Jauche trinken, mag der Grund sein, weshalb viele mit dem Guineawurm behaftet sind. Zur Vermehrung des Schmuzes trägt noch bei, dass hier wie an andern Orten Jórubas starke Schweinezucht betrieben wird. Das zahme Schwein wurde von Europa eingeführt, es findet aber keine zusagende Nahrung, bleibt daher klein und mager, und erreicht selten ein Gewicht von 150 Pfund. Ausser Schweinen trieben auch Hühner und Enten sich auf den Strassen umher. Mit Industrie und Handel scheint man sich wenig zu beschäftigen; ich sah nur eine Färberei und einige Oelsiedereien in der Stadt.

Alle Jórubaner sind eifrige Götzendiener, und so gab es auch in Saráki eine Unmasse von Fetischen aus Holz und Thon und von verschiedenster sowol männlicher als weiblicher Gestalt. Unter andern fiel mir ein aus Holz geschnitztes Götzenbild auf mit europäischen Gesichtszügen, langem Bart und einer Bischofsmütze auf dem Kopfe; es mochte wol einem portugiesischen Heiligen nachgebildet sein.

Wir verliessen Saráki am 6. Mai und gingen 3 Stunden in südsüdwestlicher Richtung durch eine gebirgige Gegend. Oft führte der Weg steil abfallende, mit wilden Bananen und Plantanen bewachsene Schluchten hinab. Das zu Tage tretende Gestein ist grösstentheils Granit; sonst war der Boden mit fettem Humus bedeckt, auf dem sich ein üppiger Pflanzenwuchs entfaltete; bunte Schmetterlinge umschwärmten die aufs mannichfachste geformten Blüten und Blumen. Ehe wir aber das Dorf Apoto, 3½ Stunden von Saráki, erreichten, wurden wir von zwei tüchtigen Regenschauern durchnässt. Dort angekommen, legten die gemietheten Träger ihre Bürde ab und erklärten, sie wollten nicht weitergehen. Mit vieler Mühe gelang es mir durch Vermittelung des Ortsvorstehers, drei Weiber zu dingen, welche das Gepäck bis zu dem nächsten, noch 1½ Stunden südwestwärts entfernten Dorfe trugen.

Von da brachen wir den andern Morgen um 7¼ Uhr auf. Das Terrain ist hier nur leicht gewellt, und die ganze, mit Yams, Baumwolle und Arachis reich angebaute Landschaft glich einem Garten. Am Wege sassen hier und da Leute, die Esswaaren, darunter auch geröstete Raupen feilboten. Schon Landers hat auf die sonderbaren Gelüste der Eingeborenen aufmerksam gemacht. Nachdem er erzählt, dass der König von Jóruba sich das Fleisch eines crepirten Esels habe wohl schmecken lassen, fährt er fort: „Die Bewohner von Yariba essen so ziemlich alles, was ihnen vorkommt, Frösche, Affen, Hunde, Katzen, Ratten, Mäuse u. s. w. Ein grosser Leckerbissen sind Heuschrecken, schwarze Ameisen und Raupen; letztere werden gedämpft und mit Yamswurzeln gegessen, erstere in Butter gebraten.“ Die zum Essen beliebteste Raupenart ist eine Bärenraupe mit langen Haaren, welche natürlich beim Rösten abgesengt werden. — Erst 1 Stunde westwärts, dann westsüdwestwärts gehend, gelangten wir an den rasch von Süden nach Norden strömenden Fluss Oschi. Wir setzten in einem Canoe über und befanden uns nun im Königreich Ilori, womit das eigentliche Jóruba-Land beginnt. In dem am Ufer des Flusses gelegenen Orte Oschi waren keine Träger zu haben; ein Theil des Gepäcks musste daher meinem Pferde aufgeladen, das übrige von uns selbst getragen werden. Die Gegend gestaltet sich von Oschi an zu einer fruchtbaren, sorgfältig cultivirten Hochebene. Ein anderthalbstündiger Marsch auf derselben in westsüdwestlicher Richtung brachte uns bei Sonnenuntergang zu dem lebhaften Marktorte Okiósso, der letzten Station vor der grossen Stadt Ilori, die man schon mit blossem Auge am Fusse eines einzelnen Bergkegels liegen sieht. Einer von den freundlichen Einwohnern Okióssus gewährte uns nicht nur Wohnung in seinem Hause, sondern bestellte auch unentgeltlich die nöthige Anzahl Träger für den folgenden Tag.

Als ich morgens 6½ Uhr von unserm gastlichen Wirthe Abschied nahm, gab er mir noch sein vierzehnjähriges Töchterchen zum Tragen meiner Doppelflinte mit. Wir gingen 1½ Stunden westsüdwestlich immer zwischen blühenden Feldern hin bis zu einem Arme des Flusses Assa oder Asa (von Dr. Grundemann in dessen „Missions-Atlas" mit dem Namen Unya bezeichnet), der von seiner Quelle an südwestlich fliesst, dann ungefähr 12 Stunden oberhalb Ilori geraden südlichen Lauf nimmt und weiter unten in den Oschi münden soll, um mit diesem vereint dem Niger zuzuströmen. Es ging lebhaft bei der Fähre zu, viele Leute liessen sich überfahren, und wir mussten eine ziemliche Weile warten, bis die Reihe an uns kam. Das mochte meiner kleinen Begleiterin wol zu lange dauern. Rasch waren ihre Kleider um den Kopf zusammengebunden, sie sprang ins Wasser, und mit einem Arm die Flinte emporhaltend, schwamm sie behend an das jenseitige Ufer. Der Landungsplatz ist noch 1 Stunde von der Stadt entfernt. Ich schickte meinen Dolmetscher voraus, damit er mich bei dem Magádji, dem ersten Minister des Königs anmelde, und folgte mit den andern langsamern Schritts durch die reichgeschmückte, menschenbelebte Landschaft.

Schon in Kuka und seitdem allerwärts auf dem Wege vom Tschad-See hierher hatte ich so viel von der berühmten Handelsstadt Ilori reden gehört, dass meine Neugier nicht wenig erregt war und mir das Bild eines europäisch civilisirten Emporiums vorschwebte. Mit um so grösserm Entsetzen traf mich der Anblick, der sich uns gleich am Stadtthore darbot. Gerade vor dem Eingange, gleichsam als Thorwächter, hingen die blutigen Leichname dreier Gepfählten; der spitze Pfahl, mit dem sie durchbohrt worden, ragte noch aus den scheusslich verzerrten Gesichtern heraus. Ganz erfüllt von dem grauenhaften Eindruck, ritt ich durch die Strassen bis zu dem grossen Platze vor der königlichen Residenz. Hier wurden wir von dem Magádji an der Spitze einer Anzahl anderer Würdenträger empfangen und in sein an demselben Platze gelegenes Haus geführt.

Der Sitte gemäss durfte ich erst mehrere Tage nach der Ankunft dem König meine Aufwartung machen. Nachdem ich ihm inzwischen durch den Magádji meine Geschenke hatte überreichen lassen, darunter zwei Stück Seidenzeug, womit mich die Herren in Lokója zu dem Zweck ausgestattet, beschied er mich am 12. Mai zur Audienz. Unter der offenen, an der Aussenseite seiner Wohnung befindlichen Veranda kam mir einer von den Hofbeamten entgegen und hiess mich dort warten, bis der König nach mir schicken würde. Wieder hatte ich hier das entsetzliche Schauspiel von vier Gepfählten; von dem einen steckte nur noch der Kopf auf der Stange, während der Rumpf losgetrennt und heruntergeglitten war; und das Grauenvolle des Anblicks wurde für mich durch den Umstand erhöht, dass die Leichname, wahrscheinlich weil das dunkle Pigment unter der Haut geschwunden war, beinahe wie Weisse aussahen. Auf mein Befragen, was die so grausam Hingerichteten verbrochen hätten, erwiderte der Beamte, die drei am Thore Aufgestellten seien Diebe, die vor der Wohnung des Königs Rebellen gewesen, unter letztern ein Häuptling; dieser sei lebendig gepfählt worden, die andern habe man vorher erdrosselt.

Ich athmete auf, als endlich die königlichen Diener erschienen, um mich ins Innere des Hauses zu führen. Durch mehrere Höfe und Gemächer folgte ich ihnen bis zu einem länglichen, oben offenen, aber schattigen Raume. Zu beiden Seiten sassen in Reihen die Grossen des Hofes. Ich schritt durch den in der Mitte frei gelassenen Gang auf ein am Ende desselben stehendes, mit Bambusrohr vergittertes Häuschen zu, in welchem Seine Majestät wie in einem Käfig thronte. In einiger Entfernung davon war ein Schaffell über den Boden gebreitet. Man bedeutete mich, darauf niederzusitzen, und nun wurden mit Hülfe der Dolmetscher die Begrüssungsformeln gewechselt. Bei den Worten des Königs neigten sämmtliche Hofleute den Kopf so tief, dass sie mit der Stirn die Erde berührten. Die Unterhaltung war übrigens sehr kurz, da der König krank zu sein schien, sie beschränkte sich auf herkömmliche Redensarten. Trotzdem wünschten mir nachher die Grossen Glück zu dem äusserst gnädigen Empfang, der mir seitens des Herrschers zutheil geworden sei. Als Gegengabe für die überreichten Geschenke erhielt ich 10000 Muscheln und einen Ziegenbock.

König Djebéro ist der Schwiegervater des Königs Mássaban von Nyfe und gleichfalls mohammedanischer Fulan. Die Herrschaft der Fellata über Ilori wurde erst durch seinen Grossvater Alim gegründet. Dieser hinterliess das Reich seinem Sohne Abd-es-Ssalam, welchem zunächst der ältere Sohn Schito und nach dessen Tode der jüngere, Djebéro, gefolgt ist. Dem Einfluss des Hofes nachgebend, trat wol auch in Ilori mancher zum Islam über, und man sieht viele Moscheen oder Betplätze in der Stadt, im ganzen ist jedoch das Volk seinen heidnischen Götzen treu geblieben. Zwei christliche Missionare aus Sierra Leone, geborene Jorubaner, waren eben in Ilori angekommen; ob man aber den Herren, deren Wesen keineswegs einen vortheilhaften Eindruck auf mich machte, erlaubt hat, sich dort niederzulassen und eine Kirche zu bauen, ist mir nicht bekannt geworden.

Die Stadt bildet ein fast regelmässiges Polygon und ist von hohen, aber schlecht unterhaltenen Mauern umschlossen, die an der Südostseite von einem kleinen, aus Süden kommenden und in den Assa mündenden Fluss bespült werden. Ihr äusserer Umfang beträgt nahe an 4 Stunden, was die Haussa und Araber verleitet haben mag, die Einwohnerzahl übertrieben hoch anzugeben. Ich schätze die Zahl der Angesessenen, ungerechnet die fremden Kaufleute und Waarenträger, deren allerdings immer sehr viele sich hier aufhalten, auf 60—70000. Ueber den viereckigen Häusern erheben sich hochragende Dächer, die aus Palmästen gezimmert und mit den langen dürren Halmen eines wildwachsenden Grases gedeckt sind. Die verhältnissmässig breiten Strassen und die zahlreichen offenen Plätze waren alle mit Verkaufsbuden besetzt, doch gibt es nur vier grössere eigentliche Marktplätze.

Ilori ist der letzte Ort nach der Küste zu, bis wohin die Haussa Producte aus dem Innern, z. B. Natron vom Tschad-See, und vom Mittelländischen Meere oder von Aegypten her eingeführte Waaren, wie Burnusse, rothe Torbusche, gemusterte seidene Zeuge, Essenzen u. s. w., zum Verkauf bringen, und es muss wunder nehmen, dass die Engländer, die doch Ilori um so viel näher sind, noch nicht den ganzen Handel dahin sowie nach allen Negerländern bis zum Tschad-See an sich gezogen haben, sondern sich damit begnügen, Branntwein, Flinten und Pulver für die Haussa auf den Markt von Ilori zu schicken. Das Monopol des Branntweinhandels im Reiche besass damals ein Bruder des Magádji.

Von den Einwohnern selbst werden übrigens verschiedene Gewerbe und Industrien mit grosser Geschicklichkeit betrieben. Sie verfertigen schöne Lederwaaren, Schüsseln und Teller mit Holzschnitzerei, Matten von ausgezeichnet zierlichem Flechtwerk, Stickereien, Thongefässe aller Art, halb gelb- und halb rothlederne Schuhe, und in der Landwirthschaft brachten sie es zur Käsebereitung, deren Kenntniss ich bei keinem andern der von mir besuchten Negerstämme, und auch bei den Fellata-Nomaden nicht gefunden habe. Die Trachten sind hier infolge des starken Fremdenverkehrs und der leichten Verbindung mit der Küste von ziemlicher Mannichfaltigkeit, einmal begegnete mir sogar eine in farbigen Sammt gekleidete Negerin. Als Kopfbedeckung tragen die Männer aus vornehmem Stande einen tripolitaner oder ägyptischen Torbusch, die Geringern eine durchsteppte weisse Kattunmütze und manche noch einen Strohhut darüber.

Da ich die Erfahrung gemacht hatte, wie schwer oft unterwegs Leute zum Tragen des Gepäcks zu bekommen sind, nahm ich die Gelegenheit wahr, auf dem Markte von Ilori den entbehrlichen Theil meiner Waaren in Muscheln umzusetzen und mir für den Erlös drei Esel zu kaufen. Ueber dem Feilschen und dem Abzählen der Muscheln verging ein voller Tag. Unterdess ersuchte ich den Magádji, er möge mir bis zum 14. mittags eine Abschiedsaudienz beim König oder doch dessen Erlaubniss zur Abreise verschaffen. Nicht zweifelnd, dass mir solche im Laufe des Vormittags zukommen werde, schickte ich am Morgen des 14. meine Diener mit den bepackten Eseln unter Hammed's Aufsicht bis zu dem Dorfe Jara, dem ersten Orte jenseit der Grenze, voran; dort sollten sie auf mich und Noël, den ich bei mir behielt, warten. Es wurde indess Mittag, und eine Botschaft vom König war mir nicht überbracht worden. Da erklärte ich dem Magádji auf das Bestimmteste, ich würde in keinem Fall länger als höchstens noch drei Stunden verweilen. Allein er glaubte immer noch nicht an den Ernst meiner Worte; wie jemand wagen könne, ohne ausdrückliche königliche Erlaubniss die Stadt zu verlassen, schien ihm undenkbar zu sein. Punkt 3 Uhr brachte Noël mein Pferd vorgeführt, ich schwang mich in den Sattel und ritt, während der Minister vor Erstaunen ob so unerhörter Kühnheit wie festgewurzelt dastand, die breite Strasse hinab, dann so rasch als Noël zu folgen vermochte dem südwestlichen Thore zu.

XIX.

Von Ilori bis an den Golf von Guinea.

Das Dorf Jara. Der Ort Ogbómoscho. Goro- und Kola-Nuss. In der englischen Mission zu Ibádan. Grenze zwischen Jóruba und Jabu. Zwei Nächte im Walde. Der Ort Ipára. Grenzen des Jabu-Landes. Die Orte Odë und Pure. An der Lagune. Eintreffen in Lagos.

Dass ich, um nach Ibádan zu gelangen, in südsüdwestlicher Richtung vorwärts gehen müsse, war mir nicht zweifelhaft. Nun liefen aber vom Thore aus drei oder vier verschiedene Pfade nach derselben Himmelsgegend. Mit Fragen durfte ich mich nicht aufhalten, um keinen Verdacht bei der Thorwache zu erregen; ich schlug also auf gut Glück den sich zunächst darbietenden ein. Erst über eine Stunde von der Stadt entfernt, wagte ich, von Leuten, die mir begegneten, durch Zeichen den Weg zu erkunden, und da ergab sich, dass ich zu weit östlich gerathen war. Ich lenkte auf den richtigen Pfad, der mehrere Stunden weit zwischen Dörfern und einzelnen Höfen, von Runo-Bäumen beschattet und üppigen Getreide-, Baumwoll- und Tabackfeldern umgeben, westwärts führte, und erreichte endlich, als es schon dunkel geworden, das sehr ausgedehnte Dorf Jara (Dr. Grundemann schreibt Jrcsa), jedoch an einer andern Stelle als dem gewöhnlichen Eingange von Ilori her. Von den herbeigekommenen Bewohnern vernahm ich mehrmals das Wort kattakatta, das in der Jóruba- wie in der Nyfe-Sprache

Esel bedeutet (in der Haussa-Sprache heisst der Esel djaki, die Eselin djaka), und es gelang mir dadurch, noch abends das Gehöft aufzufinden, wo meine Leute mit den Eseln campirten.

Am frühen Morgen setzte sich denn unser vereinigter Zug in Marsch. Hinter Jara beginnt das Terrain, das von den Ufern des Niger bis dahin immer sanft angestiegen, ebenso allmählich sich nach dem Meere hin zu senken. All die vielen Flüsschen und Wasserfäden rinnen nun nach Süden oder Südwesten; im übrigen ist die Erhebung wie die Abdachung zu unmerklich, als dass man von einem Gebirge, etwa der Fortsetzung des Kong-Gebirges, sprechen und der Formation des Landes eine andere Bezeichnung als die einer gewellten Ebene beilegen könnte. Der Weg führte beständig durch hohen Wald von Butterbäumen und Oelpalmen, der aber an vielen Stellen sumpfig und dicht mit Unterholz verwachsen war; zudem begegneten uns auf dem schmalen Pfade zahlreiche kleine Karavanen, das Ausweichen verursachte Stockungen und Zeitverlust, kurz es ging sehr langsam vorwärts. Um 3 Uhr nachmittags trafen wir auf einen jener offenen Marktplätze am Wege, wie sie durch ganz Jóruba an frequenten Verkehrsstrassen von Strecke zu Strecke vorhanden sind, gewöhnlich mit drei bis vier Hütten besetzt, in denen man allerhand Lebensmittel, auch gekochte oder sonst zubereitete Speisen zu kaufen bekommt. Meine Leute verzehrten hier eine Schüssel voll zäher, kleistriger Klösse, die in einer stark gepfefferten Adansonien-Sauce schwammen. Dann zogen wir weiter und gelangten abends bei Mondschein durch eine angepflanzte Allee von Djedj-Feigenbäumen an das Thor des grossen unmauerten Orts Ogbómoscho. Breitästige, schattengebende Bäume standen auch im Orte selbst auf den Strassen und Plätzen. Ogbómoscho war bisher die äusserste Missionsstation nach dem Innern zu; doch schien augenblicklich kein

Missionar dort fest stationirt zu sein. Wir waren an dem Tage 11 Stunden in Marsch gewesen, hatten aber bei der Langsamkeit, mit der die Esel fortzubringen waren, nur 7 Wegstunden zurückgelegt, 2 in südwestlicher, 1 in westlicher, 2 in westsüdwestlicher und 2 in südlicher Richtung.

Während wir am folgenden Tage 5 Stunden südsüdöstlich gingen, hatten wir beständig den von Süd nach Ost ziehenden Akomaoyo-Berg rechts zur Seite. Eine sechste Marschstunde in gerader Südrichtung brachte uns zu dem Dorfe Issóko. Hier gewährte uns ein Einwohner gutes Quartier in seinem geräumigen Hause. Im Hofe dieses Hauses stand ein weitschattender Luftwurzelbaum (*Ficus sp.*), dessen Zweige einer Masse gelbgefiederter Vögel mit schwarzem Kopf und breitem Schwanz als Brutstätte dienten. Die muntern Thierchen liessen ihren schmetternden Gesang erschallen und umflogen furchtlos eine an den Stamm gekettete alte Eule.

Am 17. wurde wieder den ganzen Tag marschirt, ohne dass wir mehr als 5 Stunden, 3 in südlicher und 2 in südwestlicher Richtung, vorwärts kamen, denn auf einem kaum $1^1/_2$ Fuss breiten Pfade mussten die bepackten Esel sich durch Urwaldsgebüsch hindurchwinden. Der Pflanzenwuchs jenseit und diesseit der Wasserscheide zwischen dem Niger und Ocean zeigt ebenso merkliche Veränderungen wie an dem Ost- und dem Westabhange des Gora-Gebirges. Schlanke Palmen, und zwar neben den Fächer- und Delebbesonders die Oelpalmen, bilden jetzt die Mehrzahl unter den hohen Bäumen des Waldes. Dazwischen kommen vor der Stützenbaum, der oft mit seinen Hunderten von Absenkern eine Palme vollkommen in sich einschliesst, und der Dornenbaum (*Bombax sp.*), einer der höchsten Bäume, dessen mehrere Fuss dicker Stamm von unten bis oben mit zolllangen Stacheln besetzt und dessen Blatt derartig gestaltet ist, als wäre es aus sieben Blättern zusammengewachsen. Drei Stellen des Waldes hatte man zu Marktplätzen gelichtet, Namens Schudóni, Láuo und Émono. Diese Marktplätze am Wege erleichtern allerdings das Reisen in Jóruba, für manche Lebensmittel werden aber unverhältnissmässig theuere Preise gefordert; für eine Ente sollte ich 6000 Muscheln = $1^1/_2$ Thaler, für ein Schaf 40000 Muscheln bezahlen. Sehr beliebt sind die Koloquintenkerne (*Citrullus vulgaris var. amarus* Schrad.), die entweder geröstet verspeist oder zerstampft zu Saucen verwendet werden. Auch Goro-Nüsse, jedoch von schlechter Qualität, sah ich als einheimisches Product feilbieten.

Die Goro-Nuss, von der Grösse einer dicken Kastanie, ist die Frucht der Goro-Staude, einer dem Kaffeebaum ähnlichen Pflanze mit grossen saftgrünen Blättern. Die Staude kommt an der ganzen Westküste von Afrika vor und gedeiht am besten im Kong-Gebirge. In Gondja wächst sie wild, östlich von Sierra Leone dagegen nur wenn sie angepflanzt und gepflegt wird. Weiter als bis an den Niger scheint sie nicht ins Innere vordringen zu können. Nach Timbuktu kommen die Nüsse (wie Barth angibt, der Guro-Nüsse schreibt) aus den Provinzen von Tangrera, Tante und Koni, nach Kano von der Stadt Sselga in einer nördlichen Provinz Assantis. Man unterscheidet die echte Goro-Nuss, *Sterculia acuminata*, von der unechten, *Sterculia macrocarpa*. Erstere hat einen dunkelrothen Kern von angenehm bittersüssem Geschmack und umfasst zwei Sorten, eine nicht schleimhaltige und eine mit starkem Schleimgehalt; die unechte, die nur in unmittelbarer Nähe der Küste wächst, ist inwendig weiss und hat im Geschmack wenig von der specifischen Bitterkeit. Ausser nach den Arten werden die Früchte auch nach der Grösse und nach der Jahreszeit, in der sie geerntet sind, unterschieden; so heissen in Kano (Barth's Reisen, V, 28) die grössten, von

1½—2 Zoll im Durchmesser, guria, die zweitgrössten marssakatu, die kleinern soara-n-naga und mena; ferner die gegen Ende Februar geernteten dja-n-karogu, die später abgenommenen gummaguri, und die zuletzt eingeheimsten, die sich am längsten halten sollen, nata. Viel wesentlicher ist die verschiedene Benennung der frischen und der getrockneten Nuss; nur die frische wird Goro genannt, die getrocknete mit runzlicher Schale und braunrothem, fast zu Holz erhärtetem Kern heisst Kola. Obwol die letztere den angenehm aromatischen Geschmack nach und nach gänzlich verliert, gilt doch das Kauen derselben den Bewohnern von Nord- und Centralafrika für ein nicht minder unentbehrliches Lebensbedürfniss wie andern Völkern der Genuss von Thee oder Kaffee. Ohne Zweifel wirkt die Kola-Nuss tonisch und Appetit erregend, namentlich soll der Taback gut danach munden; die Araber schreiben ihr auch eine besondere stimulirende Kraft zu. Auf der Rückkehr von meiner Reise nach Centralafrika kaufte ich in Freetown, dem Hauptort der Halbinsel Sierra Leone, eine Partie theils frischer, theils getrockneter Nüsse und nahm sie, zwischen feuchtem Moos in einen Bastkorb verpackt, mit nach Europa. Ich sandte einen Theil davon an Professor von Liebig in München, der mir nach einiger Zeit die interessante Mittheilung machte, er habe bei der Analyse verhältnissmässig mehr Coffeïn darin gefunden als in einer gleichen Quantität Kaffeebohnen. Eine Nuss, die man im münchener botanischen Garten als Samen in die Erde legte, trieb frische Keime und hatte sich bis zum Jahre 1869 zu einer ziemlich hohen Staude mit gesunden dunkelgrünen Blättern entwickelt. An der afrikanischen Küste, am Erzeugungsort, kosten 3000 unechte, weisse Nüsse 1 Mariatheresienthaler, mithin das Stück 1 Muschel, die echten, rothen aber ebendaselbst das Fünffache. In Timbuktu, berichtet Barth, variirt der Preis des Stücks je nach der

Jahreszeit oder nach der Grösse und Güte zwischen 10 und 1000 Muscheln, und auch in Kuka steigt bisweilen, wenn die Karavanen lange keinen neuen Vorrath gebracht haben (ein Lastesel kann ungefähr 6000 Stück tragen), der Preis für eine einzige Nuss auf 500, ja bis auf 1000 Muscheln. Bei solcher Theuerung zerschneidet man die Frucht in winzige Theilchen, die man seinen Freunden mittheilt, und nicht selten geschieht es, dass der minder Bemittelte ein von einem Reichen schon halb zerkautes und ausgesogenes Stückchen in den Mund nimmt und nun seinerseits noch lange daran kaut. Gelegentlich habe ich schon angedeutet, welch wichtige Rolle die Goro-Nuss auch im gesellschaftlichen Leben der Neger Centralafrikas spielt. Wie der Orientale den ihn Besuchenden mit einer Tasse Kaffee und dem Tschibuk regalirt, so ehrt hier der Wirth seinen Gast dadurch, dass er ihm eine Goro-Nuss vorsetzt oder mit ihm theilt. Die Uebersendung eines Korbes Goro-Nüsse von seiten des regierenden Fürsten gilt als Zeichen huldvoller Bewillkommnung; je voller der Korb und je grösser die Nüsse sind, desto gnädigern Empfangs darf der Fremde gewärtig sein.

Wir campirten die Nacht auf dem Marktplatze Émono, und zwar, weil das Wohnhaus des Feilhalters von Ratten wimmelte, im Freien; bei dem starken Thau, der in der Regenzeit auch hierzulande des Nachts niederschlägt, ein keineswegs angenehmes Lager. Ganz durchnässt, machten wir uns früh um 6 Uhr wieder auf den Weg. Die grüne Baumwand des Waldes tritt jetzt stellenweis zu beiden Seiten etwas zurück, und der freibleibende, leichtgewellte Boden wird zum Anbau von Mais und Yams benutzt. An diesem Tage hörte ich zum ersten male graugefiederte rothschwänzige Papagaien von den hohen Bäumen herab ihr „Aku, aku" rufen. Dieser Ruf ist in die Sprache der Eingeborenen als Begrüssungswort übergegangen; von den

Kanúri aber, die keine andere Papagaienart kennen, wird hiernach der Vogel selbst aku genannt. Die Strasse scheint recht belebt zu sein; es begegneten uns mehrere aus Ibádan kommende Karavanen von Lastträgern, eine davon transportirte Pulver, eine andere Branntwein, wobei jeder Neger zwei Fässchen von je 20 Pfund auf dem Kopfe trug. Schon nach einem Marsche von 3 Stunden, die erste in südsüdwestlicher, die zwei letzten in südwestlicher Richtung, war die Stadt Juoh (Grundemann schreibt Iwo) erreicht. Um zur Wohnung des Ortsvorstehers zu gelangen, mussten wir fast die ganze Stadt durchziehen, gefolgt von einem grossen Schwarm Neugieriger, denen der Anblick unserer Esel etwas ganz Neues war. Auf dem Markte standen viele Götzenbilder von Thon und von Holz, bekleidete und unbekleidete, zum Verkauf; doch soll unter der Bevölkerung Juohs der Islam bereits zahlreiche Anhänger haben. Der Ortsvorsteher nahm uns sogleich in sein Haus auf, und zum ersten mal seit Ilori wurden wir hier wieder gastlich bewirthet.

Ibádan ist noch gute 9 Stunden von Juoh entfernt, war also mit den bepackten Eseln nicht in Einem Tagemarsch zu erreichen. Da ich mich aber nach möglichst baldigem Zusammentreffen mit den Europäern sehnte, die als christliche Missionare, wie man mir sagte, daselbst wohnen sollten, ritt ich zu Pferde am andern Morgen dem langsamer folgenden Zuge voraus. Eine Stunde weit windet sich der Pfad südwestwärts zwischen Yams-, Mais-, Koloquinten- und Baumwollfeldern hin bis zum Flusse Oba. Der Wasserstand des Flusses war niedrig genug, dass ich ihn mit meinem Pferde hätte durchwaten können, aber ein stämmiger Neger, zu einer eben vorbeiziehenden Karavane aus Lagos gehörig, liess es sich nicht nehmen, mich auf seinen Schultern hinüberzutragen. Gleich am jenseitigen Ufer beginnt wieder prächtig bestandener Hochwald, mit

Gebüsch und Schlingpflanzen verwachsen. Auf dem schattigen Wege durch denselben kamen viele Eingeborene einzeln und in Gruppen daher, die mich alle höflich grüssten, indem sie mir die gewöhnliche Formel „Aku, aku, akuabo" zuriefen; eine vorbeipassirende junge Negerin reichte mir sogar zutraulich die Hand und sagte: „I thank you", diese irgendwo von Engländern vernommenen Worte jedenfalls auch für einen Gruss haltend. Um 5 Uhr nachmittags langte ich in der Stadt Ibádan an, die zu den grössten Städten West- und Centralafrikas gerechnet wird.

Ich war schon beinah eine Stunde durch endlos lange Strassen und Budenreihen geritten, ohne ein Haus von europäischem Aussehen entdeckt zu haben. Das arabische, bei den Haussa gebräuchliche Wort „nássara" (Christ), durch das ich mich verständlich zu machen suchte, kannte man hier nicht; endlich errieth indess einer aus meinen Pantomimen, wohin ich wollte, und geleitete mich zu dem aus Eisen erbauten Missionshause. Mein Pferd stiess mit dem Kopfe das nur angelehnte Hofthor auf, und als ich in den Hof einritt, sah ich auf dem Rasen eine blonde, in Seide gekleidete Dame sitzen, umgeben von einem Kreise junger Negermädchen, denen sie aus der Bibel vorlas. Bei meinem Anblick erhob sie sich, rief die Diener, mir das Pferd abzunehmen, und hiess mich in englischer Sprache willkommen. Nun stellte ich mich vor, zugleich wegen meines unangemeldeten Eintritts um Entschuldigung bittend, und folgte ihr dann ins Innere des Hauses. An der Schwelle eines europäisch möblirten Zimmers empfing mich ihr Gemahl, der Missionar, in dem ich zu meiner freudigen Ueberraschung einen deutschen Landsmann aus Schwaben fand, Namens Hinderer. Er lud mich freundlichst ein, sammt meiner Begleitung in der Mission zu herbergen, was ich natürlich dankbar annahm.

Die Missionsanstalt, etwas gegen Südwesten, aber ziemlich im Mittelpunkte der Stadt gelegen, die von hier nach allen Seiten amphitheatralisch ansteigt, umfasst ein bedeutendes Areal. Rings von einer Mauer umgeben, enthält sie ausser dem eisernen Wohnhause, dem geräumigen Hofe und mehrern kleinern Gebäuden einen grossen Garten mit den verschiedensten Fruchtbäumen und Sträuchern: Kokospalmen, Gunda, Mango, Brotfrucht, Orangen, Citronen, Ananas. Dicht daneben ausserhalb der Mauer steht die dazu gehörige Kirche.

Ibádan wird von einem nicht erblichen, sondern auf Lebenszeit gewählten Fürsten beherrscht, der nominell unter die Oberhoheit des zu Oyo residirenden Königs von Jóruba gestellt ist und den Titel Balē führt. Einen Monat vor meiner Ankunft war der Balē Ogomálla, mit dem Beinamen Bascheron (d. h. Verwalter des Reichs in der zukünftigen Welt), ein kräftiger Herrscher, der sich fast ganz von Oyo unabhängig gemacht hatte, mit Tode abgegangen. Der hierauf ernannte Nachfolger war gleich nach der Wahl gestorben, ebenso ein dritter Balē, und bis zur Wahl eines neuen lag nun die Regierung provisorisch in den Händen des Bálago, des Oberbefehlshabers der Truppen. Diesem wollte ich meine Aufwartung machen, um die Mitgabe eines Geleitsmanns durch das Jabu-Land von ihm zu erbitten; er liess mir aber sagen, wegen der Landestrauer könne er mich nicht empfangen, und was den Geleitsmann betreffe, so möge ich mich mit meiner Karavane einem reitenden Boten, den er demnächst nach Lagos schicke, anschliessen.

Der Bote des Bálago wurde am 23. Mai abgefertigt, und unter seiner Führung traten wir die Weiterreise an. Unaufhörlich strömender Regen hatte den gewellten Thonboden so schlüpfrig gemacht, dass Menschen wie Thiere sich kaum darauf fortbewegen konnten. Bis zu dem kleinen Marktorte Faudo, 1½ Stunden südwestlich von der Stadt, reichen die angebauten Ländereien; dann folgt wieder dichtverwachsener Urwald. Sein Saum bildet zugleich die Grenze zwischen den Reichen Jóruba und Jabu. Im Walde, in den wir südsüdwestwärts eindrangen, stellten sich unserm Fortkommen neue Hindernisse entgegen; mächtige Baumstämme lagen oft quer über den Weg, da mussten die Esel des Gepäcks entledigt und durch die Leute hinübergehoben werden. So kam es, dass wir eine Strecke von höchstens drei Stunden zurückgelegt hatten, als die Dunkelheit uns nöthigte, mitten in dem feuchten Dickicht zu lagern. Es regnete zwar nicht mehr, aber das Holz war durch und durch nass; kein Feuer liess sich anbrennen, und eine Tasse Kaffee konnte ich nur an der Flamme von Zeitungspapier warm machen. Dazu die gellenden Schreie des Trompetenvogels, vermischt mit dem dumpfen Gequak der Frösche, und als dieses Concert verstummt war, das Brüllen der Raubthiere und von fern her rollender Donner!

Auch den ganzen folgenden Tag kamen wir nicht aus dem Walde heraus. Nur hier und da unterbricht eine lichtere Stelle, mit Rothem Pfeffer und wilder Ananas bewachsen, das Dickicht; der Baumbestand ist besonders reich an Oelpalmen und Silk-cotton-trees (*Eriodendron*). Bald wurden wir von Regengüssen durchnässt, bald plagten uns Mosquitos oder giftige Schwarze Ameisen. Letztere rennen blitzschnell an den Beinen der Menschen und Thiere herauf und verursachen durch ihre Bisse heftigen Schmerz; bisweilen nahm eine Schar derselben einen mehrere Zoll breiten Streifen des Weges ein, vor dem dann unsere Esel zurückscheuten und unaufhaltsam zur Seite ins Gebüsch sprangen. Zu den Plagen der Menschen gehörten ferner noch die vorbeischwirrenden Heuschrecken; sie schienen von einer eigenthümlichen Art zu sein: ihr grünlichbrauner Leib misst nicht über einen Zoll, aber aus dem kleinen Kopfe strecken sie zwei 5 Zoll lange Fühlfäden aus und am Hinterleibe ein nach rückwärts gebogenes Horn. Die Schwierigkeiten für die Reit- und Lastthiere, auf dem schlüpfrigen schmalen Pfade zu schreiten, waren um so grösser, als von den zahlreichen Träger-Karavanen, wobei der Hintermann immer genau der Fussspur seines Vorgängers folgt, eine tiefe Rille in den weichen Boden getreten ist, sodass die Esel fortwährend Gefahr liefen, hineinzugleiten und sich ein Bein zu brechen. Meine Hoffnung, vor Einbruch der Nacht einen bewohnten Ort zu erreichen, ward unter solchen Umständen zu Wasser. Wir waren kaum 7 Stunden südsüdwestlich vorwärts gekommen und mussten abermals auf Sumpfboden, ohne Feuer, diesmal sogar in ganz durchnässten Kleidern und Decken, die Nacht verbringen. Durch einen Schluck Rum und ein Stückchen Schweinefleisch, das mir Frau Hinderer mit auf den Weg gegeben, suchte ich mich wenigstens innerlich etwas zu erwärmen.

Noch 4 Stunden mühten sich andern Tags unsere armen Thiere auf dem beschwerlichen Wege ab; endlich öffnete sich der Wald, und eine breite Allee führte ans Thor des Ortes Ipára. Hier erwartete uns der Bote des Bálago, der schon am Tage vorher angekommen war und für gutes Quartier gesorgt hatte. Die etwa 800 Einwohner von Ipára erwerben jetzt ihren Lebensunterhalt meist als Lastträger, während sie früher, zur Zeit der Spanier und Portugiesen, eifrig der Sklavenjagd oblagen. Allerdings reicht das geringe Stück Feld, das sie in der nächsten Umgebung dem Walde abgewonnen und urbar gemacht haben, zu ihrer Ernährung bei weitem nicht aus.

Das Land Jabu, im Norden von Jóruba, im Westen von Egba (auch nach der Hauptstadt Abeokúta genannt), im Osten, wo der Fluss Osun die Grenze bildet, von den Benin-Ländern begrenzt und nach Süden sich bis an die Lagune von Lagos erstreckend, wird durch den Ona-Fluss in zwei ziemlich gleiche Hälften getheilt; in der östlichen, Jabu-Odē, regierte der König Au-Udjalē, in der westlichen, Jabu-Remo, der König Akaribo, der indess, wie es mir schien, von dem erstern abhängig war. Obwol die Bewohner von Jabu im allgemeinen noch etwas heller gefärbt sind als die von Jóruba, gehören doch beide demselben Volksstamme an, wie auch die gemeinsame Sprache, in der nur dialektische Verschiedenheiten hervórtreten, zur Genüge beweist. An den Wohnhäusern ist hier sowol bezüglich des äussern Schmucks wie der innern Einrichtung der Einfluss des Verkehrs mit den europäischen Niederlassungen schon deutlicher wahrzunehmen. Was die Religion der Jabuaner betrifft, so beten sie zwar ebenfalls ihre Götzen an und zollen auch verschiedenen Bäumen, namentlich der Oelpalme, abergläubische Verehrung, sie haben aber daneben die dunkle Ahnung eines unsichtbaren höhern Wesens, von dem alles geschaffen ist.

Ungeachtet der Ermüdung unserer Thiere, denen ich gern eine längere Rast gewährt hätte, brachen wir schon am nächsten Morgen wieder von Ipára auf. Beim Abmarsch hatten sich mehrere Ortsbewohner unserm Zuge angeschlossen. Nach einer Stunde hielten wir vor dem Oertchen Odē (nicht zu verwechseln mit der gleichnamigen Hauptstadt von Jabu-Odē). Wir fanden das Thor versperrt, und die Wächter weigerten sich entschieden, die Leute von Ipára einzulassen; wirklich mussten diese umkehren, und nun erst ward mir und meiner Begleitung der Einzug gestattet. Die Feindschaft zwischen den beiden Orten rührt von dem Kriege her, den die Jabu-Stämme im Bunde mit Abeokúta volle fünf Jahre lang, von 1861 bis 1865, gegen das mächtig aufstrebende Ibádan führten. Nur die Bewohner von Ipára ergriffen in diesem Kriege Partei für Ibádan, und aus Dankbarkeit hat ihnen letzteres den Waarentransport von und nach Lagos, der bis dahin in den Händen der

Bewohner von Odē lag, fast ausschliesslich zugewendet. Ich kaufte auf dem Markte von Odē Lebensmittel zum Frühstück für uns ein, worauf wir ohne Aufenthalt in südwestlicher Richtung weiterzogen. Nach 1½ Stunden passirten wir den kleinen Ort Pure. Von da ging der Weg, immer sanft geneigt, gerade südwärts; er führte uns über den Fluss Iba in 2½ Stunden nach Makum. In diesen Ort, der zum Nachtquartier bestimmt war, wollte man uns wieder nur gegen Erlegung eines Durchgangzolls einlassen; da ich aber nicht eine einzige Muschel mehr besass, verschaffte ich mir durch die Drohung Einlass, wenn man uns nicht sofort ohne Bezahlung das Thor öffne, würde ich in Lagos beim englischen Gouverneur von dem feindseligen Verfahren gegen einen Weissen Anzeige machen. So weit wirkt also hier das Ansehen der Engländer. Indess rächte sich der Ortsvorsteher für die ihm entgangene Einnahme dadurch, dass er uns, obgleich starker Thau fiel und der Ocean feuchten Nebel herübersandte, keine Herberge anbot, sondern auf dem offenen Marktplatz campiren liess.

Früh 5 Uhr stieg ich zu Pferde und ritt, nur von Noël und einem ebenfalls berittenen Neger aus Lagos begleitet, in scharfem Trabe der Küste zu. Um 1 Uhr mittags gelangten wir nach Ikoródu und eine halbe Stunde später an die Lagune, welche Lagos, das auf einer Nehrung liegt, vom Festlande trennt. Am Ufer standen einige leere Hütten zum Obdach für die hier wartenden Karavanen und ein paar Buden, in denen Lebensmittel feilgehalten wurden. Ich erhandelte für mein letztes seidenes Taschentuch einen Teller voll in Palmöl gesottener Küchelchen, ekaréoa genannt: eine Speise, die zur Noth auch ein europäischer Magen geniessbar findet. Gegen Abend holte mich das Fährschiff ab, und nach einer sehr stürmischen, gefahrvollen Ueberfahrt landete ich auf der Rhede von Lagos.

Der englische Gouverneur, Mr. Glover, der mich aufs

18*

freundlichste empfing, wollte nicht eher glauben, dass ich zu Lande von Lokója gekommen sei, als bis ich ihm die von dort mitgebrachten Briefschaften behändigte. Sobald die in Lagos wohnenden Deutschen die Kunde von der Ankunft eines Landsmanns vernommen hatten, erschienen sie im Gouvernementshause, um mich zu begrüssen und mir Wohnung bei sich anzubieten. Sie logirten mich in die Factorei der grossen hamburger Firma O'Swald ein und liessen mir dort die ausgesuchteste Gastfreundschaft zutheil werden. Nach vierzehn Tagen kam dann der englische Dampfer, auf dem ich mich nach Europa einschiffte.

Ich kann meinen Bericht nicht schliessen, ohne dem bremer Senat, der Stadt Bremen und der Geographischen Gesellschaft in London, welche mir die Mittel zu dieser Reise gewährt haben, desgleichen Herrn Dr. Petermann, der mir den Rest des für Dr. Vogel gesammelten Fonds übermittelte, nochmals meinen tiefgefühlten Dank auszusprechen. In die Heimat zurückgekehrt, ward ich durch die Munificenz Seiner Majestät des Kaisers Wilhelm wie durch neue Beiträge der Stadt Bremen und der londoner Geographischen Gesellschaft in den Stand gesetzt, sowol Herrn Gagliuffi das bei seinem Agenten in Kuka aufgenommene Darlehn wiederzuerstatten, als auch meine Diener und Begleiter nach Wunsch zu belohnen. Hammed, dem treuesten und bewährtesten derselben, wurde ausserdem von der londoner Geographischen Gesellschaft die silberne Victoria-Medaille zuerkannt. Der Unterstützung mit Rath und That, deren ich mich seitens des Herrn Dr. Petermann, des seitdem verstorbenen Dr. Barth und meines Bruders Hermann zu erfreuen hatte, werde ich stets dankbarlichst eingedenk bleiben.

Botanischer Anhang.

I.

Verzeichniss
der zwischen Tripolis und Mursuk 1865
gesammelten Pflanzen.

(Bestimmt von P. Ascherson, A. Braun, E. Cosson, A. Garcke, G. Schweinfurth.)

Um die geographische Verbreitung der Arten kurz anzudeuten, sind diejenigen, welche in der algerischen Sahara oder weiter südlich nach Cosson (Ann. des sc. nat. IV, sér. Tome IV, bot., p. 281—288, und Bulletin soc. bot. France) und Duveyrier (Les Touareg du Nord, Paris 1864, p. 147—216) vorkommen, mit A., diejenigen, welche in den Wüsten Aegyptens und deren Oasen vorkommen, mit E. bezeichnet.

Cruciferae.

1) A. E. *Zilla myagroides* Forsk.? Ued Faat, Mitte Oct. nicht blühend.

Capparidaceae.

2) A. E. *Cleome arabica* L. Uadi Umm el Cheil in Fesan, Oct. fr. Einheimischer Name: *Malfena* oder *Mschuhelasch*. (Rohlfs.)

Frankeniaceae.

3) A. E. *Frankenia pulverulenta* L. Palmengärten von Rhadames, Juli, bl. Einh. Name: *Umm schuscha*. Ohne Nutzen. (R.)

Malvaceae.

4) *Hibiscus cannabinus* L. In den Gärten Fesans, fr. Einh. Name: *Karess.* Die schwarzen buchweizenähnlichen Samen werden gegessen. (R.)

Rhamnaceae.

5) A. E. *Zizyphus Spina Christi* (L.) Willd., bl. Wildwachsender Strauch in Fesan. Einh. Name: *Korna* oder *Nebek.* Frucht klein, essbar. (R.)

Papilionaceae.

6) *Indigofera argentea* L., bl. In den Gärten Mursuks hier und da. Einh. Name: *Nil.* Besitzt viel Farbstoff. (R.) In Aegypten seit den ältesten Zeiten angebaut; in der algerischen Oase Biskra aber nach Cosson (a. a. O., p. 273) erst durch die Franzosen eingeführt; in Tuat dagegen nach Duveyrier (a. a. O., p. 162) gebaut. (Ascherson.)

7) E. *Astragalus tribuloides* Del. Ued Faat, Oct., n. bl.

Rosaceae.

8) A. E. *Neurada procumbens* L. Ued Faat, Oct., bl.

Tamariscaceae.

9) A. E. *Tamarix articulata* Vahl, n. bl. Ueberall in den Uadis und Oasen. Einh. Name: *Ethel.*

Cucurbitaceae.

0) A. E. *Citrullus Colocynthis* (L.) Schrad. Ued Faat, Oct., n. bl.

Umbelliferae.

11) *Deverra Rohlfsiana* Aschs. Im Ued zwischen Fesan und dem Djebel. Südlich von Misda, 30. Sept. bl. Einh. Name: *Gesah el hamĕr.* Aromatische Pflanze ohne Blätter. (R.) Beschreibung s. S. 282.

12) A. *D. chlorantha* Coss. und Dur.? Im Ued nördlich von Fesan, 1. Oct., fr. Einh. Name: *Gesah el bil.* Ohne Blätter, Kamelfutter. (R.)

Compositae.

13) A. E. *Asteriscus graveolens* (Forsk.) D., C. Ued Faat; bl.

14) A. *Artemisia campestris* L. Ued Bu el Adjraf, 1. Oct. bl. (War der *Salsola vermiculata* L. beigemischt.)

15) A. E. *Lomatolepis capitata* (Sieb.) Sz.,Bip. Ued Faat; bl.

Asclepiadaceae.

16) A. E. *Calotropis procera* (Ait.) R. Br.; bl. In allen Oasen, blüht im Dec. (In den Libyschen Oasen von Jan. bis März blühend und mit Frucht gefunden, A.) Einh. Name: *Kranka* oder *Tintafia* oder *Brambach.* Das Holz dient zur Pulverfabrikation. (R.)

Borraginaceae.

17) A. E. *Heliotropium europaeum* L. Rhadames, Juli, bl. fr. Einh. Name: *Kasbat el hammam* (arab.) oder *Milsch* (Rhad.), wie *Crozophora verbascifolia.* (R.)

18) A. E. *Trichodesma africanum* (L.) R. Br. Ued Faat; bl.

Solanaceae.

19) *Capsicum conicum* Meyer, var. *orientale* Dun. In den Gärten Fesans, bl. Rother Sudan-Pfeffer, blüht im Sommer und Herbst. (R.)

20) A. E. *Withania somnifera* (L.) Dun. Wildwachsender Baum in Fesan, bl. fr. Einh. Name: *Safua.* Ohne allen Nutzen. (R.)

21) *Nicotiana rustica* L., bl. fr. Wird in Fesan cultivirt. Vgl. Bd. I, S. 149.

Primulaceae.

22) A. E. *Samolus Valerandi* L. Derdj, im Juni bl. Ohne Nutzen. (R.)

Plumbaginaceae.

23) A. E. *Statice aphylla* Forsk. In der Wüste Fesans häufig; bei Misda, 30. Sept. bl. Einh. Name: *Gelgelän.* Dient als Kamelfutter und besitzt die Eigenschaft, Feuchtigkeit aus der Luft anzuziehen, Bd. I, S. 109. (R.) Nach Cosson (bei Duveyrier, S. 149) ist *Guelguelân* in Algerien der Name von *Matthiola livida* R. Br.

24) A. *Limoniastrum Guyonianum* Durieu. Im Ued Derdj häufig, Juni bl. Einh. Name: *Sita.* Dient als Kamelfutter. Blume blau. (R.)

Salsolaceae.

25) A. E. *Suaeda fruticosa* Forsk. Wilde Pflanze in Mursuk, bl. Einh. Name: *Ssuet.* (R.)

26) A. E. *Salsola vermiculata* L. Ued Bu el Adjraf, 1. Oct. fr. Einh. Name: *Dommrän.* In der ganzen nördlichen Sahara zu finden, beliebtestes Kamelfutter. (R.) Bei Duveyrier (S. 189) ist *Dhomrân* der Name von *Traganum nudatum* Del.

27) A. E. *Anabasis articulata* (Forsk.) Moq. Tand. Ued Bu el Adjraf, 1. Oct. bl. Einh. Name: *Begel.* Allgemein in der Wüste verbreitetes fleischiges Gewächs, Blüte (durch die weit sichtbaren Staubbeutel) gelb. (R.)

28) A. E. *Bassia muricata* L. Ued Faat, Oct. bl.

Polygonaceae.

29) A. E. *Calligonum comosum* L'Hér., fr. Einh. Name: *Schöbr* (vgl. Bd. I, S. 118). Fruchttragend im Oct. in der ganzen nördlichen Wüste in den Flussbetten. Gutes Kamelfutter. (R.) (Von mir am 22. April 1874 bei Ramses an der Sues-Eisenbahn zwischen Sagasig und Ismailia blühend gesammelt. A.)

30) A. E. *Rumex vesicarius* L.? Ued Faat, Oct., n. bl.

31) A. E. *Polygonum equisetiforme* Sibth. und Sm. Zwischen Fesan und Djebel in den Uadis. Bei Misda, 30. Sept. bl. Einh. Name: *Gordob.* Ohne Nutzen. (R.)

Euphorbiaceae.

32) A. *Crozophora tinctoria* (L.) A. Juss., var. *verbascifolia* (Willd.) Müll. Arg. Rhadames, 21. Juli, bl. Einh. Name: *Kasbat el hammam* (arab.), *Milsch* (Rhad.), wie *Heliotropium europaeum* L. In den Gärten von Rhadames allgemein verbreitet, 2 Fuss hoch; wird von keinem Thier gefressen. Die getrockneten Aeste werden zur Bereitung des Pulvers benutzt. (R.)

Potameae.

33) E. *Potamogeton pectinatus* L. Am Grunde der grossen warmen Quelle in Rhadames, 22. Juli, n. bl. Hat frisch einen starken Fischgeruch, obwol keine Fische in der Quelle sind. (R.)

Liliaceae.

34) A. *Asphodelus pendulinus* Coss. et Dur. Uadi Umm el Cheil in Fesan; bl.

Gramina.

35) A. E. *Panicum verticillatum* L., fr. Fesan.

36) A. E. *Dactylus officinalis* Vill., bl. Fesan.

37) A. E. *Arundo Phragmitis* L.; var. *isiaca* (Del.). Fr. Einh. Name: *Kasbah.* Wild in allen Oasen. (R.)

Algae.

38) *Cladophora crispata* (Rth.) Kütz. In den stehenden Gewässern Fesans. (Daran ein *Campylodiscus.*)

Deverra Rohlfsiana Aschs. n. sp.

Suffrutex scoparius, *D. scopariam* Coss. et Dur. aemulans; caulis (pars inferior in exemplis suppetentibus deest) superne ramos breves plerumque simplices gerens, multistriatus; *vaginae foliorum* superiorum lamina orbatorum *triangulares*, vitellinae, albido-membranaceo-marginatae; umbellae 5—6 radiatae, radiis subfiliformibus; *involucra ut involucella umbellulam virgineam haud aequantia diu peristentia*, foliolis oblongo-lanceolatis, involucellorum dorso furfuraceo-pubescentibus; *petala sub anthesi arcuato-subconniventia nervo medio latissimo luteo-virescente, externe furfuraceo-pubescente;* antherae luteae; *styli* graciles, *stylopodium* depressum margine undulato-crenatum *demum longe superantes;* fructus (immaturus) pilis latiusculis furfuraceo-subtomentosus, pallide virescens.

Habitat in desertis Tripolitanis inter Djebel et Fesan, ubi Cl. G. Rohlfs die 30. Sept. 1865 florentem et vix defloratam legit. Arabibus *Gesah el hamēr* audit.

Species habitu *D. scopariam* Coss. et Dur. referens, ab ea involucellis pulescentibus brevioribus, petalorum fabrica, a *D. chlorantha* Coss. Dur. involucris et involucellis persistentibus, stylis longioribus, a *D. denudata* (Viv.) Aschs. (= *Pituranthos denudatus* Viv., *D. Pituranthos* D. C.) involucro utroque persistente, involucelli foliolis oblongo-lanceolatis (neque ovato-suborbiculatis), a *D. tortuosa* var. *virgata* D. C. vaginis brevibus triangularibus (neque oblongis) distinguenda. Longius distant *D. tortuosa* D., C. typica, ramosissima, ramis intricatis et vaginis oblongis, *D. Reboudii* Coss. et Dur. caulibus diffuso-patentibus scabridis. Cf. descriptiones et observationes a Cl. Cosson in Bull. soc. bot. France 1855, p. 248—250; 1862, p. 296, 297; 1865, p. 281 editas.

II.
Verzeichniss der in Kanem und Bornu 1866 gesammelten Pflanzen.

(Bestimmt von P. Ascherson und G. Schweinfurth.)

1) *Tribulus alatus* Del. Kuka, 8. Aug. bl. und fr. Kanuri Name: *Kaïē*. Trägt gefährliche Kletten; blüht während oder kurz nach der Regenzeit. (R.) (Die Früchte dieser Art sind ziemlich harmlos; doch werden die stachelfrüchtigen Arten ohne Zweifel denselben Namen führen. A.)

2) *Momordica Balsamina* L. 12. Juli bl. Kan. Name: *Digdiggi*. Schlingpflanze mit einer geniessbaren Frucht von der Grösse der Pflaume, Farbe der Tomate, Geschmack der Mispel. In Kanem häufig. Bd. I, S. 287. (R.) Nach Nachtigal („Zeitschrift der Gesellschaft für Erdkunde", 1871, S. 144) werden die getrockneten und gestossenen Blätter wie Meluchīa (*Corchorus olitorius* L.) zu Saucen benutzt. (A.)

3) *Loranthus globifer* A. Rich., 11. Juli bl. Kan. Name: *Burungo*. Schmarotzerpflanze auf den Aesten der Akazien. Sehr gemein im grossen Walde nördlich von Kanem. Bd. I, S. 286. (R.)

4) *Sesamopteris alata* (Schum.) D. C. 12. Juli bl. und fr. Kan. Name: *Ko be le bul.* Geniessbare Pflanze in Kanem und Bornu. (R.)

5) *Cistanche lutea* (Desf.) Lk. Hfmg. Bei Kufē. Einh. Name: *Tertūt*. Geniessbar wie Spargel; Stengel zur Blütezeit 1 Fuss hoch, $1^1/_2$ Zoll dick. (R.) (Nach Duveyrier, a. a. O., p. 185, wird die verwandte *C. violacea* (Desf.) Lk. Hfmg. zur Zeit der Noth gegessen; der gekochte

und an der Sonne gedörrte Stengel lässt sich zu Mehl zerreiben. Ich fand die in der Libyschen Oase Farafrah vorkommende dort *Turfâs* genannte *C. lutea* von sehr bitterm, unangenehmem Geschmack. Diese beiden hier angeführten Namen sind ein Beleg für die Willkür, mit der im weiten Gebiet der arabischen Sprache die Benennungen von einer Pflanze auf ganz verschiedene übertragen werden. „*Tertoûth*" führt Duveyrier, a. a. O., p. 207, als arabischen Namen für *Cynomorium coccineum* L., *Terfâs* dagegen, a. a. O., p. 208, für die weisse Trüffel (*Cheiromyces Leonis* Tulasne) an. (A.)

6) *Aerva javanica* (Burm.) Juss. In Kanem, 12. Juli bl. Kan. Name: *Kadjim bultu be* (Hyänenkraut). (R.) Dient nach Nachtigal („Zeitschrift der Gesellschaft für Erdkunde", 1871, S. 138) zum Ausstopfen von Kissen. (A.)

7) *Caroxylon foetidum* (Del.) Moq. Tand.? In Kanem nicht sehr häufig; 12. Juli n. bl., aber mit durch Insektenstich entstandenen kugelrunden dichtzottigen Auswüchsen besetzt; ganz ähnliche finden sich an einem von Ehrenberg bei Assuan gesammelten Exemplare dieser verbreiteten Wüstenpflanze; an den Exemplaren von Kanem sind nur die Blätter kleiner und daher die Aestchen schlanker als bei den übrigen im königlichen Herbar in Berlin aufbewahrten. (A.)

8) *Polygonum limbatum* Meisn. Am Ufer des Komadugu Waube, 18. Juli bl. Kan. Name: *Tamalik.* (R.)

9) *Eleusine Coracána* (L.) Gaertn. Kan. Name: *Tjerga.* (Aus von G. Rohlfs mitgebrachten Samen im Berliner botanischen Garten cultivirt.)

III.

Alphabetisches Verzeichniss der in diesem Werke vorkommenden Pflanzennamen.

Von P. Ascherson.

I bezeichnet den ersten Band, II den zweiten Band. a. bedeutet arabische Namen, k. Kanuri-Namen.

Abelmoschus esculentus Mnch. s. Bamia, Mlochia.
Acacia arabica Willd. s. Geredh. *A. Seyal* Del. s. Talha. *sp.* s. Dusso, Gerbinna.
Adansonia digitata L. s. Kuka. *A. sp.* s. Tiggebo.
Aerva javanica Juss. II. 284.
Agol, a. (*Alhagi manniferum* Desv. = *Maurorum* D. C.). I. 74, 251.
Akresch (*Cenchrus sp.*?), Stachelgras nach Nachtigal (Zeitschrift der Gesellschaft für Erdkunde, Berl., VIII, S. 147), I. 275.
Alhagi s. Agol.
Alin oder Arin, k. (*Indigofera sp.*) II. 24.
Allium Cepa L. s. Zwiebel. *A. sativum* L. s. Knoblauch.
Ambra, langhalmiges Gras mit geniessbarem Korn. I. 285.
Ami der Teda, s. Suak.
Amygdalus communis L. s. Mandelbaum. *A. Persica* L. s. Pfirsichbaum.
Anabasis articulata Moq. Tand. II. 280.
Ananas (*Ananassa sativa* Lindl.) II. 271, 272.
Anim-Baum, k. (Blätter zum Grünfärben). II. 21.
Aprikosenbaum (*Prunus Armeniaca* L.). I. 13, 72.
Arachis hypogaea L. s. Erdmandel.
Arändj, a., s. Koloquinte.

Argum-mattīa, k. } Varietäten der Negerhirse (*Penicillaria*
Argum-moro, k. } *spicata* Willd.), s. dort.
Arin s. Alin.
Aristida pungens Desf. s. Sbith.
Artemisia campestris L. II. 279. *A. Herba alba* Asso?
s. Schih.
Artocarpus incisus L., s. Brotbaum.
Arundo Phragmitis L. II. 281.
Asphodelus pendulinus Coss. Dur. II. 281.
Asteriscus graveolens D. C. II. 279.
Astragalus tribuloides Del. II. 278.
Attila, a. I. 191; s. Ethel.
Aubergine (*Solanum Melongena* L., Bdindjel, a.) I. 73.
Balanites aegyptiaca Del. s. Hadjilidj.
Bambus (*Bambusa sp.*). II. 175.
Bamia, a. (*Abelmoschus esculentus* Mnch.) I. 73; II. 10.
Banane (*Musa paradisiaca* L.?). II. 11.
Banane, wilde (*Musa sp.*?) II. 255.
Bassia muricata L. II. 280.
Bassia Parkii G. Don, s. Butterbaum.
Batatas edulis Choisy, s. Kartoffel, süsse.
Batum, a. (*Pistacia atlantica* Desf.) I. 40.
Baumwolle (*Gossypium sp. diversae,* Kalkutta, k.). I. 149;
II. 10, 127, 250, 256, 263, 269.
Bdindjel, a., s. Aubergine.
Begel, a. (*Anabasis articulata* Moq. Tand.) I. 48, 60, 220;
II. 280.
Beta vulgaris L.? s. Ssilk-el-belebscha.
Birma, k. (*Dioscorea sp.*) II. 26.
Bischna, a. (nach Duveyrier *Penicillaria spicata* W.) I. 187.
Bito, k., s. Hadjilidj.
Bohnen (*Phaseolus, Dolichos, Vigna, Canavalia, Cajanus,*
sp. Vicia Faba L.) I. 73, 148; II. 10, 15, 126, 210.
Bolungo-Baum, k. II. 19.

Bombax buonopozense P. B., s. Dornenbaum.
Borassus flabelliformis L., var. *Aethiopum* Mart., s. Delebpalme.
Brambach (*Calotropis procera* R. Br.) II. 279.
Brassica oleracea L., s. Kohl. *B. Rapa* L., s. Rüben.
Brotbaum (*Artocarpus incisus* L.) II. 271.
Burungo (*Loranthus globifer* A. Rich.) I. 286; II. 283. Ob II. 21 dieselbe Art?
Butterbaum (*Butyrospermum Parkii* Kotschy = *Bassia Parkii* G. Don) II. 159, 175, 252, 264.
Calligonum comosum L'Hér. II. 281.
Calotropis procera R. Br. II. 279.
Campylodiscus II. 281.
Candelaber-Baum (Gárulu, k., *Euphorbia Candelabrum* Trem.?) II. 17, 139.
Capparis aphylla Rth., s. Tumtum.
Capsicum annuum L. und *conicum* G. F. Mey., var. *orientale* Dun. II. 279, s. Pfeffer, rother.
Carica Papaya L., s. Gunda.
Caroxylon articulatum Moq. Tand., s. Rimmit. *C. foetidum* Moq. Tand.? II. 284.
Caryophyllus aromaticus L., s. Gewürznelkenbaum.
Cenchrus sp.? s. Akresch.
Ceratonia Siliqua L., s. Johannisbrotbaum.
Cheiromyces Leonis Tul. II. 284.
Cissus quadrangularis L.? s. Digessa.
Cistanche lutea und *violacea* Lk. und Hfmg., II. 283, 284.
Citronenbaum (*Citrus medica* L.) II. 58, 159, 271.
Citrullus Colocynthis Schrad. (Koloquinte) II. 278. *C. vulgaris* Schrad., s. Wassermelone, auch Koloquinte.
Citrus Aurantium L., s. Orangenbaum.
Cladophora crispata Kütz. II. 281.
Cleome arabica L. II. 277.
Cocos nucifera L., s. Kokospalme.

Corchorus olitorius L., s. Mlochia.
Cornulaca monacantha Del., s. Had.
Crozophora tinctoria Juss., var. *verbascifolia* Müll. Arg. II. 281.
Cucumis sp., s. Gurke, Melone.
Cynomorium coccineum L. II. 284.
Dactylus officinalis Vill. II. 281.
Dattelpalme (*Phoenix dactylifera* L., Nachl, a., Taseït der Tuareg) I. 13 u. ff. Culturvarietäten in Rhadames I. 73, in Mursuk I. 149, 150; schlechtes Gedeihen in Kauar I. 250. Vorkommen an der Nordgrenze von Bornu I. 290, im südwestlichen Bornu II. 120.
Daucus Carota L., s. Wurzeln.
Debussum, k. (*Vitis sp.*) II. 23.
Delebpalme (*Borassus flabelliformis* L., var. *Aethiopum* Mart., Djidjinia der Haussa, Kamelutu, k.) II. 159 (vgl. Barth's Reisen u. s. w., II, 512, wo die Benutzung der Deleb-Keimpflanzen als Gemüse beschrieben wird), 174, 180, 209, 265.
Deverra-Arten I. 278, 279, 282.
Digdiggi, k. (*Momordica Balsamina* L.) I. 287; II. 20, 116, 283.
Digessa, k. (*Cissus quadrangularis* L.? „Venenatum putant incolae Morenses“ [Forskål Fl. Aeg. Arab., S. 34.]) Pfeilgiftpflanze II. 15.
Dioscorea sp., s. Birma, Yams.
Dīs, a. (*Imperata cylindrica* P. B.) I. 236.
Djedja, k. (*Ficus sp.*) II. 33, 264.
Djidjinia der Haussa, s. Delebpalme.
Domrān, a. (*Salsola vermiculata* L., sonst auch *Traganum nudatum* Del.) I. 49, 110, 191, 220; II. 280.
Dornenbaum (*Bombax buonopozense* P. B., nach Professor Oliver's Vermuthung) II. 265.
Dumpalme (*Hyphaene thebaica* Mart.) I. 230 ff. Südwestgrenze II. 120.

Durra, a. (*Sorghum vulgare* Pers., Ngáfuli, k., auch in Fesan) I. 148, 187, 239, 323; II. 10 ff.

Dusso, k. (*Acacia sp.*? verglichen mit *Albizzia lophantha* Benth.) II. 21.

Eiche, kleinblätterige (*Quercus coccifera* L.?) I. 20.

Elaeis guineensis L., s. Oelpalme.

Eleusine Coracana Gaertn. II. 284.

Eragrostis cynosuroides P. B., s. Halfa.

Erbse (*Pisum sativum* L.) I. 149.

Erdapfel, süsser (*Batatas edulis* Chois.) II. 182.

Erdmandel, Erdnuss (*Arachis hypogaea* L., Koltsche, k.) I. 297; II. 10 ff., 256.

Eriodendron anfractuosum D. C., s. Silk-Cotton-Tree.

Ertém I. 283, Ertím II. 96, Ertom I. 48. = Rtem, a. (*Retama Raetam* Webb.)

Esparto, s. Halfa.

Ethel, auch Attila a. (*Tamarix articulata* Vahl) I. 54 ff.; II. 278.

Euphorbia Candelabrum Trém.? s. Candelaberbaum.

Fächerpalme, verschieden von Deleb und Dum, II. 180, 265.

Feigenbaum (*Ficus Carica* L.) I. 13, 20, 32, 34, 36, 72.

Férgami, k., s. Reis.

Ficus sp. II. 113, s. auch Djedja, Kassaissa, Lita Ngábbere, Stützenbaum.

Frankenia pulverulenta L. II. 277.

Gadagēr, k., essbare wilde Knolle II. 31.

Gárulu, k., s. Candelaberbaum.

Gelgelān, a. (*Statice aphylla* Forsk.) I. 109; II. 280; in Algerien = *Matthiola livida* R. Br. II. 280.

Gelto-Baum, k. II. 33.

Gerbinua, k. (*Acacia sp.*?) II. 21.

Geredh, a. (*Acacia arabica* Willd. Kinder, k.), mit der Abart *A. nilotica* Del. (Kingar, k.) I. 267, 275; II. 20, 21. (Auch nach Nachtigal [Zeitschrift der Gesell-

schaft für Erdkunde, 1873, VIII, S. 253) ist Kingar der Kanuri-Name des Geredh, Kindil dagegen mit dem arabischen Sajäl identisch.)
Gerste (*Hordeum vulgare* L.) I. 20, 73, 148.
Gesah-el-bil, a. (*Deverra chlorantha* Coss. Dur.?) II. 279.
Gesah-el-hamër, a. (*Deverra Rohlfsiana* Aschs.) II. 278.
Gewürznelkenbaum (*Caryophyllus aromaticus* L.) II. 210.
Ghedeb, a., s. Klee.
Gjerma, s. Koloquinte.
Gobeh, k., angebaute Gemüsepflanze II. 29.
Golúmbi-Baum, k., mit gefiederten Blättern II. 15.
Gónogo- oder Ngónogo-Strauch, k., mit essbaren, gelben, birngrossen Früchten mit rothen Kernen II. 15, 37.
Gordob, a. (*Polygonum equisetiforme* Sibth. Sm.) II. 281.
Goro- oder Guro-Nuss der Haussa (*Sterculia acuminata* P. B. mit der Abart *macrocarpa* G. Don., Kola) I. 180; II. 242 ff., 266.
Gossypium sp., s. Baumwolle.
Granatbaum (*Punica Granatum* L.) I. 13, 36, 72; II. 159.
Gummibäume, s. *Ficus sp.*
Gunda der Haussa (*Carica Papaya* L.) II. 11, 127, 159, 271.
Gurke (*Cucumis sativus* L., in Afrika wol meist *C. Melo var. Chate* L.) I. 148; II. 10.
Guro-Nuss, s. Goro.
Had, a. (*Cornulaca monacantha* Del.) I. 220, 228, 229, 273, 276.
Hadjilidj, a. (*Balanites aegyptiaca* Del.; Bito, k.) I. 283 ff.; II. 175, Südwestgrenze.
Haleba, a. (*Periploca angustifolia* Labill.) I. 120.
Halfa, a. Unter diesem Namen versteht man in Aegypten und den Libyschen Oasen *Leptochloa bipinnata* Hochst. (*Eragrostis cynosuroides* P. B.), welche jedenfalls auch in Centralafrika vorkommt, und von M. von Beurmann (nach Schweinfurth, „Zeitschrift für allgemeine Erd-

kunde", XV, S. 301) bei Meshita, soll wol heissen Mestuta, zwischen Mursuk und Gatron gesammelt wurde. Im Maghreb versteht man indessen unter Halfa die zu Flechtarbeiten geeigneten, im Spanischen Esparto genannten, neuerdings in grossem Massstabe zur Papierfabrikation benutzten Gräser, *Stupa* (*Macrochloa*) *tenacissima* L. und *Lygeum Spartum* Löfl. Beide kommen nach Duveyrier im tripolitanischen Djebel vor; da indess dieser hochverdiente Reisende („Les Touareg du Nord", S. 201, 203) angibt, dass der Name Halfa in Algerien für ersteres, in Tripolitanien für letzteres Gras in Gebrauch sei, so wird I. 40 wol dies gemeint sein.

Heliotropium europaeum L. II. 279.

Hendagüg, a., s. Klee.

Hibiscus cannabinus L. II. 278.

Hordeum vulgare L., s. Gerste.

Hyphaene thebaica Mart., s. Dumpalme.

Indigo (*Indigofera sp.*) II. 116, 210, 250.

Indigofera argentea L. II. 278.

Ingisseri, k., s. Scherra.

Ingwer (*Zingiber officinale* Rosc.) II. 210.

Jadaria, a. (*Rhus dioeca* Willd.) I. 120.

Johannisbrotbaum (*Ceratonia Siliqua* L.) I. 20.

Kabla, k. Strauch mit rothen essbaren, Ndornu genannten Beeren I. 298.

Kadjim bultu be, k. (*Aerva javanica* Juss.) I. 283; II. 284.

Kagui-Baum, k. II. 21.

Kaïë, k. (*Tribulus* sp.) I. 283; II. 283.

Kalkutta, k., s. Baumwolle.

Kalul-Strauch, k. (Leguminose mit langen Hülsen) II. 29.

Kamelütu, k., s. Delebpalme.

Karess, Karres, k., auch in Fesan (*Hibiscus cannabinus* L.) II. 15, 29, 158, 278.

19*

Kartoffel (*Solanum tuberosum* L.) I. 149.
Kartoffel, süsse (*Batatas edulis* Chois.) II. 10, 158, 182.
Kasbah, a. (*Arundo Phragmitis* L., var. *isiaca* Del.) II. 281.
Kasbat-el-hammam, a. (*Heliotropium europaeum* L. und *Crozophora tinctoria* Juss., var. *verbascifolia* Müll. Arg.) II. 279, 281.
Kassaissa, k. (*Ficus* sp.) II. 33.
Kimba, s. Pfeffer.
Kinder, Kindil, k. } s. Geredh.
Kingar, k. }
Klee (Ghedeb, a., nach Barth, der es für einen *Melilotus* erklärt; nach Duveyrier ist die in Fesan unter diesem Namen gebaute und wilde Pflanze eine *Medicago.* Auch E. Vogel [Bonplandia 1854, S. 3; Petermann's Mittheilungen 1855, S. 248] erwähnt einen in Gärten von Mursuk als Futterkraut cultivirten *Melilotus*, den er aber Safsfah nennt. Ich sah in der Libyschen Oase Farafrah *M. indicus* All. in grosser Menge auf Getreidefeldern, anscheinend als Gemengfrucht ausgesät; er heisst dort Hendagüg.) I. 239, 250.
Knoblauch (*Allium sativum* L.) I. 73; II. 10.
Ko be le bul, k. (*Sesamopteris alata* D. C.) II. 283.
Kohl (*Brassica oleracea* L.) I. 149.
Kokospalme (*Cocos nucifera* L.) II. 271.
Kola-Nuss, s. Goro.
Koloquinte (*Citrullus Colocynthis* Schrad.) II. 278; II. 266 und 269 ist wol nicht diese Pflanze gemeint, sondern die Abart der Wassermelone (*Citrullus vulgaris* Schrad.) mit kleiner, bitterlicher Frucht (*C. amarus* Schrad.), welche Barter (nach Dr. Hooker in Oliver's Fl. of Trop. Afr. II. 549) in Nyfe sammelte, und die nach Schweinfurth auch in der Oase Chargeh (dort Arändj genannt) und in Nubien (daselbst Gjerma) cultivirt wird.
Koltsche, k., s. Erdmandel.

Komandu-Baum, k. II. 23.
Komaua-Baum, k., mit citronenähnlichen Früchten II. 21.
Komo-Baum, k. II. 36.
Korna, k., auch in Fesan (*Zizyphus Spina Christi* Willd., Nebek, a.) I. 323; II. 24 ff., 175 (Südwestgrenze), 278.
Kossasse, k. Blassgrüner Strauch II. 21.
Kranka, k., auch in Fesan (*Calotropis procera* R. Br.) II. 18, 94.
Ksōb, a., s. Negerhirse.
Kuka, k. (*Adansonia digitata* L.) II. 112 ff., 175, 222, 264.
Kumba, s. Pfeffer.
Leptadenia pyrotechnica R. Br.? s. Rtem.
Leptochloa bipinnata Hochst., s. Halfa.
Ligña der Haussa, s. Ngálibi.
Limoniastrum Guyonianum Dur. II. 280.
Lita, k. (*Ficus sp.*) II. 72, 130, 133.
Lomatolepis capitata Sz. Bip. II. 279.
Loranthus globifer A. Rich. II. 283.
Luftwurzelbaum (*Ficus sp.*) II. 265.
Lycopersicum esculentum Mnch., s. Tomate.
Lygeum Spartum Löfl., s. Halfa.
Maerua rigida R. Br.? s. Scherra.
Mais (*Zea Mays* L., Massara k., Mas der Bassa-Neger) II. 220, 268, 269.
Malfena, a. (*Cleome arabica* L.) II. 277.
Mandelbaum (*Amygdalus communis* L.) I. 149.
Mangobaum (*Mangifera indica* L.) II. 271.
Manihot utilissima Pohl II. 210.
Mássabē, k., Staude mit gelben, essbaren Knollen II. 33.
Massakúa, k. (*Sorghum cernuum* Pers.) II. 10, 67.
Massara, k., s. Mais.
Matthiola livida R. Br., s. Gelgelān.
Mattia, k. II. 24, s. Negerhirse.
Medicago sp., s. Klee.

Melburta, k., weissdornähnlicher Strauch ohne Dornen . I. 298.

Melilotus indicus All., s. Klee.

Melone (*Cucumis Melo* L.) I. 72, 148; II. 10, 210.

Meluchia, a., s. Mlochia.

Milsch der Rhadamsier (*Heliotropium europaeum* L. und *Crozophora tinctoria* Juss., var. *verbascifolia* Müll. Arg.) II. 279, 281.

Mlochīa, Meluchīa, a. I. 73, 149. = *Abelmoschus esculentus* Mnch. I. 239, 250, 283. = *Corchorus olitorius* L.

Mohrrüben, s. Wurzeln.

Momordica Balsamina L. II. 283.

Moro, Morum, k. II. 15, 126, s. Negerhirse.

Mschuhelasch, a. (*Cleome arabica* L.) II. 277.

Musa sp., s. Banane.

Nachl, a., s. Dattelpalme.

Ndornu, k., s. Kabla.

Nebek, a., s. Korna.

Negerhirse (*Penicillaria spicuta* Willd., Ksōb a., Argum mattīa und Argum moro, k.) I. 148, 187, 288, 297, 323; II. 10, 15, 24 ff.

Nerium Oleander L., s. Oleander.

Neurada procumbens L. II. 278.

Ngábbere, k. (*Ficus sp.*) II. 24.

Ngáfuli, k., s. Durra.

Ngálibi, Ngálimi, k. (Ligña der Haussa, Runo oder Runa der Pullo). Baum mit olivenähnlicher, süsser Frucht II. 31, 134, 140, 170, 252.

Ngalo, k., Bohnenart II. 10.

Ngánga, k. Strauch mit dem Liguster ähnlichen Laub und apfelähnlicher, bitterer Frucht I. 298.

Ngangala, k. (*Voandzeia subterranea* Du Petit Thouars.) II. 10 ff.

Nicotiana rustica L. II. 279.

Nil, a. (*Indigofera argentea* L.) II. 278.
Oelbaum (*Olea europaca* L.) I. 13, 20, 29, 32, 34, 36, 149.
Oelpalme (*Elaïs guineensis* L.) II. 175, 191, 201, 220, 222, 250, 264, 265, 274.
Oleander (*Nerium Oleander* L.) I. 21.
Orangenbaum (*Citrus Aurantium* L.) I. 9, 13, 20, 29, 32; II. 271.
Oryza punctata Kotschy? s. Reis.
Panicum verticillatum L. II. 281.
Pastèque, s. Wassermelone.
Penicillaria spicata W., s. Negerhirse.
Pérgami, k., s. Reis.
Periploca angustifolia Labill., s. Haleba.
Pfeffer, rother oder spanischer (*Capsicum annuum* L.?) I. 73; II. 272.
Pfeffer, rother Sudan- (*Caps. conicum* Mey., var. *orientale* Dun., Schita, k.) I. 190; II. 279. An der (I. 190) erwähnten Stelle (Text zu Petermann's und Hassenstein's Karte von Innerafrika, S. [86]) nennt M. von Beurmann das dem Mörtel beigemengte Gewürz „Kimba". Dies ist nicht *Capsicum*, sondern ohne Zweifel der schon von Browne in Dar Kulla und von Barth in Kubanda unter dem Namen Kumba erwähnte, von Schweinfurth („Im Herzen von Afrika", I, 594) im Lande der Niamniam unter demselben Namen angetroffene Malaguetta-Pfeffer (*Xylopia* [*Habzelia*] *aethiopica* A. Rich.)
Pfeffer, schwarzer II. 210, 250.
Pfirsichbaum (*Amygdalus Persica* L.) I. 13, 72.
Pflaumenbaum (*Prunus domestica* L.) I. 72.
Phoenix dactylifera L., s. Dattelpalme.
Pistacia atlantica Desf., s. Batum.
Pisum sativum L., s. Erbse.
Pituranthos denudatus Viv. II. 282.
Polygonum equisetiforme Sibth. Sm. II. 281. *P. limbatum* Meisn. II. 284.

Potamogeton pectinatus L. II. 281.
Prunus Armeniaca L., s. Aprikosenbaum. *P. domestica* L., s. Pflaumenbaum.
Punica Granatum L., s. Granatbaum.
Quercus coccifera L.? s. Eiche.
Reis, wilder (*Oryza punctata* Kotschy? Férgami oder Pérgami k., Schinkáffa der Nyfe) II. 18, 71, 158, 210, 250.
Retama Raetam Webb., s. Ertem, Rtem.
Rhus dioeca Willd., s. Jadaria.
Rimmit, a. (*Caroxylon articulatum* Moq. Tand.) I. 60.
Rtem, auch Ertém, Ertim, Ertom, a. (*Retama Raetam* Webb.) I. 48, 54, 60; ob I. 283; II. 96 dieselbe Pflanze oder etwa die leicht damit zu verwechselnde *Leptadenia pyrotechnica* R. Br.?
Rübe (*Brassica Rapa* L.) I. 73, 148.
Rumex vesicarius L.? II. 280.
Runa, Runo der Pullo, s. Ngálibi.
Saccharum officinarum L., s. Zuckerrohr.
Safsfah, s. Klee.
Safua, a.? (*Withania somnifera* Dun.) II. 279.
Sajäl, a., s. Geredh.
Salsola vermiculata L. II. 280.
Samolus Valerandi L. II. 279.
Sbith, a. (*Aristida pungens* Desf.) I. 48, 231, 276.
Scherra, a., Ingísseri, k. (vermuthlich *Maerua rigida* R. Br., welche nach Duveyrier arab. Sarah heisst) I. 286.
Schih, a. (*Artemisia Herba alba* Asso?) I. 20, 40, 48.
Schinkáffa der Nyfe, s. Reis.
Schita, k., s. Pfeffer, rother Sudan.
Schöbr, a. (*Calligonum comosum* L'Hér.) II. 280. Vgl. I. 48.
Sesamopteris alata D. C. II. 283.
Silk-Cotton-Tree (*Eriodendron anf tuosum* D. C.) II. 272.
Sita, a. (*Limoniastrum Guyonianum* Dur.) II. 280.
Siuak a., s. Suak.

Solanum Melongena L., s. Aubergine.
Sorghum cernuum Pers., s. Massakua. *S. vulgare* Pers., s. Durra.
Ssilk-el-belebscha, a. (vermuthlich *Beta vulgaris* L., welche arab. Sselg heisst) I. 73.
Ssodr, a. (*Zizyphus Lotus* Willd.) I. 31, 57, 60.
Ssuēt, a. (*Suaeda fruticosa* Forsk.) II. 280.
Statice aphylla Forsk. II. 280.
Sterculia sp., s. Goro-Nuss.
Stützen- oder Luftwurzelbaum (*Ficus sp.*) II. 265.
Stipa tenacissima L., s. Halfa.
Suak, Siuak, a. (*Salvadora persica* L., nicht *Capparis aphylla* Roth = *C. Sodada* R. Br.! Ami der Teda, Tigi, k.) I. 270, 274, 276, 289.
Taback (*Nicotiana rustica* L., ob z. Th. *Tabacum* L.?) I. 20, 149; II. 73, 127, 210, 263, 279.
Taida-Strauch, k., mit kleinen weissen, bittern Beeren II. 17.
Talha, a. (*Acacia Seyal* Del.) I. 111 ff.; II. 121.
Tamalik, k. (*Polygonum limbatum* Meisn.) II. 284.
Tamarinde (*Tamarindus indica* L., Temssuko, k. I. 295; II. 14 ff., 175, Südwestgrenze.
Tamariske (*Tamarix sp.*) I. 20.
Tamarix articulata Vahl., s. Ethel.
Taseït der Tuareg, s. Dattelpalme.
Tefila-Strauch, k., mit essbaren Beeren I. 295.
Temssuko, k., s. Tamarinde.
Terfās, Turfās, a. (*Cistanche lutea* Lk. Hfmg. *Cheiromyces Leonis* Tul.) II. 284.
Tertūt, a. (*Cistanche lutea* Lk. Hfmg., *Cynomorium coccineum* L.) II. 283, 284.
Tiggebo, k. (*Adans ia sp.*?) II. 23.
Tigi, k., s. Suak.
Tintafia der Haussa (*Calotropis procera* R. Br.) II. 279.

Tjerga, k. (*Eleusine Coracana* Gaertn.) II. 29, 284.
Tomate (*Lycopersicum esculentum* Mnch.) I. 73.
Traganum nudatum Del. II. 280.
Tribulus sp. II. 283, s. auch Kaïë.
Trichodesma africanum R. Br. II. 279.
Triticum sp., s. Weizen.
Trüffel, weisse (*Cheiromyces Leonis* Tul., Terfâs, a.) II. 284.
Tumtum, a.? (vermuthlich *Capparis aphylla* Rth. = *C. Sodada* R. Br., welche in den Nilländern Tundup oder Duntup heisst) I. 280.
Umm schuscha, a. (*Frankenia pulverulenta* L.) II. 277.
Vitis vinifera L., s. Weinstock. *V. sp.*, s. Debussum.
Voandzeia subterranea Du Pt. Th., s. Ngangala.
Wassermelone (*Citrullus vulgaris* Schrad., Pastèque) I. 72; II. 210.
Weinstock (*Vitis vinifera* L.) I. 20, 36, 72.
Weizen (*Triticum sp.*) I. 20, 73, 148; II. 10.
Withania somnifera Dun. II. 279.
Wurzeln, Mohrrüben (*Daucus Carota* L.) I. 148.
Xylopia aethiopica A. Rich., s. Pfeffer.
Yamswurzel (*Dioscorea sp.*) II. 158, 180, 182, 210, 256, 268, 269.
Zea Mays L., s. Mais.
Zilla myagroides Forsk.? II. 277.
Zingiber officinale Rosc., s. Ingwer.
Zizyphus Lotus Willd., s. Ssodr. *Z. Spina Christi* Willd., s. Korna.
Zuckerrohr (*Saccharum officinarum* L.) II. 210.
Zwiebel (*Allium Cepa* L.) I. 73; II. 10, 243.

Berichtigungen.

Bd. I, Seite 5, Zeile 11 v. o., statt: Burkhardt, lies: Burckhardt, und st.: Ruppel, l.: Rüppell.
» » 5, » 12 v. o., st.: Oberweg, l.: Overweg.
» » 68, » 12 v. u., st.: Balbo, l.: Balbus.
» » 83, » 3 v. u., st.: dunkelgrau, l.: dunkelgrün.
Bd. II, » 187, » 7 v. u., st.: laidirt, l.: lädirt.
» » 241, » 1 v. u. muss „Gebrüder" wegfallen.
» » 242, » 1 v. o., st.: Landers, l.: Lander.
» » 254, » 7 v. o., st.: Gebrüder Landers, l.: Lander.
» » 256, » 17 v. u., st.: Landers, l.: Lander.

Druck von F. A. Brockhaus in Leipzig.